1549 — Созыв первого Земского собора

1550 — Судебник Ивана IV

1550 — Учреждение стрелецких полков, первых русских регулярных войск

1551 — Стоглавый собор

1552 — Завоевание Казанского ханства

1556 — Завоевание Астраханского ханства

1558 — 1583 — Ливонская война

1561 — Разгром Ливонского ордена

1563 — Взятие Полоцка

1565 — 1572 — Опричнина

1569 — Образование Речи Посполитой

1570 — Карательный поход Ивана Грозного против собственной страны

1571 — Сожжение Москвы Девлет–Гиреем

1572 — Второй поход Девлет–Гирея

1575 — 1576 — Марионеточное царствование Симеона Бекбулатовича

1579 — 1581 — Походы Стефана Батория на западные русские области

1582 — 1585 — Поход Ермака в Сибирь

1582 — Ям–Запольское перемирие с Польшей

1586 — 1605 (с 1598 — царь) — Правление Бориса Годунова

1583 — Плюсское перемирие (по БСЭ) с Швецией

1589 — Учреждение Московского патриаршества

1591 — Смерть царевича Дмитрия в Угличе

1591 — Поход Газы–Гирея на Москву

1595 — Тявзинский мир с Швецией

1597 — Отмена Юрьева дня (?)

1603 — 1604 — Восстание Хлопка

1604 — 1605 — Восстание Самозванца и начало Смуты

БОРИС АКУНИН

ИСТОРИЯ РОССИЙСКОГО ГОСУДАРСТВА

От Ивана III до Бориса Годунова

МЕЖДУ АЗИЕЙ И ЕВРОПОЙ

Издательство АСТ
Москва

УДК 94(47+57)"12/15"
ББК 63.3(2)43
    А44

Проект «История Российского государства» издается с 2013 года

Карты — *С.П. Павловская*
Художник — *И.А. Сакуров*
Оформление форзацев — *О.В. Климова, Я.Е. Половцева*

В оформлении использованы иллюстрации, предоставленные агентствами
Shutterstock, РИА Новости, МИА «Россия сегодня», Diomedia, Fotodom
и свободными источниками

Акунин, Борис.

А44   Между Азией и Европой. История Российского государства. От Ивана III до Бориса Годунова /Борис Акунин. — Москва: Издательство АСТ, 2016. — 384 с.: ил. — (История Российского государства).

ISBN 978-5-17-082532-5

В этой книге оживают страницы отечественной истории XV–XVI веков — как драматичные, ключевые события, так и небольшие эпизоды, о влиянии которых на ход истории порой мало кто задумывается. Охвачен период с момента освобождения Руси от иноземного владычества до великой Смуты — новой утраты независимости в результате внутреннего кризиса и вражеского вторжения. Почему первоначальные успехи сменились поражениями? Что во «втором» русском государстве изначально было — или со временем стало — причиной подобной непрочности? Третий том проекта «История Российского государства» продолжает разговор об истории Отечества с читателем, который предпочитает увлекательную манеру повествования, но стремится изучать факты, а не художественный вымысел, и делать выводы самостоятельно.

УДК 94(47+57)"12/15"
ББК 63.3(2)43

Предисловие
к третьему тому

В томе первом было описано раннее русское государство, которое появилось в конце IX века, просуществовало несколько столетий и распалось. Главная причина неуспеха этой «первой попытки», говоря коротко и упрощенно, заключалась в том, что исчезла причина, по которой это государство возникло. Оно образовалось на ключевом отрезке великого купеческого пути «из варяг в греки» — вдоль рек, соединяющих Черное море с Балтийским. Пока эта коммерческая магистраль сохраняла свое значение, Киевская Русь процветала, богатела и расширялась, выражаясь языком современным, за счет выгод от «обслуживания транзита» и участия в византийско-европейском товарообороте. Когда же речной маршрут начал хиреть из-за открытия новых торговых трасс и ослабления Византии, обнаружилось, что русская центральная власть слишком слаба, а внутренние межобластные связи недостаточно развиты, чтобы удерживать такую большую территорию внутри одной политической системы. Местным правителям стало выгоднее существовать самостоятельно, нежели делиться доходами с киевским великим князем, а у того не хватало средств справиться с центробежным движением. Обширное, но некрепко сшитое государство, охватывавшее значительную часть Восточной Европы, в XII веке распалось на множество средних и мелких княжеств, которые изредка объединялись перед лицом внешней опасности, но чаще воевали между собой. Однако они еще продолжали называться «Русью», сохраняли один язык, общую культуру, единую церковную организацию и управлялись родственниками — членами династии Рюриковичей. К моменту катастрофы 1237 года русского государства как такового давно уже не существовало, но страна еще сохранялась.

Во втором томе рассказывалось о том, как вследствие вмешательства внешней силы — монгольского нашествия — на время исчезла и страна. Русь утратила независимость и распалась на две части, каждая из которых в дальнейшем пошла своим историческим путем. Восточная половина стала сначала ордынской провинцией, а затем ордынским протекторатом; западная попала под власть литовских великих князей и польских королей. Двести с лишним лет, с середины XIII до середины XV века, суверенного русского государства не существовало.

Однако по мере ослабления великой империи Чингисхана, вследствие ряда объективных, но в еще большей степени случайных факторов, на северо-востоке бывшей страны начало укрепляться одно из маленьких княжеств — Москва. Очень небыстро, за полтора века, преодолевая сопротивление соседей и гибко приспосабливаясь к изменчивой ситуации внутри Орды, московские правители добились того, что их лидерство стало неоспоримым, а верховенство татарского хана превратилось в пустую формальность. К моменту смерти Василия II и вокняжения его сына Ивана III (1462 г.) в восточной половине Руси созрели все предпосылки для возрождения большого государства — *второго* русского государства.

Приступая к работе над русской «Историей», я намеренно отказался от выстраивания какой-либо концепции. Нет у меня такого искушения и сейчас. Я по-прежнему не собираюсь ничего доказывать читателям, не хочу их убеждать в правоте именно моего взгляда на историю. Я хочу всего лишь пройти по всей цепочке событий, чтобы посмотреть, как развивалось российское государство, и попытаться понять, почему оно сумело справиться с одними задачами и не сумело справиться с другими; в какие моменты государственная власть действовала в интересах страны и народа, а когда она им вредила; вообще — что такое «польза» и «вред» применительно к стране на каждом историческом этапе. И всё же, даже при таком намеренно ненаучном, неметодологическом способе изложения трудно не заметить, что на протяжение тысячелетней истории неоднократно происходило чередование векторов движения. Страну, географически расположенную на стыке западной и восточной цивилизаций, вело то в сторону Запада, то в сторону Востока. Эти переходы из условной Европы в условную Азию и обратно настолько очевидны, что мало кто из серьезных историков оспаривает историческую «двухкомпонентность» российской государственности.

Колебания этого геополитического маятника отражены и в названиях томов.

Первый назывался «Часть Европы» — потому что до середины XIII века Русь оставалась в русле общеевропейской истории (если включать в таковую и Византию).

Второй том пришлось назвать «Часть Азии», ибо Русь, во всяком случае восточная ее половина, стала частью азиатской (монгольской) державы и начала существовать по совершенно иным принципам.

Данный том получил название «Между Азией и Европой». Русь восстанавливает независимость, переходит к самостоятельному развитию, однако пока еще она намного ближе к Востоку, чем к Западу — прежде всего, по своей государственной системе, унаследованной от Орды и в значительной степени ее копирующей.

Это и естественно. Русские правители не видели и не знали государства могущественнее Золотой Орды. Византия, былой учитель киевских великих князей, впала в ничтожество, а в 1453 году вообще прекратила свое существование. Новый исполин — Османская империя, была военной державой, которая тоже в значительной степени заимствовала структуру чингизидских царств. Военно-ордынский тип государственной организации строился на простых, ясных и удобных принципах. Главный стержень — абсолютная, обожествленная власть государя; правление осуществляется не по единому для всех закону, а по августейшей воле монарха; все подданные, от первого вельможи до последнего раба, считаются слугами государства — то есть государя; жесткая вертикальная структура при необходимости обеспечивает быструю мобилизацию военных и хозяйственных ресурсов.

Правда, Золотая Орда рассы́палась на глазах у московских правителей, однако произошло это, по представлению современников, из-за ослабления ханской власти и своеволия ордынской знати. Русские правители сделали из этого вывод, казавшийся очевидным: чем тоталитарнее контроль сверху, тем прочнее держава. Так возникает парадокс, который впоследствии станет одной из главных коллизий российской истории. Оставаясь по своей структуре, принципам устройства, идеологии государством «ордынского» склада, Россия будет стремиться занять важное, а если получится, то и доминирующее место в европейской политической системе.

Дело в том, что одновременно с созданием нового русского государства при Иване III энергетический центр истории начинает постепенно перемещаться с Востока на Запад. На первом этапе описываемого периода Азия в лице Османской империи еще наступает и теснит Европу, но к концу XVI века опережающее развитие последней становится всё более очевидным. Обновленному русскому государству, связи которого были традиционно ориентированы на Восток, приходится всё больше заниматься Западом. Европа становится ближе и *важнее*; экономические, технологические и культурные интересы заставляют Русь поворачиваться к ней лицом.

Следующий, четвертый том, посвященный Руси XVII века, будет называться «Между Европой и Азией» — к тому времени Московское государство отдрейфует еще дальше в западном направлении, всё более дистанцируясь от Востока.

Третий том охватывает события с 1462 до 1605 года, то есть с момента фактического освобождения Руси от иноземного владычества до великой Смуты — новой утраты независимости в результате внутреннего кризиса и вражеского вторжения. Первоначально я собирался назвать том «Вторая попытка». Это, собственно, и была вторая попытка создания большого централизованного государства, мощно стартовавшая, но приведшая к печальному финалу. Суверенитет вновь был утрачен, но теперь уже в столкновении с Западом, а не с Востоком. Хотя крах оказался менее катастрофичным, чем в XIII столетии, и независимость через несколько лет была восстановлена, всё же представляется очень важным понять: почему успехи сменились поражениями? Что во «втором» русском государстве изначально было — или со временем стало — причиной подобной непрочности?

Именно эта линия в данном томе будет ведущей. Мои предположения и выводы, как обычно, я соберу в заключительной главе. К тому времени читатель, уже ознакомившись с фактами, наверняка сформирует собственную точку зрения, которая, возможно, и не совпадет с авторской.

Эпохи российской истории, с ее перемещениями из одного цивилизационного пространства в другое, настолько отличаются друг от друга, что в каждом томе приходится менять принцип повествования, приспосабливая его к особенностям данного периода. Структурно третий том существенно отличается и от первого, и от второго.

Прежде я уже писал, что меня очень занимает давний спор о роли личности в истории. Совершенно очевидно, что эта роль сильно варьируется в зависимости от формы государственного устройства. При демократической республике или ограниченной монархии она, разумеется, существенно меньше, чем при абсолютизме или при военно-диктаторском режиме. Если — обычно в силу вполне объективных причин — в стране устанавливается режим неограниченной власти одного человека, то фактор вполне субъективный, личные качества правителя, обретает гипертрофированное значение.

Такой концентрации единовластия, какое произошло в описываемый период, на Руси прежде еще не бывало. В эти времена, когда, по выражению С. Соловьева, «государство было еще так юно», личность Самодержца определяла политику страны, а стало быть, и ее судьбу. Характер монарха, слабые и сильные черты его натуры, состояние здоровья, события семейной и частной жизни накладывали отпечаток на всю эпоху. Не будет большим преувеличением сказать, что действовал принцип: каков государь, таково и государство. Вот почему в период, охваченный данным томом, описание политических событий, социальных и экономических изменений проще вести не от объективного к субъективному, а наоборот, от личного к общественному.

Для рассказчика это очень удобно. История «второй попытки» легко делится на четыре *времени*, по числу русских правителей, и у каждого из этих времен отчетливая собственная индивидуальность. Первые три раздела — «Время Ивана III (1462–1505)», «Время Василия III (1505–1533)» и «Время Ивана IV (1533–1584)» — я назвал именами монархов; четвертый, «Время Бориса Годунова (1584–1605)», — именем фактического главы государства, хотя с 1584 до 1598 г. на престоле находился царь Федор I.

Каждая часть начинается главой, посвященной личности властителя. Без этого многое в жизни государства осталось бы непонятно.

Затем следуют тематические главы, формирование и подбор которых опять-таки зависят от индивидуальных особенностей правления: чем рациональней и последовательней владыка, тем стройнее повествование (как, например, в описании эпохи Ивана III) — и наоборот, при таком мятущемся монархе, как Иван IV, рассказ о жизни государства тоже получается «скачущим».

ВРЕМЯ ИВАНА ТРЕТЬЕГО (1462-1505)

ВЕЛИКІЙ

КНЗЬ ІШАННЪ

ВАСІ ЛІЕ
ВИ ЧЬ

(© РИА Новости)

Историю Ивана III, правителя целеустремленного и настойчивого, поделить на хронологические и тематические главы очень легко, поскольку Иван Васильевич обычно не брался за новую государственную задачу, не покончив с предыдущей. Великий князь всегда твердо знал, чего он хочет и какими средствами будет этого добиваться. Он безусловно обладал незаурядным стратегическим мышлением, строил свои планы задолго и надолго, и планы эти, даже самые трудные, всегда бывали реалистичны.

Фоном всей деятельности Ивана III были усилия по преобразованию конгломерата неоднородных, по-разному устроенных русских областей в единое государство; по созданию властной пирамиды, увенчанной фигурой абсолютного монарха. Эту работу государь вел кропотливо, терпеливо и непрестанно с первого и до последнего дня своего долгого княжения. Иван был истинным архитектором «второго» русского государства. Глава «Московский государь» посвящена трудам Ивана III по строительству жестко централизованного, самодержавного организма власти.

Затем, в хронологическом порядке, идут главы, в которых описаны три большие кампании, осуществленные Иваном III: Новгородская, Татарская и Литовская. Именно они заложили фундамент великого царства и определили будущее страны. Государю, конечно же, во все годы приходилось одновременно заниматься и новгородскими, и татарскими, и литовскими делами, однако будучи человеком методичным, он на каждом этапе считал приоритетным только одно из этих направлений.

Проблема Новгорода в целом решилась к 1480 году; татарская проблема — к 1487-му, и в дальнейшем, до конца жизни, Иван был главным образом занят Литвой. Соответственно построено и повествование.

Еще три главы отведены темам, без которых рассказ об этом важном периоде русской истории был бы неполным: изменениям во внутренней жизни страны, становлению русской внешней политики и взаимоотношениям светской власти с церковью.

Однако прежде всего давайте познакомимся с живым человеком, которому было суждено осуществить грандиозную задачу возрождения русского государства.

Иван III Васильевич в жизни

Государственный семьянин

Наследник и преемник невыдающегося Василия II родился 22 января 1440 года. По святцам это был день памяти апостола Тимофея, и «прямое», то есть крестильное имя княжича было Тимофей. По древней традиции получил он и еще одного небесного покровителя, Иоанна Златоуста, в честь которого был наречен Иваном. Под этим вторым именем он и остался в истории. Мать Тимофея-Ивана, Мария Ярославна, происходила из серпуховской ветви московского княжеского дома. Мальчик был на четверть литовцем, правнуком великого Витовта.

До зрелых лет дожили еще пятеро детей Василия II: Юрий Молодой, Андрей Большой, Борис, Андрей Меньшой и Анна.

В жизни всякого монарха семейное и государственное переплетены, родственные и брачные связи не бывают частным делом, а у Ивана III государственный интерес находился на первом месте и, похоже, всегда брал верх над личными чувствами — в этом он выгодно отличался от многих последующих российских властителей. Иван Васильевич никогда не был просто семьянином — мужем, братом, отцом, дедом; он был *государственным семьянином*. Мы должны всё время об этом помнить, оценивая его поступки по отношению к родственникам и, в особенности, к родным братьям, с которыми Иван, если того требовала государственная необходимость, обращался как с врагами.

Детство княжича было тревожным.

Ему было всего пять лет, когда неосторожный Василий Васильевич угодил в татарский плен, едва не погубив Московское княжество. В следующем году настали еще более бурные времена. Вернувшийся из плена великий князь был свергнут с престола кузеном Дмитрием Шемякой, ослеплен и заключен в темни-

ИВАН III ВАСИЛЬЕВИЧ В ЖИЗНИ

цу. Маленького наследника было увезли, но потом выдали врагам, и он разделил с отцом заточение. Затем свергнутого Василия, получившего за незрячесть прозвище «Темный», вместе с семьей отправили княжить в захолустную Вологду, где слепец начал готовиться к новой гражданской войне. Чтобы заручиться поддержкой тверского князя Бориса Александровича, он пообещал женить семилетнего Ивана на тверской княжне Марии, которая была еще младше.

Вскоре после возвращения на престол слепой Василий провозгласил маленького сына соправителем, так что Иван титуловался великим князем начиная с 1449 года. Трудно сказать, с какого возраста его стали привлекать к обсуждению государственных дел, но произошло это очень рано. Уже в двенадцать лет он участвовал в военной экспедиции (против Шемяки); вернувшись из похода, Иван женился на Марии Борисовне — то есть формально стал взрослым.

 Василий Темный сделал девятилетнего ребенка своим соправителем, чтобы в будущем избежать обычной для того времени междоусобной войны за престолонаследие — младшие братья, вечный источник опасности, должны были привыкнуть к особенному положению старшего. Однако эта мера, предпринятая во имя государственной стабильности, оказалась мудрой и еще в одном смысле: в 1460 году она спасла великого князя от гибели.

Василий Тёмный и его сын Иван. *В.П. Верещагин*

МЕЖДУ АЗИЕЙ И ЕВРОПОЙ

Враждуя с Новгородом, давшим приют упрямому Шемяке, великий князь в конце концов склонил купеческую республику к покорности. Отобрал у нее часть земель, взял большую контрибуцию, а через некоторое время, со свойственной ему беспечностью, явился в ненавидящий его город с небольшой свитой, да еще в сопровождении двух сыновей, Юрия Молодого и Андрея Большого.

Новгородцы решили воспользоваться столь удобной возможностью и убить своего обидчика вместе с княжичами, тем самым повергнув Москву в смятение и хаос. Но новгородский архиепископ Иона отговорил заговорщиков, сказав, что убивать государя бессмысленно, поскольку его старший сын Иван остался в Москве и сумеет удержать власть в своих руках.

Из этого следует, что в двадцать лет Иван Васильевич был соправителем уже не только номинально, но и фактически — и об этом знала вся страна.

Вот почему вокняжение Ивана после смерти отца (27 марта 1462 г.) произошло без каких-либо осложнений, и чувствовал он себя на престоле настолько уверенно, что даже не озаботился — впервые в московской истории — испросить ярлык у хана. Именно этим историческим моментом (а не 1480 годом, как принято считать), пожалуй, и следует завершать эпоху татарского владычества над Русью. Тогда же фактически рождается «второе» суверенное государство.

Раз и навсегда определенного порядка престолонаследия на Руси не существовало, и всякий раз после смерти предыдущего великого князя возникал раздор между претендентами, которые в прежние времена часто обращались за поддержкой к внешней силе — татарам. Но для независимой страны вопрос династической преемственности имел первостепенную важность — особенно в той системе самодержавной власти, которую всю жизнь строил Иван III. В последний период его правления из-за неопределенности порядка наследования в стране произойдет серьезный кризис. Чтобы разобраться в его истоках, нам придется подробно рассмотреть матримониальную жизнь Ивана Васильевича.

Итак, в 1452 году, исполняя обязательства перед союзником, Василий Темный женил наследника на тверской княжне Марии. Брак был политическим, государственным: благодаря ему Тверь, прежняя соперница Москвы, становилась ее сателлитом.

Очень рано, чуть ли не четырнадцатилетней, Мария родила юному Ивану сына, которого называли «Иван Молодой». В 1470 году, повторяя удачный прием своего родителя, государь сделал наследника соправителем.

Но к этому времени великий князь овдовел (Мария Борисовна умерла в 1467 году) и готовился вновь сочетаться браком.

История второй женитьбы Ивана Васильевича настолько интересна и имела столь важные последствия для русского государства, что заслуживает обстоятельного рассказа.

ИВАН III ВАСИЛЬЕВИЧ В ЖИЗНИ

К этому времени положение Ивана, владетеля сильного и богатого государства, очень сильно переменилось по сравнению с 1447 годом, когда обручение с тверской княжной считалось большой удачей. Невест, по статусу равных такому жениху, на Руси не имелось, поэтому было желательно найти новую супругу за пределами страны, в иноземных венценосных домах. Проблема заключалась в том, что в Европе почти повсеместно утвердилось католичество, и православную принцессу отыскать было трудно.

В 1468 году один пронырливый итальянец, которого на Руси называли Иваном Фрязином (настоящее его имя было Джан-Баттиста делла Вольпе), приглашённый в Москву наладить чеканку монеты, предложил устроить брак вдовствующего Ивана с византийской царевной Зоей Палеолог. К тому времени греческая империя уже полтора десятилетия как пала, но престиж титула василевсов был очень высок. Отец Зои, правда, василевсом никогда не был — последнему императору он приходился братом, однако унаследовал это звание, то есть пышно именовался кесарем в изгнании, однако не имел ни владений, ни средств к существованию. (Его наследник Андрей Палеолог впоследствии торговал императорским титулом, пытаясь соблазнить им и своего зятя Ивана, но тот не любил выкидывать деньги на ветер и отказался. Правильно сделал, потому что бессовестный византиец умудрился в разное время продать своё кесарство аж трём разным принцам.)

Таким образом, партия была не такой уж блестящей, тем более что к 1468 году Зоя осиротела. Два её предыдущих жениха, сын мантуанского маркиза и захудалый король кипрский, поразмыслив, от такой невесты отказались. Зоя была бесприданницей и жила на иждивении у римского папы, из милости и довольно скудно. Павел II был рад избавиться от этой обузы, тем более что хитрый Вольпе наобещал понтифику, что таким образом можно

Фома Палеолог, деспот Морейский, отец Зои.
С фрески Пинтуриккио

15

МЕЖДУ АЗИЕЙ И ЕВРОПОЙ

будет приобщить Московию к католичеству. (Принцесса, рожденная в православии, в Риме, разумеется, перешла в латинскую или, по меньшей мере, униатскую веру, о чем «Иван Фрязин» сообщать русским не стал.) В Риме надеялись подключить Московию к антитурецкой коалиции — Османская империя была для Святого Престола главным врагом и постоянной угрозой.

В Москве женитьба на византийской царевне воспринималась совсем не так, как в Европе. Богатый русский государь в приданом не нуждался, с далекой Турцией ссориться не помышлял, зато был крайне заинтересован в повышении своего престижа. После долгой и унизительной ордынской зависимости новому суверенному государству нужно было возвращаться на международную арену и повышать свой статус.

 Что мы сегодня знаем о молодой женщине, которой предстояло сыграть важную роль в русской истории?

По меркам того времени она была сильно засидевшейся невестой — вступила в брак двадцатичетырехлетней. Внешность при политическом браке большого значения не имела, но Вольпе, следуя европейскому обычаю, привез в Москву портрет девушки. На Руси, где светские портреты были не в обиходе, картину назвали «иконой». К огромному сожалению, эта «икона» до нашего времени не сохранилась. Кажется, Зоя была, на итальянский взгляд, толстовата, но русские придерживались иных канонов красоты и полноту скорее воспринимали как достоинство.

В середине XX века, когда был вскрыт саркофаг, облик великой княгини восстановили по останкам (см. илл. на с. 17).

Хороша ли собой была греческая невеста или нет, действительно не имеет значения. Гораздо существеннее то, что она была очень неглупа и неплохо образованна. Зоя воспитывалась при одном из просвещеннейших дворов Европы, в эпоху, когда итальянская культура переживала Возрождение. Царевна с детства знала греческий, итальянский, латынь и, кажется, довольно легко выучила русский — видимо, была способна к языкам. Среди ее личных вещей имелось немало книг, что впоследствии породило легенду о библиотеке византийских императоров, якобы перевезенной в Москву и пропавшей во времена Ивана Грозного. (На самом деле у бесприданницы взяться такому сокровищу было неоткуда.) В любом случае, великая княгиня настолько отличалась манерами и поведением от воспитанных в запертом тереме русских женщин, что государь сажал ее рядом с собой принимать послов. Последующие монархи своих жен чужеземцам демонстрировать не будут. Из записок иностранцев известно, что «деспина» (так ее называли по титулу покойного отца, деспота Мореи) была умна и могла вести ученую беседу.

Кроме того эта женщина несомненно обладала весьма твердым характером, иначе она не смогла бы влиять на своего супруга, который привык все решения принимать сам. В конечном итоге две эти сильные личности вступили в конфликт, о котором будет рассказано чуть ниже.

ИВАН III ВАСИЛЬЕВИЧ В ЖИЗНИ

Софья (Зоя) Палеолог. *Реконструкция по черепу С. Никитина*

Несмотря на взаимную заинтересованность, переговоры и обмен посольствами продолжались целых четыре года — тогда всё делалось неспешно. Наконец, летом 1472 года Зоя отправилась в долгое путешествие, кружным путем, в объезд недружественного Москве польско-литовского государства. Дорога заняла четыре с половиной месяца.

Щекотливый вопрос о конфессии невесты решился легко и быстро. Девушка была слишком умна и прагматична, чтобы делать из этого проблему. В Москву она прибыла уже не Зоей, а Софьей — это имя звучало более «русским». Как она вернулась в лоно православия, достоверно неизвестно. Скорее всего, никакого особого обряда не было и Софья просто сделала вид, что никогда не оставляла греческой веры, то есть воспользовалась ложью Ивана Фрязина (что не спасло Вольпе от опалы — видимо, вранье все же каким-то образом раскрылось). Папский легат всю долгую дорогу возглавлял свадебный поезд, везя перед ним католический крест. Но близ Москвы кардинала попросили убраться на задний план, а крест спрятать в сани. Ни об унии с Римом, ни о союзе против турок речи не было. Молодая государыня никакой поддержки кардиналу не оказала, и через два или три месяца он отправился обратно, получив в утешение богатые подарки.

МЕЖДУ АЗИЕЙ И ЕВРОПОЙ

Русские встречают царевну Зою. *Ф. Бронников*

Второй брак Ивана Васильевича оказался продолжительнее первого. Софья сначала рожала дочерей, что никак не меняло династической перспективы — наследником и соправителем великого князя оставался Иван Молодой. Однако в 1479 году у гречанки родился собственный сын, Василий, а за ним еще четверо (не считая умерших в младенчестве).

В семье государя обозначился опасный раскол, из-за которого весь двор поделился на две враждебные партии: наследника и великой княгини. Конфликт этот перешел в острую фазу после того, как очевидный и, в общем, бесспорный преемник Иван Молодой в 1490 году умер. Теперь вопрос о наследовании стал менее очевидным.

Закона о передаче короны по прямой линии от отца к старшему сыну и так далее не существовало, да и сама идея того, что может быть какое-то правило, обязательное для самодержца, противоречило системе, которую создавал Иван III: высшей инстанцией являлась воля государя, и лишь он один имел право решать, кто станет монархом после него. Разумеется, такой порядок перехода власти будет не раз приводить к смуте, поскольку у каждого из сыновей, да и братьев монарха имелось теоретическое право на трон. «Правильный» порядок престолонаследия в России установится только в конце XVIII века.

Для Ивана Молодого честолюбивый отец — опять не без труда — сумел подыскать иноземную православную невесту, хоть и менее именитую, чем Софья Палеолог: дочь валашского (молдавского) господаря Стефана. Елена Волошанка, как называли в Москве молодую княгиню, силой характера не уступала

ИВАН III ВАСИЛЬЕВИЧ В ЖИЗНИ

государыне и, овдовев, возглавила сообщество придворных, делавших ставку на ее сына, маленького Дмитрия.

Обе женские партии — «Грекини» и «Волошанки» — боролись за влияние, стараясь склонить на свою сторону стареющего великого князя. Неустойчивое равновесие сохранялось несколько лет. Иван не торопился с решением — вероятно, присматривался к подрастающим княжичам, пытаясь понять, кто из них более подходит на роль правителя и будет лучше «держать государство». Есть основания полагать, что колебания Ивана Васильевича объяснялись именно государственными интересами, а не личными симпатиями. По-родственному он, кажется, был больше привязан к Дмитрию, но Иван III не привык в важных делах руководствоваться эмоциями.

Имело значение и окружение каждого из претендентов.

Вокруг внука собрались знатнейшие люди двора, члены Боярской думы. Это была партия аристократическая. На первых ролях в ней были ближайшие советники Ивана — князья Иван Патрикеев и Семен Ряполовский.

Партию Софьи можно назвать «бюрократической». В ней тон задавали дьяки — чиновничье сословие, усиление которого было обусловлено потребностями большого централизованного государства.

Конфликт двух этих сил, распространившийся и на церковь (об этом речь пойдет в отдельной главе), носил глубинный характер.

Бояре не любили «Грекиню», потому что она, следуя традициям византийской империи, стремилась возвысить престиж великокняжеского звания, усложняя придворный церемониал и вводя всё новые непривычные ритуалы. Это не только раздражало консервативную знать, но и пугало ее, причем не без оснований. Чем выше становился пьедестал трона, на котором восседал государь, тем больше он обособлялся от Думы, а московские бояре издавна привыкли активно участвовать в управлении страной.

В то же время у служилого сословия подобных амбиций не было; усиление личной власти монарха вполне соответствовало интересам дьяков и неродовитой знати.

Несколько лет противоборствующие стороны плели интриги и производили закулисные маневры. Затем произошел взрыв.

В октябре 1497 года Дмитрию Ивановичу исполнилось 14 лет. Бояре стали уговаривать государя назначить подростка соправителем, что означало бы полную победу над партией Василия и Софьи. Взволнованные оппоненты составили заговор, намереваясь захватить казну и уничтожить Дмитрия. О заговоре донесли государю. Больше всего Ивана Васильевича испугало, что Софья секретничала с какими-то «лихими бабами», у которых якобы было некое «зелье». Колдовства в те суеверные времена боялись еще больше, чем ядов.

Великий князь больше не колебался. Самых активных заговорщиков предали жестокой казни, «лихих баб», как полагалось поступать с ведьмами, утопили в реке, супругу Иван от себя отдалил, а Василия поместил под стражу.

МЕЖДУ АЗИЕЙ И ЕВРОПОЙ

Вскоре после этого Дмитрий — впервые в русской истории — был торжественно венчан на великое княжение. Некоторые историки даже считают, что это было коронованием на царство, ибо в чине церемонии упоминается «скипетр царствия». По иронии судьбы византийский ритуал, который так старательно насаждала Софья, увенчал победу ее врагов.

Фрагмент «Пелены Елены Волошанки» (1498) с изображением коронации Дмитрия: Елена — в красном плаще, Софья — в желтом, загнанная в угол

Но государственный интерес оказался сильнее обиды. Миновало совсем немного времени, и Иван Васильевич понял свою ошибку. Ослабление служилой партии привело к усилению Боярской думы, что нарушало систему власти, кропотливо строившуюся государем. Не прошло и года, как недавние триумфаторы, князья Патрикеев и Ряполовский, внезапно были схвачены. Первого постригли в монахи, второму отрубили голову. В чем заключалась их «измена», летописи не сообщают, лишь в одном из документов упоминается, что великий князь обвинял репрессированных в «высокоумничаньи» — очевидно, те оказались недостаточно гибкими и послушными.

Некоторое время после этого Иван Васильевич держал обоих наследников в «равноудалении», а их честолюбивых матерей тем более.

ИВАН III ВАСИЛЬЕВИЧ В ЖИЗНИ

Однако государь старел, его здоровье ухудшалось.

В апреле 1502 года Иван наконец принял решение — видимо, с нелегким сердцем. Сын Василий не отличался государственными талантами, но зато вокруг него не группировалась боярская знать, усиление которой ограничило бы монопольную власть еще некрепкого самодержавия. Вероятно, не последнюю роль сыграло и то, что Софья стала не та, что прежде (она хворала и скоро умерла); Елена Волошанка была моложе и опаснее.

Василия провозгласили «большим князем» (то есть следующим по старшинству после «великого»), Дмитрия же вместе с матерью для верности посадили в заточение, хотя ни о каких их винах летописи не сообщают. По-видимому, суровое решение было мерой сугубо профилактической. Иван III, как обычно, пожертвовал семейными интересами ради государственных. (Мы увидим, что лишь перед самой кончиной, уже на смертном одре, он даст волю чувствам.)

Для человека Средневековья Иван Васильевич прожил долгую жизнь. На шестьдесят шестом году у него случился инсульт («отняло руку, и ногу, и глаз»), он «начал изнемогати» и через несколько месяцев, 27 октября 1505 года, скончался.

Намекая на то, что этот рассудочный, холодный монарх не был популярен, Карамзин вежливо пишет: «Летописцы не говорят о скорби и слезах народа; славят единственно дела умершего, благодаря Небо за такого Самодержца!»

Реконструкция личности

Каким же был человек, сыгравший такую значительную роль в отечественной истории?

Мы многое знаем о его деяниях и почти ничего об истинных мотивах этих поступков. Как писал С. Соловьев, в документах эпохи «редко исторические лица представляются мыслящими, чувствующими, говорящими перед нами — одним словом, живыми людьми; сами эти лица действуют большею частью молча, а другие люди, к ним близкие, знавшие их хорошо, ничего нам об них не говорят». Давать характеристики московским монархам смели разве что иностранцы, но в конце XV века их на Руси было еще слишком мало — первые более или менее живые описания русских государей начинаются с Ивана Грозного. Что же касается Ивана III, то мы и о внешности-то его знаем лишь благодаря запискам венецианца Контарини. Старинные русские портреты слишком условны, государи чересчур благообразны и иконописны, лишены черт индивидуальности.

Амброджо Контарини видел великого князя в 1476 году, когда Ивану Васильевичу было 36 лет. «Он высок, но худощав, — лаконично пишет итальянс-

МЕЖДУ АЗИЕЙ И ЕВРОПОЙ

нец. — Вообще он очень красивый человек». Вот и всё. В наших летописях еще мелькает прозвище «Горбатый», из чего можно предположить, что великий князь сильно сутулился — на настоящий горб Контарини наверняка обратил бы внимание.

Диапазон мнений о характере и натуре Ивана III у историков весьма широк — от восторженного до обличающего, в зависимости от того, нравится этот государь автору или нет. В его деяниях безусловно можно найти основания и для восторгов, и для обличений.

Наглядный пример такой противоречивости можно, например, встретить у Н. Костомарова, который в одном месте пишет: «Он не отличался ни отвагою, ни храбростью, зато умел превосходно пользоваться обстоятельствами», а через несколько абзацев: «Решительный и смелый, он был до крайности осторожен там, где возможно было какое-нибудь противодействие его предприятиям».

Попробуем реконструировать личность Ивана III сами, руководствуясь не чьими-то оценками, а установленными фактами и правдоподобными предположениями.

Не вызывает сомнений, что важную роль в формировании личных качеств Ивана сыграли впечатления детства, полного потрясений, опасностей и резких перемен.

В жизни мальчика было очень много страшного: страх перед татарами, взявшими в плен отца; страх перед жестоким Шемякой, приказавшим выколоть отцу глаза; страх перед изменниками-боярами; страх перед ненадежными родственниками; да и грозная бабушка Софья Витовтовна, которой боялся сам Шемяка, наверняка внушала домашним трепет.

Главный урок, извлеченный Иваном из этих ранних переживаний и из трагического опыта его беспечного родителя, заключался в том, что государь должен быть очень осторожен, никогда не идти напролом и всячески избегать личного риска.

Итак, первая, коренная черта этого характера — осторожная расчетливость. Уже в юности Иван, по выражению Карамзина, «изъявлял осторожность, свойственную умам зрелым, опытным, а ему природную: ни в начале, ни после не любил дерзкой отважности; ждал случая, избирал время; не быстро устремлялся к цели, но двигался к ней размеренными шагами, опасаясь равно и легкомысленной горячности, и несправедливости, уважая общее мнение и правила века». Обстоятельность, терпеливость, настойчивость и последовательность в достижении поставленной цели обеспечивали Ивану III успех почти во всех делах, за которые он брался.

В этой стратегической установке проявлялась самая сильная и позитивная сторона самодержавной монархии как политической системы. Самодержец Иван III мыслил масштабами не своей земной жизни, а целой династии, поэтому

ИВАН III ВАСИЛЬЕВИЧ В ЖИЗНИ

он мог строить дальние планы, завершить которые предстояло его преемникам — как, например, произошло с присоединением Псковщины: аннексию этого важного региона государь неторопливо подготавливал десятилетиями, а завершилось дело уже при его сыне Василии. Ближайшие соседи и вечные соперники, польские короли, не обладавшие абсолютной властью и каждый раз избиравшиеся на трон, подобной роскоши позволить себе не могли и дальних планов обычно не вынашивали.

Напрямую с осторожностью связана другая черта, присущая Ивану Васильевичу, — небоевитость, которую некоторые современники и многие историки оценивали как трусость. Уже говорилось, что первый свой военный поход княжич-соправитель возглавил еще двенадцатилетним, но то была воля отца. Став полновластным государем, Иван в боевых действиях предпочитал не участвовать и лично вел войско лишь в такие походы, когда капитуляция противника была гарантирована.

Портрет Ивана III Васильевича из «Царского титулярника»

МЕЖДУ АЗИЕЙ И ЕВРОПОЙ

Серьезный урон репутации великого князя нанес поспешный отъезд из армии в 1480 году, когда на Русь двигалась рать ордынского хана Ахмата (об этом эпизоде пойдет речь в «татарской» главе). Бросив войско на сына и воевод, государь уехал в Москву, где его публично обозвал «бегуном» архиепископ Вассиан, сказавший (цитирую по Соловьеву): «Вся кровь христианская падет на тебя за то, что, выдавши христианство, бежишь прочь, бою с татарами не поставивши и не бившись с ними; зачем боишься смерти? Не бессмертный ты человек, смертный; а без року смерти нет ни человеку, ни птице, ни зверю; дай мне, старику, войско в руки, увидишь, уклоню ли я лицо свое перед татарами!» Зароптали и москвичи. Великому князю пришлось вернуться к войску, но до конца противостояния он держался на безопасном расстоянии от боев.

Вряд ли это была трусость — скорее, типичная для Ивана рассудительность. Он знал, что воеводы ведают военную науку лучше, чем он, а главное, не желал из-за какой-нибудь несчастливой случайности повторить судьбу отца, тем самым погубив великое дело, которое замыслил. Государь любил действовать наверняка. Австриец Сигизмунд фон Герберштейн, на которого я в этом томе еще не раз буду ссылаться, пишет: «Он обыкновенно никогда сам не присутствовал в сражении и однако ж всегда одерживал победу».

С рассудительностью связано другое качество, в высшей степени свойственное Ивану III — практичность, хозяйственность, рачительность. Это была натура очень приземленная. Проявляя набожность и благочестие на словах, истово отстаивая интересы православия, возводя пышные храмы (не столько для Бога, сколько ради демонстрации собственного величия), государь относился к религиозным вопросам сугубо прагматически. Это проявилось и в его церковной политике, о которой мы еще поговорим, и в терпимости к иноверцам, и в легкости, с которой он выдал свою дочь за католика, и даже в последней воле — Духовной. В самом начале завещания, почти скороговоркой проговорив обязательную формулу («Во имя святыя и живоначальныя Троица: Отца и Сына и Святого Духа, и по благословению отца нашего Симона Митрополита всеа Русии. Се яз многогрешный и худый раб Божий Иоанн, при своем животе, в своем смысле, пишу сию грамоту душевную»), далее, очень деловито и дотошно он делит имущество: «…а сын мой Андрей дает со всего удела со всего, и с Старицы, и с Холмских вотчины с Холму, и с Нового города, и с Олешни, и с Синие, и синих волостей с Тверских, что ему дано, сорок рублев с аполтиною и полчетверты денги… А сыну моему, князю Ивану: пояс золот татаур, да два ковша золоты по две гривенки». Великокняжеские завещания всегда подробны в хозяйственных распоряжениях, но все же не до «полчетверты денги». Такая обстоятельность перед лицом смерти, пожалуй, даже вызывает почтение: управляющий вотчиной под названием «Русь» сдает хозяйство и заботится, чтобы оно поддерживалось в порядке.

ИВАН III ВАСИЛЬЕВИЧ В ЖИЗНИ

Страница из завещания Ивана III

Оборотной стороной рачительности была скупость — наследственная болезнь потомков прижимистого Калиты. Даже удивительно, как это в Иване III масштабность задач уживалась с патологической мелочностью. Он был несметно богат, много богаче всех своих предшественников — доходы из новых земель шли в казну потоком; перечень сокровищ в Духовной («лалов, яхонтов, других каменьев, жемчугу, саженья всякого, поясов, цепей золотых, сосудов золотых, серебряных и каменных, золота, серебра, соболей» и прочей «рухляди») нескончаем. Но при этом известно, что, выдавая иностранным послам положенную по протоколу провизию, государь требовал шкуру от съеденных баранов отдавать обратно. В 1504 году, когда в Москву явился посол императора Максимилиана с просьбой прислать для охоты белых кречетов, которыми славилась Русь, Иван Васильевич поскряжничал, хотя был очень заинтересован в хороших отношениях с Веной — дал только одного белого кречета и подсунул четырех красных, менее ценных, а посланника одарил такой плохой шубой, что тот даже обиделся.

Все силы души и вся страстность (если у Ивана она вообще была) расходовались на властолюбие и собирательство земель. В остальном это, по-видимому, был человек, эмоциям не подверженный. Нет никаких упоминаний о фаворитках или каких-то личных пристрастиях монарха; вспышки гнева у него были редки, и их последствия, как мы видели в истории с наследованием, впоследствии исправлялись.

По природе Иван Васильевич не был человеком жестоким. Точнее сказать, он и в жестокости бывал прагматичен: когда нужно для дела — сурово карал, когда требовалось быть милостивым — миловал. Впрочем, в этом отношении он менялся с годами. В молодом и среднем возрасте Иван, пожалуй, был скорее милосерден — такое впечатление складывается из чтения летописей.

МЕЖДУ АЗИЕЙ И ЕВРОПОЙ

 Когда в 1467 году внезапно скончалась великая княгиня Мария Борисовна, ее тело страшно распухло, так что возникло подозрение, не злыми ли чарами ее погубили. Дознание установило, что некая Наталья, жена придворного Алексея Полуехтова, якобы посылала пояс государевой супруги к ворожее. Обвинение было ужасное, а Иван Васильевич, будучи человеком своего времени, в колдовство верил и очень его боялся. Он страшно разгневался — и что же? Несколько лет потом не велел обоим Полуехтовым являться пред государевы очи. И всё.

В 1484 году в Москву пришел донос, что в вечно неспокойном Новгороде составился заговор — именитые люди вступили в тайную переписку с польским королем Казимиром IV. Арестовали тридцать человек, которые под пытками дали показания. Однако уже на эшафоте все они стали просить друг у друга прощения за оговор. И государь отменил казнь.

Однажды государеву брату Андрею Большому, находившемуся в весьма натянутых отношениях с Иваном, шепнули, что есть приказ о его аресте. Перепуганный князь сначала хотел бежать, но потом решил идти к брату и просить пощады. Выяснилось, что Иван Васильевич ничего подобного не приказывал. Нарядили следствие — откуда пошел слух, и вышли на какого-то Мунта Татищева, сына боярского. Тот не отпирался, но говорил, что сказал это, желая пошутить, в частном разговоре, а в дальнейшем распространении сплетни не виноват. За столь опасную шутку, чуть было не приведшую к династическому кризису, Татищева приговорили к отрезанию языка. Однако митрополит стал просить государя пожалеть дурака — и ничего, не отрезали.

Но к старости нрав Ивана III стал делаться круче. Тому способствовало и постоянное желание возвысить звание великого государя, и привычка к бесконтрольной власти, и невероятный рост могущества державы. Впрочем, с возрастом характер портится не только у абсолютных монархов.

Кажется, на стареющего Ивана очень сильно подействовало коварство жены, затеявшей заговор в интересах своего сына. После событий 1497–1498 годов великий князь стал невоздержан в питии. Герберштейн пишет: «За обедом он обычно пил так много, что засыпал. Все приглашенные сидели тогда в безмолвии, сильно напуганные».

В историю под прозвищем «Грозный» вошел Иван IV, которого, однако, при жизни так никто не именовал — эпитет пристал к Ивану Васильевичу-младшему посмертно. А вот Ивана III нарекли Грозным еще современники, ибо в последнюю пору правления он сделался скор на расправу и безжалостен. Тот же Герберштейн рассказывает, что женщины чуть не падали в обморок от государева взгляда; придворные трепетали перед ним.

И неудивительно.

Казни и пытки на Руси стали обычным явлением. Никто, даже представители высшей аристократии, не могли чувствовать себя защищенными от Иванова гнева, если уж князь Ряполовский, давний соратник государя и при-

ИВАН III ВАСИЛЬЕВИЧ В ЖИЗНИ

родный Рюрикович, лишился головы (всего лишь, как я уже писал, за «высокоумничанье»). А несколькими годами ранее другого князя, Ивана Лукомского, заподозренного в умысле на жизнь монарха, предали изуверской казни — сожгли в клетке на льду Москвы-реки вместе с соучастником, польским агентом.

 В пожилые годы Иван Васильевич почему-то выказывал особую жестокость по отношению к врачам — возможно, помнил, как они угробили его родителя: лечили от сухотки (болезненной худобы, которая могла быть вызвана чем угодно) при помощи прижиганий трутом и спровоцировали гангрену.

Наследник престола Иван Молодой мучился «камчугом» (то ли ревматическими болями в ногах, то ли какой-то кожной болезнью). Иноземный лекарь Леон, венецианский еврей, самоуверенно заявил, что берется излечить князя, а если не справится — готов ответить головой. «Сей медик более смелый, нежели искусный» (по выражению Карамзина) прикладывал какие-то «скляницы» с горячей водой, и вскоре Иван Иванович умер. Очень возможно, что причина была вовсе не в припарках, но тем не менее голову, которой Леон поручился за успех, безжалостно отрубили — да не сразу, не сгоряча, а благочестиво дождавшись сороковин.

Еще печальней история другого иностранного врача, Антона Эренштейна, героя известного романа Ивана Лажечникова «Басурман». Этого немца, своего лейб-лекаря, государь «одолжил» татарскому князю Каракуче, однако Эренштейн с задачей не справился и важного пациента «умори за посмех» (то есть по неосторожности). В виде утешения Иван выдал сыну покойного Каракучи горе-эскулапа на расправу. Татары были не прочь взять с немца хорошую компенсацию, однако великий князь, более жестокий, чем они, требовал крови. Делать нечего — татары отвели беднягу под мост и там зарезали «как овцу».

Перед самой смертью у полупарализованного Ивана Васильевича вдруг возник порыв проявить милосердие к родному внуку, бывшему соправителю Дмитрию, безо всяких вин томившемуся в темнице. Великий князь велел привести юношу, но помиловать его не успел — испустил дух, и несчастного Дмитрия немедленно отправили обратно под замок. Впрочем, если бы Иван каким-то чудом поправился бы, он, несомненно, сделал бы то же самое. Государственный интерес для него всегда был выше личной привязанности и жалости.

Наверное, великий государь умирал с ощущением, что свою миссию он осуществил и все долги исполнил — как перед державой, которую привел к процветанию, так и перед династией: сыновей он оставил более чем достаточно. Все они, правда, были недаровиты, но у властного человека, привыкшего подавлять волю окружающих, редко вырастают сильные сыновья.

Московский государь

Русь в 1462 году

Когда двадцатидвухлетний Иван после отца занял московский «стол», Русь формально еще была вассальной по отношению к Орде страной, к тому же разделенной на несколько автономных территорий. Московское великое княжество бесспорно первенствовало среди них по размерам и могуществу, но имелись и четыре других немаленьких княжества, Тверское, Рязанское, Ярославское и Ростовское (причем три первых тоже именовались «великими») плюс три богатых торговых республики (Новгород, Псков, Вятка). Кроме того, по меньшей мере половина древних русских земель принадлежала Литве.

Русь была разделена не только границами; разные ее части имели принципиальные отличия в политическом устройстве. В еще сохранявшихся, но доживавших последние дни региональных княжествах оно было традиционным: со слабой княжеской властью и сильным боярским влиянием. В Москве способ правления был монархическо-аристократическим, с постепенным усилением первого элемента и ослаблением второго. Купеческие вольные города являлись демократиями, где настоящая власть принадлежала торговой элите, однако всякое решение нуждалось в одобрении народного веча. В литовской половине Руси форма правления была аристократической: монарх не мог передать трон по наследству, а избирался радой, и его власть стеснялась множеством ограничений.

Между областями страны существовали и серьезные культурные различия, которые в значительной мере определяли особенности политического строя. Если Москва и остальные четыре великорусских княжества образовались из прежних ханских владений и несли на себе отпечаток двух с лишним веков сильного татарского влияния, то Новгород ордынским духом был почти не затронут и сохранил изначальную русскость; западная же Русь чем дальше, тем сильнее полонизировалась и латинизировалась.

Столица, то есть город, в котором находился Иванов «стол», располагалась в опасной близости от границ с недружественными соседями. В ста с небольшим километрах к югу, по Оке, приходилось держать заставы от татар; на таком

МОСКОВСКИЙ ГОСУДАРЬ

же расстоянии, только с западной стороны, уже за Можайском, начинались литовские владения. Площадь земель, принадлежавших Москве, составляла не более четверти территории, которую великорусское государство займет по завершении первичной централизации, к началу XVI века.

При этом Иван Васильевич даже в собственном княжестве не был единственным хозяином — большие куски земли входили в состав удельных княжеств, совершенно самостоятельных в своей внутренней жизни. Таких вассальных владений в 1462 году насчитывалось пять: четыре принадлежали родным братьям государя и одно — двоюродному дяде Михаилу, князю Верейскому.

Русь в 1462 г. С. Павловская

Таким образом, основателю «второго» государства предстояло решить несколько насущных задач:

— Присоединить независимые русские княжества и республики.

— Разрушить или хотя бы ослабить удельную систему в самой Московии.

— Возродить суверенитет, то есть окончательно избавиться от ордынского диктата и обеспечить новой стране международный статус, соответствующий ее размерам и силе.

— Но важнее всего было осуществить дело трудное и небывалое: создать принципиально иную государственную систему, потому что прежними методами объединенной Русью управлять было бы невозможно. Менять надо было всё: структуру власти, финансовые механизмы, социальные отношения. Как осуществить эту многокомпонентную программу, никто за отсутствием опыта не знал, да, кажется, объединитель и не очень сознавал всю сумму потребностей такого государства, до самого конца пытаясь управлять им как очень большой вотчиной.

Итак, цели, стоявшие перед Иваном III, имели разную степень сложности. К достижению каждой он двигался основательно, без спешки. Иногда какая-то вроде бы не слишком головоломная задача решалась долгие годы, но это великого князя, кажется, особенно не заботило. Он не жалел ни времени, ни сил, если можно было обойтись без лишних затрат и кровавых конфликтов.

Вот почему процесс объединения и государственного обустройства великорусских земель продолжался всё долгое княжение Ивана Васильевича, и завершать некоторые дела пришлось уже преемнику, Василию III.

Что же касается проблем организационно-структурных, то, как мы увидим, многие из них так и остались неразрешёнными вплоть до самого финала «второго» русского государства.

Великий государь и самодержец

Для достижения всех этих трудных целей была необходима абсолютная полнота власти, а ею молодой князь поначалу далеко еще не обладал. Само представление о том, что один человек может неограниченно распоряжаться делами княжества, было каким-то *нерусским* — так правили в Золотой Орде, но не на Руси. Возвышение Москвы произошло чуть ли не в первую очередь благодаря тому, что князь во всем опирался на бояр, а они стояли за него стеной, не раз спасая династию от гибели. Боярская дума была чем-то вроде кабинета министров или высшего государственного совета, без одобрения которого не принимались никакие важные решения. В случае военной опасности государь не мог обойтись без полков, которые приводили под его знамя вассалы, удельные князья, да и у знатнейших бояр тоже были собственные дружины.

Государев двор был устроен очень просто. Придворного церемониала, по-видимому, еще не существовало. Никакой особенной сакральностью фигура великого князя окружена не была. Большие бояре вели себя с ним довольно независимо, и государю нужно было проявлять в отношениях со знатью осторожность. Любой вельможа имел право, оскорбившись, отбыть со всей челядью к другому владыке, при этом еще и сохранив свои вотчины.

МОСКОВСКИЙ ГОСУДАРЬ

В Москве и во всей стране была свежа память о том, как всего полтора десятилетия назад отец Ивана, изгнанный из собственной столицы, униженный и искалеченный, скитался по Руси, моля о помощи других князей и прося убежища у богатого Новгорода.

Однако к концу княжения Ивана III положение монарха поднялось на такую небывалую высоту, что для страны с подобным устройством власти вошло в обиход новое название «государство» — как производное от слова «государь», то есть нечто, принадлежащее одному-единственному человеку. Мы видели, что Иван Васильевич относился к собственной семье как к государственному институту, однако верно и то, что государство он тоже рассматривал как подчиненную ему большую семью — не в том смысле, что любил своих подданных (он и родственников-то не особенно жаловал), а по принципу взаимоотношений. Русский государь был патриархом, «отцом»; все остальные жители страны — его «детьми». В патриархальной семье отец руководствуется не законом, а собственными представлениями о правильности, главным же достоинством детей считается беспрекословное послушание. Отец-государь лучше знает, а если в чем ошибся, то ответит не перед народом, а перед Богом. (В разделе, посвященном царствованию Ивана Грозного, мы увидим, до каких эксцессов могло довести подобное представление о государстве.)

Возвеличивание монархической власти, стоявшей в 1462 году сравнительно невысоко, а к началу XVI века уже поражавшее иностранцев своими масштабами, было процессом постепенным и складывалось из нескольких компонентов.

Иван III не придавал большого значения внешней пышности, если только она не давала какой-то практической пользы. Ему, кажется, было не столь важно, какой у него на голове венец — пускай скромный великокняжеский, лишь бы обладать настоящей властью. Германский император Фридрих III, искавший в русском правителе союзника против турок, однажды предложил ему королевскую корону, но Иван Васильевич отказался от громкого титула, который поставил бы его вровень с соседними сюзеренами — шведским, польским, датским королями. Принять корону из рук императора означало бы признать себя ниже чужеземного владыки, да и в статусе упомянутых выше королей, с точки зрения московского властителя, ничего завидного не было. Для него было важно называться «государем всея Руси», хотя это звание было не констатацией факта, а скорее декларацией о намерениях.

 Титул «государя всея Руси» (тогда писали и говорили «господаря») мелькал в грамотах московских князей и прежде. Впервые он стал употребляться еще в первой половине XIV века — по аналогии с митрополитами всея Руси, перенесшими свою резиденцию в Москву. Однако Иван III, поставивший «всерусскость» на первое место в официальной формуле своего титулования («Божией Милостью [а не волей хана или какого-то там императора] Государь Всея Руси»), имел в виду нечто иное и совершенно конкрет-

МЕЖДУ АЗИЕЙ И ЕВРОПОЙ

ное: претензию на русские земли, находившиеся во власти Литвы. Соседний монарх именовал себя «великим князем литовским и русским», и в Литве московское новшество очень не понравилось. Впоследствии все дипломатические переговоры с польско-литовским государством будут начинаться с ритуального препирательства о «величании».

Другой титул, введенный в употребление Иваном Васильевичем, был не менее сущностным: самодержец. Так он стал называть себя, когда освободился от номинального подчинения Орде, то есть, с юридической точки зрения, стал державствовать сам, однако был здесь и второй смысл, более амбициозный. «Самодержец» — это точный перевод греческого «автократор», одного из титулований константинопольских цесарей. Выбор, сделанный Иваном в пользу византийской, а не западноевропейской атрибутики (не «король», а «автократор») был совершенно неслучаен.

С тех пор как византийская патриархия признала верховенство Рима и уж тем более после падения Константинополя, в православной части христианства возникло ощущение «беспастырства», появилась потребность в новом политическом и религиозном центре. Этот запрос совпал по времени с резким усилением Москвы и ее освобождением от вассальной зависимости. Московские государи были богаты, сильны и твердо стояли за разделение церквей. Понемногу возникало и оформлялось предположение — поначалу вполне фантастическое — о Москве как центре новой империи, притом *главной* империи, преемнице Византии, которая, в свою очередь, была преемницей античного Рима. Концепция «Второй Византии» и «Третьего Рима» будет создана уже после Ивана III, но основы ее закладывались при нем.

Примечательно, что Москву в этой амбиции поощряли и европейские государства. Для австрийцев и итальянцев самой больной проблемой была Османская империя, а Русь могла бы открыть против турок «второй фронт», ударив по ним с севера. Известно, что еще в 1473 году Венецианская республика в официальном послании Ивану Васильевичу признала за ним права на византийское наследство. Чуть раньше, во время переговоров о замужестве Зои Палеолог, и Святой Престол всячески соблазнял московского государя политическими перспективами этого брака. Подобные посулы ни к чему не обязывали, да и невозможно было представить, что Русь, татарская данница, сможет когда-нибудь отобрать Константинополь у самого могущественного владыки тогдашнего мира. Всё, чего хотели итальянцы, — ослабить натиск султана на Средиземноморье. Не отнесся всерьез к этому журавлю в небе и практичный Иван Васильевич. (В главе, посвященной русской дипломатии, я расскажу, как благоразумно он держался по отношению к турецкой державе.)

Однако сама идея о моральном и, возможно, даже юридическом праве на преемство по отношению к Восточно-Римской империи в Москве очень понравилась.

МОСКОВСКИЙ ГОСУДАРЬ

Еще во времена Герберштейна возникла версия о том, что хитрая «грекиня» Софья умела манипулировать своим мужем и что это именно она побудила его мечтать о «новом Риме». На самом же деле русская имперская идеология зародилась во враждебном государыне лагере Елены Волошанки, вдовы Ивана Молодого. Там группировались умники и книжники, мыслившие далеко и высоко. Один из предводителей этого кружка митрополит Зосима в 1492 году (по русскому летоисчислению это был особенный год, 7000-й от сотворения мира) опубликовал сочинение, в котором рассчитывал пасхалию на тысячу лет вперед и прославлял Ивана как «новаго царя Константина», а Москву — как новый Царьград.

После победы в династическом споре (как мы помним, недолговечной) именно сына Елены впервые в русской истории венчали по царскому, то есть императорскому чину, при том что Дмитрий потомком василевсов не являлся. Однако с первой попытки новый титул не прижился. Его принижало то, что соправитель-внук находился в подчинении у деда, великого князя, а вскоре «царское» звание было окончательно скомпрометировано опалой Дмитрия. Более удачливый наследник Василий, по примеру отца, останется всего лишь великим князем.

Зато на Руси сразу прижился двуглавый орел, геральдическая эмблема византийских василевсов. Происхождение этого символа восходит еще к временам древнего Шумера. Есть предположение, что тамошние жители действительно видели орла-мутанта и,

500-летняя эволюция российского двуглавого орла

МЕЖДУ АЗИЕЙ И ЕВРОПОЙ

разумеется, усмотрели в его появлении некий знак свыше. Странная птица долгие века кочевала из страны в страну, использовалась разными династиями и знатными родами. На печатях Византии она появилась с XIII века, позаимствованная с герба Палеологов. В лесной стране Московии ни горных, ни степных орлов не водилось, поэтому символ выглядел вдвойне экзотическим. Раньше на московских великокняжеских печатях изображался «ездец», то есть всадник — Георгий, поражающий змея. Византийская птица впервые встречается на государевой печати 1497 года, то есть в тот самый момент, когда принималось решение о наречении наследника цесарем. Совпадение, конечно, не было случайным.

С тех пор государственный герб России неоднократно видоизменялся. Орел становился всё пышнее, обвешивался разными дополнительными атрибутами, то поднимал крыла, то опускал, был то в одной короне, то в двух, то в трех, то — при Временном правительстве — оставался с непокрытыми головами и с пустыми лапами. В XX веке при советской власти ненадолго (в историческом масштабе времени) исчез, теперь возродился вновь, и почему-то опять с короной, скипетром и державой, хоть страна является республикой, а не монархией.

Заседание Боярской думы в начале правления Ивана III. *И. Сакуров*

МОСКОВСКИЙ ГОСУДАРЬ

Влияние Софьи на облик самодержавной власти, вероятно, проявлялось не на идеологическом, а на декоративном уровне. Царевна вряд ли могла помнить двор василевсов — она отправилась в изгнание ребенком, да и к 1453 году от прежнего константинопольского великолепия мало что осталось, но, конечно, как это обычно бывает с такого рода эмигрантами, девочка росла под рассказы о былом величии Палеологов. Деревянная, ненарядная Москва должна была после Рима показаться принцессе некрасивой, а простота кремлевских обычаев — неприличной. Честолюбие второй супруги и ее ностальгия по византийской церемонности совпали с устремлениями Ивана, стремившегося возвыситься над своим окружением, но вряд ли знавшего, как это сделать.

С появлением Софьи при великокняжеском дворе возникает сложный «чин». Всякий выход государя обставляется целым ритуалом; приближенным становится не так-то просто получить доступ к монарху, и от них начинают требовать проявлений сугубой почтительности. Великому князю теперь целуют руку; по византийскому образцу выстраивается иерархия придворных чинов: конюший, постельничий, ясельничий, кравчий и т.д. Прием иноземных послов

Заседание Боярской думы в конце правления Ивана III. *И. Сакуров*

МЕЖДУ АЗИЕЙ И ЕВРОПОЙ

отныне превращается в целый спектакль, демонстрацию силы и богатства русского государя.

Дистанцирование самодержца от боярства достигалось не только посредством его возвеличивания, но — что было не менее действенно — и за счет принижения, умаления знатных родов. Упоминавшаяся выше «грозность» Ивана III в последний период правления, наверное, строилась, как всё у этого властителя, на холодном расчете. Именно с этой поры особенностью московской внутренней политики становится унижение высшей аристократии. Требовалось «поставить на место» тех, кто еще недавно был так близок к трону. Разумеется, в те времена и европейские монархи нередко умерщвляли вельмож, которыми были недовольны, однако на Западе казни аристократов обычно обставлялись некоторой «почтительностью» — считалось, что подрывать авторитет «благородного сословия» перед «чернью» опасно для общественного порядка. В Москве, начиная с Ивана III, на это смотрели совершенно иначе. Князей и бояр, даже церковных иерархов предавали и публичному поношению, и унизительной смерти, и позорной «торговой казни» — то есть били на площади кнутом. Возникает обычай, согласно которому даже самые родовитые люди, обращаясь к высшей власти, должны были писаться не полным именем, а уничижительно: не «Иваном», а «Ивашкой», не «Дмитрием», а «Митькой» и так далее. Обязательной формулой для всех стало называние себя «холопом» великого государя. В этом, собственно, и заключался главный принцип взаимоотношений монарха с подданными, позаимствованный «вторым» русским государством у Орды: все без исключения жители страны, вне зависимости от положения, званий, богатства, являлись «холопами» государя и находились в полной его воле, не защищенные никакими законами. Понятие собственного достоинства, обычно сопряженного с сословной привилегированностью или личными заслугами, в этой системе координат отсутствовало. Более того, как мы увидим, дойдя до эпохи Ивана IV, те из вельмож и архиереев, кто пытался свое достоинство отстаивать, навлекали на себя самые жестокие кары. Такое по-азиатски, по-ордынски бесцеремонное отношение к аристократии сохранялось у царей долго после краха «второго» русского государства, окончательно уйдя в прошлое и сменившись «европейской» благопристойностью лишь в начале XIX века, при Александре Первом, запретившем позорить дворян телесными наказаниями. Перед этим, в течение трехсот лет, понятие «достоинства» у русских аристократов ассоциировалось лишь с занимаемым положением. Достоинство повышалось исключительно по милости верховной власти, которая точно так же могла любого человека достоинства и лишить. Подобная исторически сложившая трактовка этого термина зафиксирована словарем Даля: «Достоинство — стоимость, ценность, добротность, степень годности; сан, звание, чин, значенье». Там же дается пример словоупотребления: «Он достиг высоких достоинств» — в виду имеется не нравственное самоусовершенствование, а удачная карьера.

МОСКОВСКИЙ ГОСУДАРЬ

Единственный великий

Самой насущной из задач, стоявших перед Иваном Васильевичем в начале его княжения, было присоединение других русских княжеств, полностью зависимых от Москвы и слабых, но всё еще обособленных. С каждым из этих владений Иван действовал по-своему, в зависимости от ситуации. Не торопился, зато обходился без кровопролития — всего один раз был вынужден прибегнуть к силе оружия, однако до сражения дело не дошло.

Начал он, в первый же год по восшествии на престол, с беспомощного Ярославского княжества: вынудил тамошнего великого князя и мелких князей бить ему челом о принятии в подданство, на службу. При этом все ярославские князья остались владеть своими землями, но уже в качестве вотчин, пожалованных государем, то есть сравнялись по положению с московскими «служебными» князьями.

С Ростовским княжеством десятилетие спустя произошло еще проще. Правящее семейство, обеднев, в 1474 году продало Ивану свою независимость и тоже влилось в состав московского боярства.

С двумя крупными княжествами, Тверским и Рязанским, пришлось обойтись иначе.

Пока была жива первая жена Ивана, тверская княжна Мария Борисовна, продолжал действовать договор, в свое время заключенный между родителями супругов. Тверской великий князь Михаил, шурин Ивана, неукоснительно выполнял все обязательства и послушно водил дружину куда прикажет Москва, однако ее требовательность всё возрастала.

В конце концов Михаил Борисович попробовал заручиться поддержкой Литвы. Он женился на внучке Казимира Литовского и заключил с ним союз. Иван III только этого и ждал. Он направил на Тверь свои полки, и тверскому князю, не имевшему возможности сопротивляться, пришлось каяться, просить мира. Иван Васильевич редко съедал добычу в один прием, стремясь не доводить противника до крайности, пока не истощит все его силы. Поэтому он оставил Михаила Борисовича в Твери, однако тот должен был отныне именовать московского государя «старшим братом», отказаться от литовского союза и вообще от права на какие-либо внешние сношения без разрешения Ивана.

После этого тверские бояре стали массово переходить на московскую службу, что еще больше ослабило Михаила. В том же 1485 году всё и закончилось. Москвичи перехватили то ли подлинное, то ли фальшивое послание тверского князя к Казимиру, и Иван снова засобирался в поход. Михаил Борисович слал гонцов, пытаясь оправдаться, но великий князь ничего не хотел слушать — при-

37

шло время окончательно аннексировать Тверь. Последние сторонники князя переметнулись к Ивану, после чего Михаилу оставалось только бежать в Литву, откуда он уже не вернулся.

Так закончилась независимость Твери, которая в предыдущем столетии соперничала с Москвой и чуть было не одержала над ней верх.

С Рязанью устроилось тихо и мирно. Иван выдал за тамошнего князя Василия Ивановича свою сестру Анну, женщину умную, ловкую и осторожную. Овдовев, она во всём слушалась старшего брата, рачительно управляя своими владениями. Никаких поводов для недовольства Ивану она не подавала и сумела передать земли сыновьям. Один из них умер бездетным и завещал свою половину княжества дяде Ивану Васильевичу; вторая половина до смерти государя формально в состав московского государства не входила, однако без каких-либо осложнений присоединилась к нему несколько позже, в правление Василия III.

Возможно, Иван Васильевич потому и довольствовался до конца своих дней титулом великого князя, что это звание на Руси теперь звучало иначе, чем в прежние времена. На обширной территории от Балтики до Уральских гор и от северных морей до южных степей остался один-единственный великий князь — московский.

Конец торговых республик

Главный прирост территорий, однако, Москве дали не соседние княжества, а торговые республики, которые властолюбивый объединитель прибирал к рукам одну за другой.

О присоединении сильнейшей из них, Господина Великого Новгорода, речь пойдет в отдельной главе — это была целая эпопея, изменившая облик государства; она сопровождалась масштабными событиями, боевыми действиями и массовыми репрессиями. Две другие республики, Псковская и Вятская, доставили Ивану III меньше хлопот.

Про Вятку красочнее других историков высказался Карамзин: «Малочисленный ее народ, управляемый законами демократии, …сделался ужасен своими дерзкими разбоями, не щадя и самых единоплеменников. Вологда, Устюг, Двинская земля опасались сих Русских Норманов столько же, как и Болгария: легкие вооруженные суда их непрестанно носились по Каме и Волге».

Первоначально это действительно была разбойничья вольница, далекая новгородская колония, основанная ушкуйниками, речными пиратами, и с кон-

МОСКОВСКИЙ ГОСУДАРЬ

ца XII века отделившаяся от метрополии. Будущий город Вятка тогда назывался Хлыновым. Хлыновские жители разбогатели на торговле с окрестными лесными народами, от которых получали меха и другие ценные товары, однако не меньше прибыли Вятской земле (по названию реки Вятки) приносили набеги и грабительские походы. Этот задиристый и непокорный народ со всеми ссорился и, пользуясь отдаленностью, часто оставался безнаказанным. Вятчане воевали и с черемисами, и с татарами, и с новгородцами, и с Москвой, охотно участвовали в чужих сварах, если это сулило богатую добычу. На Руси их часто называли «хлыновскими ворами». Республика управлялась вечем; князей, в отличие от Новгорода и Пскова, здесь никогда не бывало. Иногда Вятка признавала верховенство того или иного постороннего властителя — то суздальских или московских князей, то ордынских ханов, но всякий раз с легкостью отказывалась от вассальных обязательств.

Новгородские ушкуйники за работой. *Лицевой летописный свод*

МЕЖДУ АЗИЕЙ И ЕВРОПОЙ

Республика могла существовать до тех пор, пока сохранялась возможность балансировать между тремя основными силами этого региона — Москвой, Казанью и Новгородом. Когда же Иван III одолел сначала Новгород, а затем Казань, время речной торгово-разбойничьей республики закончилось. Вятчане, кажется, не понимали, в каком опасном положении они оказались, и имели неосторожность разозлить Ивана Васильевича сначала набегом на Устюг, принадлежавший Москве, а затем строптивым отказом участвовать в очередном государевом походе против Казани.

Тогда, в 1489 году, развязав себе руки, Иван отправил на Хлынов войско, численность которого была больше всего вятского населения. И республики не стало.

▶ История покорения Хлынова дает представление о характере средневековых вятчан, в котором дерзость сочеталась с прагматичностью. Сначала государь, очевидно, не желая тратиться на дорогостоящее военное мероприятие, попробовал действовать через митрополита Геронтия, который увещевал вятчан покориться и угрожал отлучением от церкви. Эта перспектива республику не испугала. Тогда к стенам города подступила рать под началом князя Данилы Щени, одного из лучших московских полководцев. Воевода потребовал капитуляции и выдачи трех вожаков — Ивана Аникиева, Пахомья Лазарева и Палки Богодайщикова. Хлыновцы сказали, что подумают. Думали два дня и ответили, что своих не выдают. Должно быть, понадеялись на крепость стен.

Щеня начал обстоятельно готовиться к приступу: весь город обнесли плетнем. Увидев эту зловещую картину, означавшую, что убежать никому не удастся, хлыновцы воевать передумали: капитулировали безо всяких условий и вождей своих выдали. Расчет, несомненно, был на то, что рать рано или поздно уйдет, и всё пойдет по-прежнему.

Но к этому времени Москва уже выработала самый надежный способ аннексии новых территорий. Ивана Аникиева, Пахомья и Палку, разумеется, повесили, но тем дело не ограничилось. Всех состоятельных и сколько-нибудь заметных вятичей с семьями увели вглубь русских земель и расселили по разным местам, а в Хлынов поставили наместника и перевели московских людей, не испорченных вольным духом. Вятка стала обыкновенной провинцией.

Псковская республика обособилась от Новгорода еще в середине XIV века. Наместников сюда назначала Москва, но их власть являлась номинальной. Все важные решения принимало вече, которое здесь было не ширмой для истинных хозяев (церковной верхушки, боярства и богатого купечества), а худо-бедно работающим инструментом управления. Республика торговала и с Западом, и с Русью, славилась развитыми ремеслами и даже чеканила собственную монету, что в те времена считалось признаком могущества и независимости.

Однако, в отличие от новгородцев, псковитяне не имели сильной армии. Когда Москва решила лишить республику вольностей, защищаться было нечем.

МОСКОВСКИЙ ГОСУДАРЬ

Впрочем, псковитяне и не пытались сопротивляться, трезво рассудив, что от этого выйдет только хуже. Они безропотно поддержали Ивана в его борьбе с Новгородом, стали принимать от Москвы наместников не как в прежние времена, когда сами выбирали, кого пригласить, а тех, кого дадут. Наместников Иван III им давал отвратительных — сплошь грубиянов, вымогателей и насильников. Вероятно, расчет был на то, что псковитяне взбунтуются и тем самым дадут повод к аннексии.

 В 1476 году в городе действительно вспыхнул мятеж. Как это обычно случается, хватило мелкой искры, чтобы полыхнул давно копившийся гнев. Вернее, хватило кочана капусты. Слуга московского наместника князя Ярослава Оболенского без спроса взял с воза кочан капусты и начал кормить княжьего барана. Затеялась ссора, перешедшая в драку, а потом в настоящий бой. Летописец пишет, что пьяный Оболенский велел стрелять по толпе. Были жертвы.

После этого вече изгнало наместника, но он без приказа Москвы никуда не уехал. Дело шло к дальнейшему кровопролитию, которое, несомненно, закончилось бы для псковичей скверно. Спасло их очередное обострение московско-новгородских отношений. Государю Новгород был важнее Пскова, поэтому Оболенский был отозван, а псковитян простили, потому что опять нуждались в их помощи.

Когда нужда отпала, Иван прислал нового наместника еще хуже предыдущего, но город терпел. Тогда великий князь вернул в Псков князя Оболенского. Но испуганные участью Новгорода псковитяне больше уже не восставали, а только слали в Москву униженные жалобы. Воля города к сопротивлению была сломлена.

В общем, с Псковом получилось, как с Рязанью. Полностью отказавшись от всяких претензий на самостоятельность, республика на какое-то время продлила свое существование. Иван Васильевич оставил эту доходную и послушную землю в покое, более не покушаясь на ее обычаи, превратившиеся в пустую проформу. И точно так же, как Рязань, псковская область без каких-либо осложнений вошла в состав московского государства при Василии III.

Не особенно громким по сравнению с другими прибытками, но исключительно важным в исторической перспективе событием стало распространение московской власти на совсем уж дальние северо-восточные земли, полудикие и по большей части безлюдные: Пермь и Югру.

Русские миссионеры и промысловики начали проникать в этот регион в XIV веке. Местные князьки принимали христианство, заводили торговлю с Русью. Новгород считал, что эти огромные просторы принадлежат ему, Москва не соглашалась, однако по сути дела спор шел о контроле над несколькими небольшими городками, разбросанными вдоль лесных рек. Ценность представляла не земля, которой здесь было сколько угодно, а право добывать пушнину и собирать (ею же) дань с туземных племен.

41

В 1470-е годы московские войска немного повоевали со строптивым коми-пермяцким князем Михаилом, чтобы показать, чья теперь сила, но затем Иван Васильевич, по своему обыкновению, довольствовался временной мерой: вернул княжение Михаилу при условии покорности. Из вассального княжества в обычную русскую область Пермь превратилась уже в начале XVI века.

В 1499–1500 годах на Югру — за Урал, к нижнему течению Оби — отправилась небольшая московская рать. Поставили на реке Печоре крепость, а местных князей, по пермскому примеру, сначала как следует припугнули, потом разрешили жить по-прежнему, но уже на положении русских данников.

Это был первый шаг к, пожалуй, самому грандиозному событию российской истории — освоению гигантских просторов и богатств Сибири.

Судьба удельных княжеств

Проблема упразднения удельных княжеств, принадлежавших близким родственникам Ивана III, была гораздо сложнее внешних аннексий — не столько технически, сколько династически и политически, а также, выражаясь современным языком, с репутационной точки зрения. Особенных эмоциональных затруднений у холодного Ивана Васильевича она, похоже, не вызывала, однако церковь осуждала несправедливость монарха по отношению к членам собственной семьи как большой грех, да и обществу такое поведение не нравилось. Когда-то на Руси считалось, что государством правит весь княжеский род и великий князь — лишь первый среди равных. Еще не стерлись из памяти воспоминания о «лествичном восхождении», то есть наследовании от старшего брата к следующему, как по ступенькам лестницы. Главная же опасность заключалась в том, что всякий семейный раздор был чреват смутой в государстве и ослаблял его монолитность.

Вот почему Иван III отнимал у братьев их земли, терпеливо подгадывая удобный момент, а если момент не наступал, то не брезговал и провокациями.

Хотя по завещанию Василия Темного львиная доля страны оказалась в личном владении старшего сына, младшим тоже достались немалые территории. Юрий Васильевич сидел в Дмитрове, Андрей Васильевич Большой (то есть старший) — в Угличе, Борис Васильевич — в Волоке-Ламском, Андрей Васильевич Меньшой — в Вологде. Был еще двоюродный дядя Михаил Андреевич Верейский, кроме Вереи владевший и Белоозером. Удельные князья не имели права затевать собственные войны и вести внешнеполитические сношения, но во

МОСКОВСКИЙ ГОСУДАРЬ

внутреннем управлении были самостоятельны, каждый имел свой двор и свое войско.

Пока сохранялось такое положение дел, великое княжество не являлось полностью единым. Централизованное государство, которое создавал Иван III, не могло строиться по «федеративному» принципу. С точки зрения государя, каждое удельное княжество было нарывом на теле государства, и он «выдавливал» эти нарывы, подчас прибегая к коварству.

В этом смысле примечательна история «Верейского саженья» — пример того, что Иван отлично умел имитировать эмоциональность, когда это было ему выгодно.

До поры до времени государь держал семью дяди Михаила Андреевича в чести и даже возвысил ее, позволив княжичу Василию жениться на греческой царевне Марии, племяннице Софьи Палеолог. На свадьбу государыня подарила невесте «саженье» — расшитое драгоценными камнями украшение. Этот вполне обычный поступок имел не менее роковые последствия, чем придуманная Александром Дюма коллизия с подвесками королевы.

В 1483 году, когда родился первый внук, Иван Васильевич решил пожаловать невестку Елену Волошанку дорогим подарком и «вспомнил», что в сокровищнице было красивое саженье. Вполне возможно, что Елена, враждебная Софье, нарочно попросила именно эту вещь; не менее вероятно и то, что великий князь отлично знал, что саженье уже подарено. Так или иначе, государь впал в гнев, преувеличенно негодуя из-за того, что драгоценность входила в приданое его первой супруги Марии Тверской. Особенным кощунством он счел то, что саженье перед дарением было, по заказу Софьи, переделано ювелирами.

Не очень понятно, в чем тут заключалась вина верейского княжича, но государев гнев не обязан утруждаться резонами. Василий Михайлович и Мария в страхе бежали за границу, в Литву, что отлично устраивало Ивана Васильевича. Через несколько лет, после смерти старого князя верейского, Иван забрал его земли себе. Беглецов впоследствии простили — оказывается, не так уж сильно на них государь и гневался. Но княжество, конечно, не вернули.

43

Однако Верейские были родственниками относительно дальними. С родными братьями столь бесцеремонно Иван обойтись не мог.

Гладкие отношения у него были только с погодком Юрием Васильевичем Дмитровским — тот ни в чем не перечил старшему брату и, что еще важнее, не имел потомства. К тому же Юрий рано умер — в 1472 году. Его удел Иван целиком забрал себе, что привело остальных братьев в негодование — по обычаю полагалось каждому что-то дать из этого наследства.

Осторожный Иван, как обычно, стал решать проблему поэтапно. Поделился наследством, но в обмен выговорил, что впредь все выморочные земли будут поступать в государеву казну целиком. Таким образом, братьям пришлось отказаться от старинного и очень важного династического права.

МЕЖДУ АЗИЕЙ И ЕВРОПОЙ

Следующий кризис, более серьезный, разразился семь лет спустя. Братья помогли Ивану справиться с Новгородом, где великий князь захватил несметное количество земель, а делиться с родственниками не стал. Самый младший, вологодский Андрей Меньшой, тихий нравом и к тому же сильно задолжавший Ивану, стерпел, а двое средних взбунтовались.

Андрей Большой и Борис Волоцкий объединили силы, обратились за помощью к литовскому Казимиру и принялись грабить селения Новгородчины и Псковщины (всякая княжеская смута выливалась в мародерство, потому что иначе нечем было содержать войско). Действовали мятежники вяло, на Москву идти не решались, однако момент для бунта был выбран очень удачно. Как раз в это время Иван ждал большого татарского нашествия и не мог допустить раскола в русском лагере.

При необходимости великий князь умел и смирять гордыню. Он поспешил замириться с братьями и дал каждому отступного, причем Андрей Большой получил богатое можайское княжество. На этом этапе победа осталась за удельными, однако Иван Васильевич не торопился.

Наведя порядок в тылу, он отбился от татар. Еще через год умер бездетный Андрей Меньшой, оставив все свои владения старшему брату — остальным, согласно уговору 1472 года, ничего не досталось.

Десять лет спустя, когда положение великого князя окончательно упрочилось, настало время рассчитаться с самым строптивым из братьев, Андреем Большим, за былые вины, тем более что к ним прибавилась и новая — углицкий князь отказался послать свое войско в помощь крымскому хану, Иванову союзнику. Поначалу казалось, что это сойдет Андрею с рук, но государь лишь усыплял бдительность брата, чтобы тот не вздумал спастись бегством.

▶ Великий князь подождал несколько месяцев, никак не проявляя недовольства. Наконец, успокоенный Андрей Васильевич осмелился явиться в Москву и был принят радушно, по-родственному. Братья душевно поговорили.

Назавтра гостя с почетом позвали на обед к государю. Иван встретил брата и его приближенных в небольшом зале с красноречивым названием «западня». Мирно разговаривали, пока Ивана вдруг не вызвали по какому-то неотложному делу. Он попросил Андрея подождать здесь, ибо хочет сказать ему что-то наедине, а свиту отправить в трапезную.

Углицкий князь остался в одиночестве, не зная, что его бояре уже арестованы. Когда с этим было покончено и никто уже не мог прийти Андрею на помощь, в «западню» вошли московские знатные люди и, почтительно всхлипывая, объявили: «Государь князь Андрей Васильевич! Пойман ты Богом да государем великим князем Иваном Васильевичем всея Руси, братом твоим старшим». Потом клянущегося в своей невиновности князя посадили в темницу. В Углич снарядили отряд схватить его сыновей — и тоже заточили.

МОСКОВСКИЙ ГОСУДАРЬ

Все владения Андрея Большого перешли к старшему брату, а сам Андрей, протомившись в тюрьме два с лишним года, умер.

За грех братоубийства — а именно так расценили это событие современники — государю пришлось публично каяться и молить церковь о прощении тяжкой вины. Церковь государя, конечно, простила, а удельное княжество осталось за казной.

Последний из еще живых братьев великого князя Борис Васильевич Волоцкий в то же самое время, осенью 1491 года, получил вызов в Москву и уже прощался со свободой, но его спас общественный ропот из-за участи Андрея Большого. Вероятно, лишь благодаря этому Борис смог не только мирно дожить до кончины (он умер в 1494 году), но и передать свои земли сыновьям. Государь не препятствовал этому, поскольку племянники были бездетны — дядя не разрешал им жениться. После смерти их владения были безо всяких проблем отписаны на великого князя.

Удельная эпоха в ее прежнем виде заканчивалась.

Арест Андрея Большого. *И. Сакуров*

МЕЖДУ АЗИЕЙ И ЕВРОПОЙ

«Закрепощение» боярства

Еще труднее, чем удельных князей, было приучить к новому государственному устройству московскую аристократию — боярство. В конце концов, удельных княжеств было немного и они находились на отдалении от Москвы, а бояре окружали престол — да он, собственно, их поддержкой главным образом и был крепок. Бояре в известном смысле и являлись государством, управляя всеми его военными и гражданскими делами.

Следует учитывать еще и то, что с ростом территорий и могущества Москвы численный состав аристократического сословия всё время увеличивался. К старинным московским родам прибавлялась знать присоединенных княжеств, татарские мурзы и русско-литовские православные магнаты, переезжавшие на Русь. Многие хотели служить богатой и могущественной Москве, которая щедро наделяла пришельцев вотчинами и подарками. Даже скупой Иван III на это расходов не жалел.

Сильное и многочисленное боярство, с одной стороны, являлось залогом мощи государства; с другой стороны, оно цепко держалось за свои традиционные привилегии и противилось укреплению абсолютизма. Тоталитарная власть не совместима с понятием о каких-то незыблемых правах подданных, кем бы они ни были.

И самой опасной, самой неприемлемой для Ивана привилегией боярства было закрепленное обычаем право на отъезд. С древних времен повелось, что всякий родовитый человек мог по собственному желанию перейти на службу к другому правителю, не только забрав с собой дружину, слуг и имущество, но и сохранив в собственности свои вотчины. Это не считалось изменой.

Московские великие князья охотно переманивали вассалов у небогатых соседей, однако для Ивана III, готовившегося превратить бояр из верных помощников в покорных холопов, сохранять старинную привилегию было недопустимо: обиженные и ущемленные слуги повалили бы от него толпами.

Поэтому Иван понемногу начал ограничивать право отъезда. Впервые это произошло в 1474 году, когда служебного князя Даниила Холмского заставили дать письменную клятву никогда московского государя не покидать. Впоследствии подпись на таких «крестоцеловальных» грамотах стала обязательной.

Непосредственным поводом для описанного выше восстания братьев-князей, которое случилось в такое опасное для страны время, накануне татарского нашествия, было именно покушение Ивана на право боярского отъезда.

МОСКОВСКИЙ ГОСУДАРЬ

▶ Служебный князь Иван Оболенский-Лыко, обидевшись на государя (в 1479 году такое еще случалось), переехал от него к Борису Волоцкому, что было совершенно в порядке вещей. Ненормальной была реакция великого князя. Он потребовал, чтобы Оболенский вернулся. Борис с возмущением отказал. Тогда московские ратные люди взяли отъехавшего силой и доставили обратно в Москву.

Неслыханное покушение на старые порядки заставило и без того обиженного Бориса взяться за оружие. К нему присоединился негодующий Андрей Углицкий. С ними было до 20 000 людей — большая сила, а тут еще из степей на Русь пошел хан Ахмат.

Мы уже знаем, что Иван Васильевич помирился с братьями, дав им волостей, однако он не был бы собой, если бы не извлек пользу и из этой тяжелой ситуации. Взамен за земли братья согласились на новый порядок: теперь бояре могли отъезжать лишь от меньшего князя к великому и ни в коем случае не наоборот. Эта новация была важнее волостей, которые потом все равно достались государю.

Пресечение боярского «отъезда» имело огромное значение для укрепления самодержавной власти. По сути дела, это означало, что аристократия утрачивает личную свободу, будучи привязана к службе и государевой милости.

Движение к крепостному праву началось с высших слоев общества: первыми «крепостными» — намного раньше, чем крестьяне — стали знатнейшие люди государства.

«Новгородский» период

В первый период правления Ивана III ему пришлось решать задачу, к которой на протяжении веков безуспешно подступались многие владимиро-суздальские, а затем московские великие князья: покорение Новгорода. Без упразднения богатой и могущественной купеческой республики, без присоединения ее земель, занимавших половину всей восточной Руси, никакого объединенного государства возникнуть не могло бы.

Подробно о жизни и внутреннем устройстве Господина Великого Новгорода было рассказано в I томе, поэтому здесь я ограничусь лишь перечислением причин, по которым древняя вечевая республика, потерпела поражение в борьбе с молодым государством диктаторского типа.

Во-первых, при всем своем богатстве Новгород не обеспечивал себя зерном — состоятельные граждане часто не хотели заниматься сельским хозяйством, которое не могло конкурировать по прибыльности с торговлей, да и природно-климатические условия были неблагоприятны. Хлеб закупали в соседних русских областях, и всякое обострение отношений приводило к продовольственной блокаде.

Во-вторых, по верному суждению Карамзина, «падение Новагорода ознаменовалось утратою воинского мужества, которое уменьшается в державах торговых с умножением богатства, располагающего людей к наслаждениям мирным». Иными словами, республика привыкла решать все проблемы при помощи денег, а не оружия. У нее не было ни военного опыта, ни хорошо обученной армии. В случае опасности новгородцы могли собрать многочисленное ополчение, но оно было плохо вооружено и недисциплинированно; единственным по-настоящему боеспособным подразделением был «владычный стяг» — полк тяжелой кавалерии, содержавшийся на средства архиепископской казны.

Третья причина заключалась в анахроничности вечевой демократии. Время средневековых республик на Руси закончилось. Государство, в котором не было единства и всякое решение принималось лишь после долгих споров и проволочек, не могло противостоять агрессии со стороны державы, управлявшейся по принципу военного лагеря.

«НОВГОРОДСКИЙ» ПЕРИОД

В общем, как выразился тот же замечательный Карамзин, «хотя сердцу человеческому свойственно доброжелательствовать Республикам, основанным на коренных правах вольности», приходится признать, что в XV столетии наиболее эффективной государственной системой для Руси была самодержавная монархия постордынского типа.

Отношения республики с Москвой испортились, когда Новгород дал убежище Шемяке, заклятому врагу Василия Темного. В 1456 году, то есть еще во времена соправительства Ивана Васильевича, москвичи воевали с новгородцами и нанесли им тяжелое поражение, но тогда республика отделалась выплатой контрибуции и очередным формальным признанием власти великого князя. Василию II этого было достаточно, однако его преемник вознамерился окончательно решить новгородскую проблему.

Стратегическую операцию, которую осуществил Иван Васильевич, можно разделить на несколько этапов.

Сначала он в открытый конфликт не вступал, подрывал республику изнутри, раскалывая новгородское общество.

В городе издавна существовала сильная партия, ориентировавшаяся на Москву. В основном это были торговцы зерном и та часть купечества, кто возил

Новгородское вече. *В. Худяков*

МЕЖДУ АЗИЕЙ И ЕВРОПОЙ

товары на восток, через русские земли. Московскую партию поддерживали городские низы, так называемые «молодшие» или «черные» люди, которым был жизненно необходим дешевый хлеб.

Вторая партия главным образом состояла из бояр, боявшихся московского абсолютизма, и купцов, торговавших с Европой. Эту фракцию поддерживали «житьи люди», то есть домовладельцы, новгородский средний класс. Естественным союзником для антимосковских сил была недальняя Литва, поэтому вторая партия называлась «литовской».

Ну и, как водится, большинство населения постоянных политических пристрастий не имело и легко поддавалось манипулированию с обеих сторон, присоединяясь то к одному лагерю, то к другому.

Новгородская церковь, могущественный и баснословно богатый институт, лишь формально подчиненный московской митрополии, занимала половинчатую позицию, что в конце концов, в момент решающего столкновения, сыграло роковую для республики роль.

В 1460-е годы, на этапе политической борьбы за популярность, московская партия, несмотря на свои сильные позиции, потерпела поражение, потому что противоположную сторону возглавил сильный лидер — Марфа Борецкая, пожалуй, самая яркая женщина русского средневековья.

 К сожалению, о ранней жизни Марфы мало что известно. Даже ее отчество указывают по-разному. Она происходила из новгородского боярского рода, дважды побывала замужем; ее сыновья от первого брака трагически погибли в море. Вторым мужем Марфы был посадник Исаак Борецкий (поэтому ее обычно называют «Марфа Посадница»). В остальной Руси в эту эпоху повторный брак у женщин был редкостью, но в Новгороде «слабый пол» не считался слабым и обладал гораздо большей свободой.

Ко времени описываемых событий Марфа была уже очень немолода. Она снова овдовела, имела взрослых сыновей, внука. Борецкие были богатейшим новгородским кланом, владели обширными угодьями, вели торговые операции. Один из сыновей Марфы, Дмитрий Исаакович, в 1471 году, вслед за отцом, стал посадником, но истинной душой и головой «литовской партии» была мать. У нее хватало предприимчивости и средств, чтобы обеспечить себе поддержку большинства новгородцев. Интересно, что двумя другими активными фигурами антимосковской оппозиции тоже были женщины, боярские вдовы Анастасия и Евфимия.

В 1470 году Марфа пыталась провести в архиепископы своего кандидата, и если бы это удалось, итог противостояния мог бы получиться иным. Но владыкой стал Феофил, ориентировавшийся на митрополию.

Тогда Марфа вступила в переговоры с Казимиром IV о присоединении Новгорода к Великому княжеству Литовскому с сохранением автономии, прав и привилегий республики. Был подписан союзный договор, гарантировавший Новгороду военную помощь.

«НОВГОРОДСКИЙ» ПЕРИОД

От того, к которой Руси — восточной или западной — присоединится богатый новгородский край, зависело, вокруг какого центра будет собираться новое русское государство: Москвы или Вильно?

Иван III понимал это лучше, чем его литовский соперник, и развил активную деятельность, в то время как Казимир в основном бездействовал.

Сначала великий князь заручился поддержкой Пскова, через земли которого пришлось бы идти литовскому войску. Затем Иван собрал большую рать и в начале лета 1471 года выступил в поход.

Так начался второй этап борьбы за Новгород — военный.

Москва и ее союзники, псковитяне и тверичи, шли на Новгород с разных сторон, опустошая и разоряя селения, безжалостно расправляясь с пленными. Когда Иван Васильевич считал, что противника нужно запугать, он умел быть жестоким. Пленникам отрезали носы и губы, после чего отпускали восвояси.

Марфа Борецкая. *Фрагмент картины К. Лебедева*

МЕЖДУ АЗИЕЙ И ЕВРОПОЙ

Страшный вид обезображенных людей и рассказы о сожженных деревнях должны были вселить в новгородцев ужас.

В городе действительно начались беспорядки, и московская партия попыталась воспрепятствовать организации сопротивления, но Марфа Борецкая и ее сторонники взяли верх. Было собрано огромное войско (если верить летописям — сорок тысяч человек), но это всё были обычные горожане, не видавшие боев, причем многие — насильно мобилизованные.

Незадолго перед тем новгородцы, «сей народ легкомысленный» (Карамзин), рассорились с присланным из Литвы военачальником князем Михаилом Олельковичем, и тот ушел вместе со своей дружиной. Республика осталась без главнокомандующего и без профессиональных воинов. Архиепископ, тяготевший к Москве, тоже не позволил своему «владычьему стягу» биться с законным государем.

Хуже всего для новгородцев было то, что Казимир, вопреки договору, на помощь так и не пришел — не захотел пробиваться с боями через Псковщину. Он предпринял вялые попытки договориться с Ливонским орденом, чтобы тот пропустил войско через свою территорию, но из этого ничего не вышло.

А события между тем развивались быстро. 15 июля 1471 года небольшая, но хорошо оснащенная и закаленная в боях великокняжеская рать под командованием Даниила Холмского, лучшего из московских полководцев, наголову разбила новгородское ополчение у реки Шелони.

 Армии стояли на противоположных берегах небольшой и неглубокой реки. Москвичи не атаковали, поскольку их было меньше. Это придало новгородцам храбрости, но они переругались между собой: переходить реку или нет. «Владычий стяг» стоял отдельно и в битве участвовать не собирался.

Увидев, что враг бездействует, князь Холмский перешел в наступление. Какое-то время шла сеча, и новгородцы держались — даже начали теснить москвитян к реке, но в это время с фланга ударила конница касимовского хана, великокняжеского вассала.

Началась паника. Новгородцы побежали. Латная архиепископская конница могла бы одним ударом переменить ход сражения, но так в него и не вмешалась.

Очевидно, выполняя заранее данный приказ, победители долго преследовали и убивали бегущих. Летопись говорит, что пало двенадцать тысяч новгородцев и всего тысяча семьсот попали в плен. Это побоище было намеренной акцией устрашения.

В плен попал и посадник Дмитрий Борецкий. Его и еще нескольких захваченных предводителей «литовской партии» казнили.

После этого разгрома боевой запал республики иссяк. Сначала новгородцы затворились было за стенами, готовясь обороняться, но владыка Феофил вновь сыграл роль «чужого среди своих»: уговорил город поклониться государю.

На этом война, продолжавшаяся всего полтора месяца (невероятный срок для тех медлительных времен и немалых русских расстояний), завершилась.

«НОВГОРОДСКИЙ» ПЕРИОД

Пока литовцы собирались да готовились, всё уже закончилось.

Безусловно, Иван III был более способным вождем, чем Казимир, однако дело не только в личных качествах двух этих монархов. В данном случае проявилось одно из бесспорных преимуществ «ордынской» государственности: литовскому великому князю для похода требовалось заручиться поддержкой аристократии и просить денег на расходы; московскому великому князю было достаточно приказать.

После ужасного кровопролития и разорения следовало ожидать очень жестких условий замирения, но Иван Васильевич оказался неожиданно милостив. Он всего лишь заставил Новгород раз и навсегда отказаться от попыток сменить подданство да взял контрибуцию в пятнадцать с половиной тысяч рублей — не такую уж тяжкую для богатой республики. Репрессий не было, вече тоже осталось нетронутым.

Иван III не торопился. Он очень хорошо понимал, что одной военной победы мало — Новгород проигрывал сражения и прежде. Не удержусь, снова процитирую Карамзина: «Великий Князь мог бы тогда покорить сию область; но мыслил, что народ, веками приученный к выгодам свободы, не отказался бы вдруг от ее прелестных мечтаний».

Летом 1471 года государь сначала продемонстрировал новгородцам, как он бывает грозен, если против него бунтуют, а затем — насколько он милостив, если ему покоряются.

В течение последующих нескольких лет Иван постепенно внедрял в сознание новгородцев идею о том, что твердая власть лучше «прелестных мечтаний». Это очень интересный эпизод: возможно, первый пример эффективного использования политических технологий на Руси.

По древнему обычаю, сохраненному и в новом договоре, великий князь имел право вершить суд над новгородцами, но лишь в том случае, если сам находился в городе. «На Низу [то есть на Руси] новгородца не судить» — так формулирует этот закон С. Соловьев. Иван на эту «старину» не покушался, но в 1475 году, побывав в Новгороде, так искусно и справедливо разрешил множество накопившихся тяжб, что местным жителям это чрезвычайно понравилось. В городе, поделенном на враждующие фракции, добиться беспристрастного суда было трудно, а великий князь выглядел инстанцией посторонней и потому непредвзятой. У него даже можно было сыскать управу на произвол «больших» людей — например, он снял и заменил посадника, которым были недовольны простолюдины.

Популярность московской власти после этой удачной «пропагандистской акции» невероятно возросла, но существеннее было другое: с этого момента новгородцы, желающие справедливости, стали сами ездить в Москву за судом — ждать, когда государь снова соизволит посетить северо-западные земли, они не

МЕЖДУ АЗИЕЙ И ЕВРОПОЙ

хотели. Фактически вышло, что теперь появился суд инстанции более высокой, чем свой собственный. Еще важнее была перемена, произошедшая в общественном мнении, которое прониклось убеждением, что «правда в Москве».

Весной 1477 года произошло одно маленькое событие, повлекшее за собой грандиозные последствия.

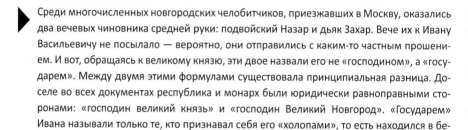

Среди многочисленных новгородских челобитчиков, приезжавших в Москву, оказались два вечевых чиновника средней руки: подвойский Назар и дьяк Захар. Вече их к Ивану Васильевичу не посылало — вероятно, они отправились с каким-то частным прошением. И вот, обращаясь к великому князю, эти двое назвали его не «господином», а «государем». Между двумя этими формулами существовала принципиальная разница. Доселе во всех документах республика и монарх были юридически равноправными сторонами: «господин великий князь» и «господин Великий Новгород». «Государем» Ивана называли только те, кто признавал себя его «холопами», то есть находился в безоговорочном подчинении.

Москва немедленно сделала вид, что считает чиновников официальными послами от веча и запросила у Новгорода разъяснений: верно ли великий князь понял, что, называя его «государем», республика соглашается переменить свой статус?

Из Новгорода, разумеется, ответили, что ничего подобного они и в голове не держат. Тут у Ивана Васильевича, который умел делаться обидчивым и ранимым, когда ему было выгодно, появился отличный повод оскорбиться. Он собрал войско и выступил в поход.

Историки так и не решили, как интерпретировать историю с ошибочным титулованием. Возможно, чиновники просто переусердствовали в льстивости, но вероятнее, что они принадлежали к «московской партии» и это была сознательная провокация, к тому же, не исключено, заранее согласованная с великокняжеским двором.

Дойдя до Новгорода, Иван осадил его и потребовал, чтобы республика стала такой же частью государства, как другие области: без посадников, без веча, без особенных привилегий.

После Шелонского разгрома воевать новгородцы уже не смели; многие горожане были не против того, чтобы начать жить «по-московски»; наконец, к покорности призывал и владыка Феофил.

После долгих споров, продолжавшихся шесть дней, новгородцы приняли все требования и принесли Ивану III присягу как своему государю.

Вече было упразднено, знаменитый колокол увезли в Москву в качестве трофея. В январе 1478 года Новгородская республика прекратила свое существование.

И опять обошлось без репрессий. Иван лишь выслал из города заклятых врагов Москвы — бояр Борецких во главе со знаменитой Марфой (сведения о дальнейшей судьбе которой противоречивы: то ли ее умертвили по дороге, то ли заточили в монастырь и она дожила там до глубокой старости).

«НОВГОРОДСКИЙ» ПЕРИОД

Отправка Марфы Посадницы и вечевого колокола в Москву. *А. Кившенко*

Но и это еще был не конец. Любые присяги мало что значили, у Новгорода сохранялась главная его сила — богатство, а в городе оставались пусть притихшие, но несомненно дожидавшиеся реванша враги Москвы.

В конце 1479 года положение Ивана сделалось опасным: назревала война с ордынским ханом, а родные братья государя, Андрей Большой и Борис Волоцкий, затевали мятеж. В это время до великого князя дошло известие, что в Новгороде возник заговор — «литовская» партия ведет тайные переговоры с Казимиром. (Неизвестно, так ли это было на самом деле, либо же Иван со своей всегдашней предусмотрительностью решил нанести превентивный удар, чтобы в ожидании большой войны обезопасить тыл.)

Так или иначе великий князь действовал быстро и решительно. С небольшой дружиной (всего 1000 воинов) он направился якобы к Пскову, в то время воевавшему с Орденом, — сам же повернул к Новгороду. Главные силы под предводительством Ивана Молодого, с артиллерией и обозами, шли сзади.

Перед лицом столь явной угрозы в Новгороде возобладали сторонники прежних вольностей. Они восстановили вече, выбрали себе посадника. Однако напасть на маленькое войско великого князя, своего законного монарха, не осмелились. Время было упущено, а вскоре подошла вся московская рать. Пушкари начали обстреливать город. Надеяться было не на что.

МЕЖДУ АЗИЕЙ И ЕВРОПОЙ

Новгородцы запросили мира — и вновь, как прежде, Иван потребовал немногого: лишь выдать ему зачинщиков и главарей. Прочих жителей он обещал не карать. Памятуя о прежней мягкости государя, горожане открыли ворота.

Однако теперь Иван Васильевич был намерен окончательно решить новгородскую проблему.

Сначала действительно арестовали всего пятьдесят человек. Но под пыткой они дали показания на многих других, в том числе на владыку Феофила. Того схватили и увезли в Москву, а огромную казну архиепископии конфисковали. Трудно поверить, что владыка, давний сторонник Москвы, участвовал в каком-то пролитовском заговоре. Вероятнее, что Иван хотел подорвать силу новгородской церкви, ее политическую и экономическую мощь; владыка пал жертвой государственной целесообразности.

Репрессиям подвергся весь высший слой новгородского общества и значительная часть среднего сословия. Сотня бояр, цвет аристократии, были преданы казни. Еще столько же именитых семей насильно увезли в дальние русские земли. Население бывшего вольного города осталось без вождей и без духовного пастыря — вместо него прислали прямого московского назначенца.

Высылка коренных новгородцев продолжалась еще несколько лет. В общей сложности в старомосковские земли было переселено более семи тысяч семей — весьма значительная часть населения города. Вместо них в Новгороде разместили пришлых, «низовских».

Репрессии коснулись и членов «московской» партии — Иван Васильевич решил полностью заменить новгородскую элиту. У землевладельцев отбирали родовые земли и взамен давали на новом месте другие, обычно меньшие и худшие.

Ради того чтобы подорвать силу Новгорода, обычно рачительный Иван III пошел на серьезные убытки: изгнал из города немецких купцов, нанеся большой ущерб торговле. Ослабление потенциального соперника Москвы было важнее.

Это ревнивое, подозрительное отношение к городу, где некогда зародилась русская государственность, сохранилось и у преемников Ивана III. В конце концов, почти век спустя, Иван Грозный, которому была ненавистна память о республиканских вольностях, предал бывший центр торговли такому разорению и надругательству, после которого Новгород надолго превратился в захолустье.

«Татарский» период

Историки много спорили о том, почему Иван III так долго ждал, прежде чем освободиться от ордынской зависимости — пусть номинальной, но унизительной для его монаршьего достоинства и для престижа государства. Хотя верховная власть Орды на деле ничего уже не значила, Иван не ездил с поклонами хану, перестал платить ему дань, был намного богаче и сильнее, все же в глазах иностранных государств великий князь продолжал оставаться вассалом «варварского» азиатского царства.

В романтические времена исторической науки преобладало мнение, что тут сказалось влияние Софьи Палеолог: гордая византийская царевна была-де оскорблена положением супруги татарского данника. Но эта версия сомнительна. Во-первых, эмигрантке и бесприданнице, прежде жившей из милости при папском дворе, негде было набраться особенной гордости. Во-вторых, непохоже, чтобы человек склада Ивана Васильевича мог быть подвержен чьему-то влиянию. Ну и наконец, с момента «византийского» брака до разрыва с Ордой прошло целых восемь лет.

На самом деле удивительно другое: почему прагматичный и осторожный Иван вообще пошел на этот шаг, во многих отношениях для него невыгодный.

Государь хорошо умел считать деньги, а для его казны юридическая подчиненность хану была очень прибыльна. В качестве всерусского великого князя Иван III исправно собирал со всех земель «выход», то есть ордынскую дань, однако не отправлял ее татарам, а оставлял в собственной казне. В этом, видимо, и заключалась главная причина, по которой Москва совершенно не торопилась провозглашать независимость.

Кроме того, несмотря на оскудение и внутренние раздоры, в военном отношении татары оставались еще сильны, и затевать с ними большую войну было рискованно. Иван брался за оружие, только когда был полностью уверен в победе, а тут еще неизвестно чем закончилось бы — не повторилась бы история с отцом, которому численное преимущество войска не помешало попасть в татарский плен. Бросать вызов хану, пока за спиной оставался ненадежный Новгород, готовый стакнуться с главным соперником — Литвой, рассудительный Иван не намеревался.

МЕЖДУ АЗИЕЙ И ЕВРОПОЙ

К освобождению от ордынской зависимости великого князя подтолкнули определенные обстоятельства — иначе так называемое татаро-монгольское иго наверняка длилось бы еще сколько-то лет, хотя вряд ли долго. В самодержавном государстве, которое строил Иван, не было места для двусмысленности касательно источника верховной власти: он мог быть только один.

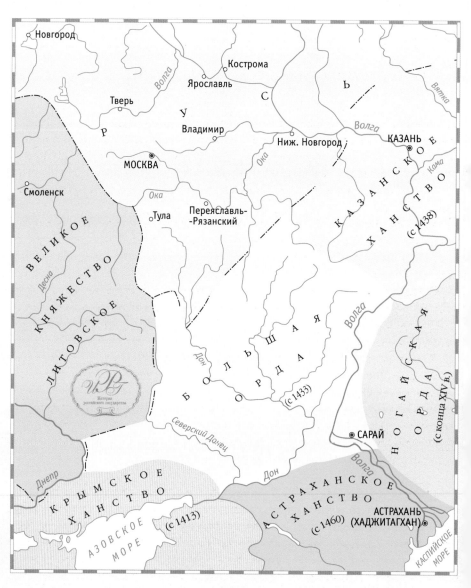

Новгород
Кострома
Ярославль
Тверь
У
Владимир
Р
С
Ь
Волга
Ниж. Новгород
КАЗАНЬ
Ока
МОСКВА
Смоленск
Ока
Тула
Переяславль-
-Рязанский
К А З А Н С К О Е   Х А Н С Т В О
(с 1438)
Кома
ВЕЛИКОЕ
КНЯЖЕСТВО
ЛИТОВСКОЕ
Десна
Дон
Б   О   Л   Ь   Ш   А   Я
О   Р   Д   А
(с 1433)
Волга
Н О Г А Й С К А Я   О Р Д А
(с конца XIV в.)
Северский Донец
САРАЙ
Днепр
Дон
Волга
КРЫМСКОЕ
ХАНСТВО
(с 1413)
АЗОВСКОЕ
МОРЕ
АСТРАХАНСКОЕ
ХАНСТВО
(с 1460)
АСТРАХАНЬ
(ХАДЖИТАГХАН)
КАСПИЙСКОЕ
МОРЕ
Вятка

Татарские ханства в середине XV века. *С. Павловская*

«ТАТАРСКИЙ» ПЕРИОД

Следует учитывать еще и то, что в 1480 году, когда агрессивность ордынского хана Ахмата вынудила великого князя принимать решение, сложилась ситуация, которой было жалко не воспользоваться. Новгородская республика только что была окончательно сломлена и угрозы больше не представляла, а во втором из враждебных Москве татарских царств, Казанском, началась смута (о ней чуть ниже).

Тем не менее Иван Васильевич, как мы увидим, сильно колебался и был очень недоволен этой вынужденной войной. Он боялся поражения и небезосновательно опасался за свои тылы.

Теперь давайте посмотрим, в каком состоянии в это время находился татарский мир, расколовшийся на части после распада Золотой Орды.

С Русью граничили три ханства. Нижневолжские степи принадлежали так называемой Большой Орде, правопреемнице Золотой Орды и номинальной владычице русских земель. Севернее находилось Казанское царство, подчинившее себе приволжские племена — марийцев, чувашей, мордвинов. На Крымском полуострове и в северном Причерноморье утвердилась династия Гиреев.

Все эти государства враждовали между собой; с каждым из них Иван III вел себя по-разному.

Успех его татарской политики основывался на дружбе и союзе с Крымским ханством, которое он очень ловко использовал то против Большой Орды, то против Литвы. Об истории и значении этого ключевого для Москвы альянса будет рассказано в главе о дипломатии Ивана III.

С Большой Ордой, требовавшей изъявлений покорности и выплаты долгов по дани, хорошие отношения были невозможны, но Иван до поры до времени старался ограничиваться мелкими стычками: так сказать, показывал зубы, чтобы его не трогали.

Казань была слабее, и с ней великий князь вел себя напористей, но в основном обходился средствами политическими — потихоньку подкармливал там партию своих сторонников.

В 1479 году умер казанский хан Ибрагим, и царство погрузилось в смуту: сыновья от одной ханши, Фатимы, схватились с сыновьями от другой ханши, Нур-Султан. Вторая фракция ориентировалась на Москву. В любом случае, удара с этой стороны в 1480 году можно было не опасаться.

Однако перестал опасаться Казани и хан Большой Орды, ему этот момент тоже показался удобным для нападения. Ахмат был сильным военным вождем, который сумел подчинить своевольных татарских мурз и уже двадцать лет правил в своих обширных владениях твердой рукой. Он давно мечтал о возобновлении русской дани. В 1472 году даже попробовал повоевать с Русью и сжег небольшой город Алексин, однако для решительного сражения у него не хватило сил, пришлось уйти.

МЕЖДУ АЗИЕЙ И ЕВРОПОЙ

Теперь Ахмат подготовился более основательно. Он собрал большое войско и, главное, сговорился с Казимиром Литовским о совместных действиях. Кроме того, он наверняка знал, что зимой 1479–1480 годов чрезвычайно обострились отношения Ивана с братьями, Андреем Большим и Борисом.

Мы имеем представление о притязаниях Ахмата по грамоте, отправленной им осенью 1480 года, когда обсуждались условия замирения. Условия были умеренными. Во-первых, хан добивался символического признания Москвой вассального статуса (Иван должен был носить на шапке какой-то «знак Батыя»); во-вторых, выплаты долгов (довольно скромной суммы в 4 200 рублей); и, в-третьих, требовал подвергнуть опале его личного врага, касимовского царевича Даньяра.

▶ Одна из самых известных легенд отечественной истории гласит, что разрыву с Ордой был придан торжественно-декларативный характер. Якобы к Ивану III явился татарский посол с требованием поклониться «басме» (ханскому изображению), а великий князь кинул басму на пол и топтал ее ногами.

Эпизод с «топтанием басмы» перекочевал в учебники из «Казанской истории», составленной почти век спустя. Георгий Вернадский предполагает, что автор перепутал басму

То, чего, скорее всего, не было: Иван III топчет «басму». *Н. Шустов*

«ТАТАРСКИЙ» ПЕРИОД

с пайцзой, ханским ярлыком, поскольку у мусульманского владыки не могло быть никаких портретов, и вообще считает этот драматический эпизод «чистым вымыслом». Правдоподобнее предположение, высказанное еще С. Соловьевым, что Иван Васильевич раз за разом отказывался встречаться с ханскими посланцами и сколько было возможно тянул время.

Эффектные жесты были не в характере великого князя, да и вряд ли он стал бы обострять и без того плохие отношения такой демонстрацией. Войну инициировала не Москва, а Орда.

В начале 1480 года разразился кризис. В тылу у Ивана Васильевича подняли мятеж младшие братья — их войско встало лагерем в Великих Луках; на вассальную Псковскую республику напал Орден; враждебные литовцы готовились к войне; разгромленный Новгород при первом же поражении Москвы мог снова взбунтоваться. Процитирую замечательного исследователя этой эпохи Руслана Скрынникова: «Опасность угрожала Москве с трех сторон. От Мценска к Калуге двигался Ахмат-хан с татарами. Удельные князья могли в любой момент подойти из Великих Лук. Королю Казимиру принадлежала Вязьма, и его войска могли достичь Москвы за несколько дней».

Но обычно неторопливый Иван III при необходимости умел действовать быстро. Угрозу междоусобной войны он решил, дав отступного, — и братья не только успокоились, но и пришли со своими дружинами помогать против Ахмата.

От литовской опасности Иван избавился при помощи крымских союзников. Они вторглись во владения Казимира с юго-востока, и королю стало не до Москвы.

Но от ордынского войска отбиться можно было только силой оружия, а этого великий князь очень не любил.

Не зная, откуда ждать удара, и осторожничая, он распределил полки вдоль рубежа со Степью. Ахмат двигался параллельно этой оборонительной линии к западу, рассчитывая найти слабое место и заодно надеясь встретиться с войском своего литовского союзника.

Наконец главные силы обеих армий встали напротив друг друга, у реки Угры, недалеко от Калуги. Псковская летопись сообщает, что в русском войске было 180 000 человек, но это, несомненно, сильное преувеличение. По расчетам Р. Скрынникова у Ахмата было 30—40 тысяч воинов, и у русских на Угре примерно столько же, хотя общая численность великокняжеской армии, прикрывавшей московскую территорию с разных направлений, была значительно больше.

Государь держался на безопасном расстоянии от Угры и вообще, как уже было рассказано, сильно нервничал, так что это даже вызвало недовольство у москвичей и духовенства. Иван III был выдающимся государственным стратегом, но героя из себя никогда не изображал, и в «Стоянии на Угре», в отличие от, скажем, Куликовской баталии, героического мало. Впрочем, по-настоящему умелый правитель никогда не доводит дело до того, чтобы его народу понадоби-

МЕЖДУ АЗИЕЙ И ЕВРОПОЙ

лось проявлять героизм — последнее, отчаянное средство спасения в критической ситуации.

Если коротко пересказать суть последующих событий, она сводится к следующему. Две рати простояли на месте почти всю осень, то и дело ввязываясь в стычки, но не решаясь затеять сражение. Русским это было не нужно, да и государь не велел; татары боялись форсировать Угру и всё ждали, не придет ли Казимир. Казимир не пришел, у ордынцев кончились припасы, лошади съели весь корм, начались холода — и татары убрались несолоно хлебавши. Так недраматично закончилось двух-с-половиной-вековое татаро-монгольское владычество над Русью.

Однако интересны некоторые подробности «стояния».

О том, как сильно Иван III был напуган ордынским нашествием, свидетельствует некоторая истеричность действий, обычно несвойственная этому хладнокровному, уверенному человеку. Он сам сжег Каширу, чтобы она не досталась татарам (хотя они туда и не пошли); спалил московские посады (то есть весь город за пределами московских стен); отправил жену и государственную казну далеко на Север (что, собственно, и возмутило москвичей); пытался насильно увезти из действующей армии и наследника, но Иван Молодой был боевитее отца и наотрез отказался.

Иван Иванович и воевода Даниил Холмский (Шелонский победитель) руководили боем, начавшимся 8 октября и с перерывами продолжавшимся четыре дня. Это была единственная сколько-нибудь серьезная попытка ордынцев переправиться на русский берег. Неширокие броды не давали Ахмату развернуть свою конницу; русские пушки и пищали вели огонь по столпившейся массе татар, и те в конце концов отступили.

Ахмат встал лагерем, сказав, что подождет, пока река покроется льдом.

Приехал из Москвы и Иван Васильевич, но устроил свою ставку на безопасном расстоянии от Угры. Он попробовал договориться с ханом о мире, послав щедрые дары. Ахмат ответил: хорошо, но приезжай сам. Когда великий князь отказался, предложил прислать сына или брата. Потом согласился на простого боярина.

И тут, в конце октября, вдруг ударили ранние морозы, и Угра встала. Памятуя об угрозах Ахмата, Иван велел войскам отступать.

Но татары не стали нападать и по льду. Ахмату воевать тоже не хотелось. Он придумал другое решение. Вместо того чтобы лезть под московские пули и сабли, повернул свое оголодавшее, измерзшееся войско в литовскую сторону — в отместку за неисполнение Казимиром союзнических обязательств. Там, не встречая сопротивления, татары набрали богатой добычи и ушли назад, в степь.

В результате «Стояния на Угре» Иван оказался двойным триумфатором. Он — притом почти без потерь — посрамил Большую Орду, а заодно ее руками наказал другого заклятого врага, Литву.

Однако Ахмату литовские трофеи на пользу не пошли. Точнее говоря, они его погубили.

«ТАТАРСКИЙ» ПЕРИОД

Слух об огромной добыче вызвал зависть у хана Сибирской (Тюменской) орды Айбека. Он вместе с ногайскими татарами дождался момента, когда Ахмат распустит войско по домам, и напал на ставку. Ахмат был убит, а его сыновья растащили улус на куски.

После этого Большая Орда кое-как просуществовала еще двадцать лет, уже не представляя для Руси никакой угрозы. В 1502 году ее окончательно добили крымцы.

После бескровной победы над Ахматом великий князь всерьез занялся проблемой Казанского ханства. Оно было слабее Большой Орды в военном отношении, но постоянно докучало русскому приграничью разбойничьими набегами и мешало Москве распространять свое влияние на заволжский регион.

Миниатюра «Стояние на Угре». *Лицевой летописный свод (© РИА Новости)*

МЕЖДУ АЗИЕЙ И ЕВРОПОЙ

Здесь Москве помогли раздоры внутри ханского рода. В 1486 году претендент на престол Мухаммед-Эмин явился к Ивану за покровительством и помощью.

В следующем году всё тот же князь Холмский пошел вместе с «промосковскими» татарами на Казань, осадил ее и вынудил к сдаче. Ханом стал Мухаммед-Эмин, признавший главенство Ивана Васильевича и даже не смевший без его санкции выбрать себе жену. Когда враги свергли московского ставленника (это произошло в 1495 году), великий князь не дал Казани выйти из-под своего контроля и посадил ханом другого удобного ему царевича, Абд-аль-Латифа. Через несколько лет вновь заменил его на Мухаммед-Эмина. Одним словом, начиная с 1487 года Казань никакой опасности для Москвы не представляла. Третье татарское царство, Крым, поддерживало с Русью союзнические отношения. Таким образом, за восток и за юг Иван III мог быть спокоен.

Теперь настало время вплотную заняться западом, то есть Литвой.

«Литовский» период

Вторая Русь

Вся западная половина домонгольской Руси — современные Украина, Белоруссия, а также большой кусок Великороссии от Смоленска почти до Калуги — после Батыева нашествия оказались в зоне «мягкой оккупации» и уже к середине XIV века полностью вышли из-под ордынского контроля. Бо́льшая часть этой обширной территории вошла в великое княжество Литовское, а земли бывшего Галицко-Волынского княжества в основном перешли к польской короне. Вследствие этого Западная Русь, в отличие от Руси Восточной, в цивилизационном отношении осталась «частью Европы» — как и Новгород.

Это отличие проявлялось в самых разных сферах, в том числе в государственном устройстве.

Во второй половине XV века, когда в Московии всё больше укреплялся «ордынский» принцип управления, основанный на сильной власти государя, Литва окончательно превращается в ограниченную монархию, где великий князь не может принять ни одного решения без согласия «панской рады» (совета знати). Только так устанавливаются налоги, объявляются мобилизации, провозглашаются законы, которые монарх своей волей изменить не имеет права. К концу столетия, следуя польскому образцу, отвоевала себе существенные права и литовская шляхта — среднее и мелкое дворянство. Великий князь теперь не мог наказать дворянина без соответствующего судебного разбирательства — концепция, с точки зрения московского государства, совершенно абсурдная. В 1492 году шляхта впервые приняла участие в выборах нового монарха на общелитовском съезде — и в дальнейшем так делалось всегда.

Каждая область Литвы обладала значительной автономией; большие города существовали по Магдебургскому праву, то есть жили по собственным законам, в которые великий князь вмешиваться не смел.

И все же, несмотря на все эти признаки европейского жизнеустроения, в описываемый период Литва была страной по преимуществу русской. Ее монархи называли себя великими князьями литовскими, русскими и жмудскими — и это было не просто титулование.

МЕЖДУ АЗИЕЙ И ЕВРОПОЙ

По расчетам Г. Вернадского, в начале XVI века из четырех миллионов населения Литвы русские составляли три четверти, а ведь к этому времени почти все великороссийские земли уже отошли к Москве — то есть во времена Ивана III пропорция этнических литовцев была еще меньше.

Русославянский язык еще не разделился на три ветви; на нем вплоть до XVI века велась литовская казенная переписка и вершился суд; крупнейшие ли-

Великое княжество Литовское во второй половине XV века. *С. Павловская*

«ЛИТОВСКИЙ» ПЕРИОД

товские магнаты были русскими по крови и православными по вере, да и некоторые Гедиминовичи исповедовали «греческую» религию — христианство пришло в Литву поздно и не столько с Запада, сколько с Востока.

Нет ничего удивительного в том, что литовские властители — точно так же, как московские — стремились взять под свою руку все русские земли. Долгое время оставалось неясным, кто объединит Русь — Москва или Вильна.

Хронологические рамки этого противостояния намного шире периода, охватываемого данным томом; здесь будут описаны лишь несколько эпизодов «древнего спора славян между собою».

На предшествующем этапе первенствовала литовская Русь. Она была и больше, и сильнее, а главное — она была независимой, в то время как восточнорусские земли выплачивали дань Орде и зависели от прихоти татарских ханов.

В начале пятнадцатого века Литва была по территории самым большим государством Европы, простиравшимся от Балтийского до Черного морей.

При Витовте Великом (правил в 1392–1430 гг.) княжество достигло пика своего могущества. Литва чуть было не подчинила себе самое Золотую Орду.

Во времена Василия Васильевича, отца Ивана III, казалось несомненным, что русские земли воедино соберет Литва, а не Москва. Витовт был одним из регентов при малолетнем московском внуке Василии. Великие княжества Рязанское и Тверское признавали литовского монарха своим государем.

Однако, при видимом преобладании Литвы, уже в то время ее претензии на создание всерусского государства были бесперспективны.

Исторический выбор был сделан в 1385 году, когда литовский великий князь Ягайло ради титула польского короля перешел из православия в католичество. С этого момента латинская вера становится официальной религией государства, литовская знать начинает тяготеть к польским обычаям, а внутри общества, сверху донизу, возникает разрыв между двумя лагерями — польско-католическим и русско-православным. Вот причина, по которой русская, то есть бо́льшая половина Литвы неминуемо должна была рано или поздно оказаться в сфере московского влияния.

Королевский двор часто вел себя неосторожно, обижая и антагонизируя русских магнатов, которые вместе с челядью, а то и прямо со всем своим владением уходили в московское подданство.

Во второй половине XV века Москва укрепляется, а ее соседка, наоборот, слабеет. Меняется баланс сил, и Литва превращается из хищника в добычу.

«Вторая» Русь переживала кризис по нескольким причинам.

Во-первых, выгоды династической унии оказались сомнительными. Единым государством Литва и Польша станут только в 1569 году, пока же каждая из стран решала свои проблемы в одиночку. Вернее, королевство часто требовало от великого княжества военной помощи, но само в литовских войнах почти никогда не участвовало.

МЕЖДУ АЗИЕЙ И ЕВРОПОЙ

После смерти Витовта на целое десятилетие растянулся спор о престолонаследии. Наконец победил Казимир, младший сын покойного Ягайло, который в 1447 году стал и польским королем, но это не привело к объединению сил двух государств. В случае войны Литва по-прежнему могла полагаться лишь на собственные средства, к тому же короля постоянно отвлекали от московской угрозы польские проблемы.

Второй причиной была слабость центральной власти, вынужденной постоянно идти на уступки аристократии. Литва представляла собой федерацию полуавтономных княжеств, областей и городов. У великого князя не было собственной армии — за исключением нескольких тысяч наемных «жолнеров», сидевших по крепостям. Во время войны он всецело зависел от того, соберутся ли под его стяг панские полки и шляхетские хоругви. Правда, границу с Крымом охраняли казаки, но мы еще увидим, насколько ненадежной и рискованной была эта сила. Даже при всеобщей мобилизации литовское войско редко насчитывало больше двадцати тысяч человек и почти всегда уступало в численности московскому.

В-третьих, русское население Литвы, подвергавшееся дискриминации и религиозным преследованиям, симпатизировало единоплеменникам и единоверцам по ту сторону границы. Православные князья — Воротынские, Одоевские, Белевские, Мосальские, Мезецкие — один за другим переходили на сторону Москвы.

Казимир не мог силой пресечь эту постепенную «эрозию» своих восточных областей, потому что был все время занят европейскими конфликтами. В 1470-е годы он враждовал с Венгрией, сражаясь за чешское наследство — и из-за этого дал Ивану III беспрепятственно аннексировать Новгород. Единственное, что мог Казимир, — интриговать против Москвы и натравливать на нее Большую Орду, но Иван Васильевич в ответ насылал на Литву крымских татар.

Такая необъявленная война чужими руками продолжалась до тех пор, пока к концу 1480-х годов московский государь не покончил со своими татарскими врагами.

Теперь он был готов взяться за большое дело объединения «всея Руси», над которой до сей поры властвовал лишь по титулу.

Литовские войны

Как обычно, Иван не спешил. Несколько лет он ждал удобного момента — и дождался. В 1492 году старый Казимир умер. Один его сын, Ян Альбрехт, стал королем Польши; другой, Александр, был избран великим князем литовским. Иначе говоря династическая уния распалась.

И тут уж Иван медлить не стал.

«ЛИТОВСКИЙ» ПЕРИОД

За поводом дело не стало — его давали непрекращающиеся приграничные стычки и религиозные притеснения русского населения. Московский государь объявил себя защитником Руси и православия, собрал большое войско, в очередной раз натравил на литовские земли своего союзника крымского хана Менгли-Гирея — и война получилась такой, как любил Иван Васильевич, то есть с гарантированной победой.

Сам великий князь воевать не пошел, отправил опытных полководцев. Они брали литовские города один за другим, не встречая серьезного сопротивления. Князь Федор Телепень-Оболенский взял Любутск и Мценск; воеводы Василий Лапин и Андрей Истома захватили Хлепень и Рогачев; князь Иван Воротынский оккупировал Мосальскую волость. Еще хуже для Литвы было то, что на Русь потянулись новые перебежчики.

Александру Литовскому, не имевшему сил для войны, пришла в голову идея, которая, должно быть, показалась ему очень ловкой. Он посватался к дочери Ивана III, надеясь, что при помощи этого брачного союза наконец обеспечит себе мир на востоке, и тогда сможет спокойно заняться своими внутренними и европейскими проблемами. Ради такой перспективы Александр даже согласился признать за Иваном титул «государя всея Руси» и отказаться от прав на области, к началу войны фактически перешедшие к Москве. Первая уступка была огромным политическим успехом Ивана III; вторая — тем более, ибо создавала удобный прецедент.

Взамен государь отказался от претензий на Смоленск и Брянск, которые ему все равно не принадлежали, вернул только что занятые и еще не успевшие прирасти к Руси территории — и, конечно, отдал дочь Елену. Правда, планы Ивана Васильевича на этот брак были совсем иные, чем у зятя.

▶ Историю с замужеством Елены Ивановны можно было бы назвать «Использованием Елены Прекрасной в качестве Троянского коня». Брак был оговорен множеством условий: невесту не могли принуждать к перемене веры; ей должны были выстроить собственную православную церковь. Александр, которому очень хотелось побыстрее замириться, легко подписал эти кондиции, вероятно, полагая, что уж как-нибудь договорится с собственной женой без далекого тестя и вообще стерпится-слюбится.

Однако не тут-то было. Иван и издали продолжал дотошно и придирчиво следить за тем, как содержат его дочь. Мелочная опека простиралась даже на то, какие прислужницы будут окружать великую княгиню — местные или присланные из Москвы, да в каком платье ходит Елена — упаси боже, не в «польском» ли.

Совершенно очевидно, что Иван III рассматривал женитьбу не как прелюдию к добрососедству, а как предлог для нового обострения отношений.

Елена привыкла повиноваться строгому отцу, она была хорошей дочерью. Однако женой она оказалась тоже хорошей. Судя по всему, этот сугубо политический брак получился вполне удачным. По переписке Елены с отцом видно, что она «из великие беды

МЕЖДУ АЗИЕЙ И ЕВРОПОЙ

своея и жалости сердечные» всячески защищает Александра от нападок. Она пишет (цитирую перевод Н. Костомарова): «Ведаешь государь, отец мой, что ты за мною дал и что я ему принесла [имеется в виду, что скупой Иван не дал никакого приданого]; однако, государь и муж мой король и великий князь Александр, ничего того не жалуючи, взял меня с доброю волею и держал в чести и в жаловании и в той любви, какая прилична мужу к своей подруге».

Всё это, впрочем, не имело никакого значения. Вряд ли Ивана интересовало, любит зять его дочь или нет. Требовался предлог для новой войны, как только Москва к ней подготовится. И такой предлог сыскался. К переходу в католичество Елену не принуждали, но никакой православной церкви при дворе, конечно, не построили — католическое духовенство и литовская знать никогда бы такого не стерпели. «Троянский конь» свою роль выполнил.

Елена Ивановна с мужем Александром, изображённые вполне счастливыми.
Гравюра XVI в.

В 1500 году началась новая война — из-за надуманных притеснений Елены Ивановны и новых спорных земель, образовавшихся в результате переманивания Москвой приграничных русско-литовских магнатов.

На сей раз у Литвы появился союзник — Ливонский орден, но в военном отношении проку от него оказалось немного; немцы вели себя пассивно. Зато всегдашний союзник Москвы крымский хан Менгли-Гирей принялся активно

«ЛИТОВСКИЙ» ПЕРИОД

опустошать украинские земли, совмещая приятное (грабеж) с полезным (укреплением дружбы с Иваном Васильевичем).

С самого начала русскому войску сопутствовал успех. Оно было многочисленнее и лучше подготовилось к боевым действиям.

14 июля 1500 года у реки Ведроши, неподалеку от Дорогобужа, литовский великий гетман князь Константин Острожский, русский и православный, встретился с московской ратью, которую вели боярин Юрий Захарьин-Кошкин (предок будущих Романовых) и князь Даниил Щеня-Патрикеев. Сначала литовцы потеснили русских, но те, следуя старинной, еще чингисхановской тактике, нанесли мощный фланговый удар запасным полком. Разгром был сокрушительным. Литовцы потеряли не только артиллерию и обоз, но в плен угодил и сам

Вторая русско-литовская война 1500–1503 гг. *С. Павловская*

великий гетман, который через некоторое время перешел на службу к Ивану III — тяжелый удар для престижа Александра Литовского.

Некоторое время русские отряды продолжали занимать новые территории, захватив почти все земли древнего Черниговско-Северского княжества. Была еще одна крупная победа под Мстиславлем, были взяты Торопец и Орша. На этом активная фаза войны закончилась, и начались переговоры. Карамзин объясняет внезапное миролюбие Ивана Васильевича возрастными изменениями. «Вообще люди на шестом десятилетии жизни редко предпринимают трудное и менее обольщаются успехами отдаленными», — пишет историк. Но, скорее всего, причина заключалась в том, что, несмотря на большие успехи, на большее у Москвы просто не хватило сил. Осенью 1502 года русские осадили важный город Смоленск, но их орудия оказались недостаточно мощны, чтобы пробить крепкие стены. Пришлось отступить.

Александр отдал большую территорию (по счету С. Соловьева, 19 городов, 70 волостей, 22 городища и 13 сел), но подписал не мир, а всего лишь перемирие, надеясь на реванш. Ивану же оставалось жить недолго. На новые завоевания ни сил, ни времени у него уже не было. Продолжить работу по присоединению западнорусских земель предстояло его наследнику.

Главное противостояние между Русью и Литвой было впереди. Войн будет еще много. Через сто лет после смерти Ивана III построенное им государство рухнет, не выдержав натиска западного соседа. Однако в 1505 году, к концу жизни великого государя, казалось, что перелом в споре восточной Руси с западной уже свершился и что Москва побеждает.

Русь возвращается на карту мира

Военные успехи и рост державы были бы невозможны, если бы не работа московской дипломатии, возникшей при Иване III. В ордынский период русской дипломатии не существовало — у колонии не бывает внешней политики. Московские князья и их посланники очень хорошо умели маневрировать в ханской ставке, играя на противоречиях между татарскими партиями, задаривая ханш и подкупая мурз — подобного искусства вполне хватало.

Однако независимой стране этих теневых и, в общем, рабских навыков было явно недостаточно. Требовалось осваивать незнакомую науку общения с иностранными государствами на равных; требовалось обозначить новое положение Руси — да просто известить мир о возрождении страны, про которую все, кроме соседей, давно забыли; добиваться признания и уважения, заключать военные и политические союзы; приглашать чужеземных мастеров; наконец — налаживать и развивать новые торговые связи. Особенно насущными все эти задачи стали после брака Ивана Васильевича с византийской принцессой и формального разрыва с Ордой. Как пишет Карамзин: «В сие время судьба Иоаннова ознаменовалась новым величием посредством брака, важного и счастливого для России: ибо следствием оного было то, что Европа с любопытством и с почтением обратила взор на Москву, дотоле едва известную; что Государи и народы просвещенные захотели нашего дружества; что мы, вступив в непосредственные сношения с ними, узнали много нового, полезного как для внешней силы государственной, так и для внутреннего гражданского благоденствия».

Что-то у неопытных в международной политике русских дипломатов получалось лучше, что-то хуже.

Привычка к закулисному лавированию и коррумпированию, привнесенная из прежних времен, вкупе с крайней уклончивостью и непрочностью обещаний сохранилась надолго, на столетия. В Европе эту особенность русской дипломатии ошибочно называли «византийством», хотя на самом деле она являлась генетическим наследием ордынского периода. Недаром покровителем российской дипломатии является святой благоверный князь Александр Невский, вывед-

МЕЖДУ АЗИЕЙ И ЕВРОПОЙ

ший Русь из худших времен татаро-монгольского ига исключительно благодаря гибкости и умению приспосабливаться к жестким обстоятельствам.

Однако во времена Ивана III московские послы, раньше хорошо владевшие лишь оружием слабого, начинают постигать правила пользования новым инструментом: силой. Надо сказать, что в исторической перспективе этим вторым, безусловно, важным, но обоюдоострым оружием русская дипломатия толком так и не овладела. Русь, а потом Россия нередко будет пережимать по части силовой дипломатии и тем самым наносить ущерб собственным интересам. При умном и осторожном Иване III подобного не случалось; при его преемниках, как мы увидим, такое происходило довольно часто.

Иван рассматривал дипломатию прежде всего как средство обеспечить перевес перед войной, а еще лучше — добиться своих целей вообще без войны. Таким бескровным образом он одержал не меньше побед, чем при помощи оружия.

По предыдущим главам читателю должно быть уже ясно, что стержнем дипломатии Ивана III были отношения с Крымским ханством. На этом союзе, как на фундаменте, держалась вся стратегия московской экспансии — и в восточном, и в западном направлениях.

Дружба с ханом Менгли-Гиреем (1467–1515, с перерывами) имела для Ивана Васильевича первостепенное значение. Строилась она, конечно, не на личной симпатии (два государя ни разу не встретились), а на общности интересов. У Крыма был тот же главный враг — Большая Орда, а Литва, давняя соперница Москвы, представляла собой удобный и близкий объект для грабежа. Вот почему Менгли-Гирей всегда так охотно откликался на приглашение повоевать и с Большой Ордой, и с великим княжеством Литовским.

Напомню, что военная помощь Менгли-Гирея спасла Москву в 1480 году во время «Стояния на Угре», когда хан Ахмат тщетно ждал Казимира, отбивавшегося от крымцев. Во время первой русско-литовской войны, в 1494 году, большое татарское войско вторглось на Украину, и эта война на два фронта была одной из главных причин, по которым Александр Литовский запросил мира. То же повторилось и во время второй литовской войны: в 1502 году крымцы атаковали литовские земли, дойдя до Белоруссии. Александр опять был вынужден согласиться на невыгодный мир с Москвой.

В то же самое время, в 1502 году, Менгли-Гирей окончательно добил Большую Орду — то есть достиг той основной задачи, ради которой поддерживал союз с Русью. (Заходя вперед, скажу, что эта победа впоследствии вышла Руси боком: когда у Крыма отпала необходимость в Москве, дружба очень быстро закончилась, но произошло это уже не при Иване III.)

Поддержка великого князя была нужна Менгли-Гирею не только из военно-политических видов, но и для собственной безопасности. Хан захватил власть

Набег крымской конницы. *И. Сакуров*

МЕЖДУ АЗИЕЙ И ЕВРОПОЙ

силой, отобрав ее у старшего брата, и долгое время сидел на троне непрочно. Он дважды был свергнут и возвращался лишь после упорной борьбы. Во всех этих внутритатарских сварах Иван неизменно оказывал помощь своему верному союзнику. Менгли-Гирей даже получил от великого князя письменную гарантию, что в случае поражения обретет убежище в Москве; Иван клялся, что «поднимет его истому на своей голове».

По старой, надежной московской традиции союз требовалось подпитывать подарками и взятками, на которые крымцы были очень падки, поскольку понятие коррупции в ордынской культуре, кажется, вовсе отсутствовало. Послы Ивана III (на эту должность назначали самых знатных людей, обычно бояр) постоянно «прикармливали» царевичей и мурз, делая им подношения соответственно рангу — и друзей у Москвы в Крыму было много.

Вторыми по важности (а начиная с «литовского» периода — первыми) для Москвы были дипломатические отношения со «второй» Русью, и строились они на совершенно иных принципах. Литву Иван III рассматривал как препятствие для объединения русских земель, а литовского монарха — как конкурента на звание «государя всея Руси». Мир и тем более дружба Москве в этот период были не нужны, поэтому русская дипломатия постоянно задирает, провоцирует, торгуется из-за спорных земель и «всерусского» титулования Ивана Васильевича. Даже переговоры о браке Елены Ивановны с Александром очень мало напоминали обсуждение радостного события. Совершенно очевидно, что в эту эпоху, когда Москва была сильна, а Литва слаба, Иван расценивал дипломатию как средство второстепенное и больше полагался на военное преимущество. Послы великого князя на каждых переговорах упрямо заявляли, что «русская земля из старины от наших прародителей — наша отчина», имея в виду *всю* русскую землю. С такой позицией особенного простора для дипломатических маневров не оставалось. Русь и Литва входили в шестнадцатое столетие непримиримыми врагами.

До конца пятнадцатого века в Западной Европе полагали, что Русь — это провинция в польском королевстве, и вдруг узнали, что существует еще другая Русь, которая, кажется, больше, могущественнее и богаче первой (то есть для Европы-то «первой» была литовская Русь, а московская — «второй»). «Можно сказать, что Северо-Восточная Россия, или Московское государство, для западных европейских держав была открыта в одно время с Америкою», — пишет С. Соловьев.

Присоединив Новгород, Москва попадает в круг балтийских держав. Если в прежние времена у нее почти не было контактов со Швецией, Данией и Германской империей, а отношения с Ливонским орденом ограничивались пограничными столкновениями, то теперь Ивану пришлось решать новые трудные зада-

РУСЬ ВОЗВРАЩАЕТСЯ НА КАРТУ МИРА

чи. Нужно было закрепиться на море; наладить торговлю с Европой; завести новых союзников и давать отпор новым врагам.

Знаменитый немецкий купеческий союз Ганза в это время пришел в упадок, и Иван закрыл его представительство в Новгороде, потому что, во-первых, хотел лишить неспокойный Новгород богатства, а во-вторых, намеревался вести торговлю с Европой без посредников.

Напротив немецкого города Нарвы, на другом берегу реки, в 1492 году Иван III поставил крепость, в его честь названную Ивангородом. Здесь был построен порт, и началась торговля.

В следующем же году у Руси завелся первый на Балтике союзник — Дания, причем инициатива, кажется, исходила от датчан. У них не было территориальных споров с Русью, поскольку страны находились далеко друг от друга, зато имелся общий враг: Швеция — северный сосед, доставлявший русским множество проблем. Иван охотно помог датскому королю одолеть шведского — великий князь очень любил одерживать победы чужими руками. В 1495–1496 годах московское войско сходило повоевать в шведскую Финляндию, но основные боевые действия происходили на скандинавском театре, где Ганс Датский добыл себе шведскую корону.

Давний недруг, Ливонский орден, к концу XV века одряхлел и ослабел, однако полностью военной мощи не утратил. Всякий раз, когда Москва пыталась разговаривать с ним языком оружия, оказывалось, что орешек пока не по зубам. Но если ливонцы кое-как еще могли отстоять собственные земли, нападать на Русь теперь они смели лишь в союзе с Литвой, предпринимая сравнительно небольшие операции. Магистр выводил хорошую по боевым качествам, но весьма немногочисленную армию.

Завоевание этой хорошо укрепленной многочисленными замками территории в планы Ивана III не входило. При этом он обращался с Орденом довольно пренебрежительно, решая возникающие трения путем переговоров, на которых ливонцам отводилась роль просителей и жалобщиков.

 Соотношение сил между Москвой и Ливонским орденом очень хорошо демонстрирует русско-литовская война 1500–1503 годов, которая вообще-то была русско-литовско-ливонской, потому что немцы присоединились к королю Александру. Магистру Вальтеру фон Плеттенбергу показалось, что вместе с сильным союзником он сумеет добиться того, на что не мог рассчитывать в одиночку. Мобилизовав все свои ресурсы, он собрал 15-тысячную армию, хорошо оснащенную пушками и мушкетами. Поначалу ливонцам сопутствовал успех. Они разгромили псковско-московскую рать, обратив ее в бегство шквальным огнем — русские не привыкли к массированному использованию артиллерии. «Была туча велика, грозна и страшна от стуку пушечного и пищального», — сообщает летопись. Затем ливонцы взяли крепость Остров, пользуясь тем, что основные силы Москвы заняты на литовском фронте. Однако на не слишком мощную крепость

МЕЖДУ АЗИЕЙ И ЕВРОПОЙ

Изборск у Ордена сил уже не хватило. Истощив силы под ее стенами, поредевшее и ослабленное дизентерией немецкое войско начало отступать. Тут у Ивана III освободилась часть армии, не самая большая, однако вполне достаточная для того, чтобы не только отогнать немцев за границу, но и разорить ливонские земли.

Продолжающаяся война с Литвой не позволила Москве завершить разгром, и через некоторое время магистр явился все к тому же Изборску с новой ратью. Взять крепость немцы не сумели, пошли к Пскову и здесь встретились с главной русской армией под командованием первых московских воевод Даниила Щени-Патрикеева и Василия Шуйского. Несмотря на значительное численное преимущество, русским не удалось опрокинуть ливонцев. Магистр доблестно оборонялся и отбил все атаки. Но потери его были таковы, что после этого Орден в войне уже не участвовал. Обе стороны извлекли из кровопролития уроки: ливонцы — что война с Москвой им не по зубам; русские — что ливонский орешек крепок и лучше пока не пытаться его разгрызть.

Во время переговоров Ивана с литовским зятем магистр тоже прислал своих послов, но они находились в унизительном положении: им пришлось дожидаться заключения мира между «большими державами» и потом соглашаться на условия, обговоренные без ливонского участия.

Самым крупным государственным объединением Европы в то время была Германская империя, столица которой находилась в Вене.

Один из дворян императора Фридриха III (1452–1493), некто Николас Поппель, путешествуя по отдаленным восточным землям, узнал, что за Литвой существует какая-то Московия, и решил туда заглянуть. Это произошло в 1486 году.

Размеры и мощь новой страны произвели на кавалера большое впечатление. Вернувшись, он доложил императору, что на европейской карте появился

Изображение магистра фон Плеттенберга
на ливонской монете

сильный игрок, которого прежде не было.

Три года спустя Поппель вернулся в Москву уже в качестве полномочного посла из Вены, и между двумя странами в течение нескольких лет происходили весьма оживленные переговоры.

Тут был взаимный интерес. Фридрих III, а потом его сын Максимилиан I враждовали с Польшей из-за венгерского наследства, и союзник на востоке им был очень кстати. Выгоден такой союз был и Ивану Васильевичу.

Договориться не получилось, ибо Фридрих и Максимилиан имели общую черту с Иваном III: тоже любили

РУСЬ ВОЗВРАЩАЕТСЯ НА КАРТУ МИРА

загребать жар чужими руками. Австрийцы просили прислать им русское войско, обещая великому князю взамен королевский титул. Ивана устраивал его титул, а войско требовалось для собственных нужд.

В конце концов Вена помирилась с поляками, и надобность в восточном союзнике отпала. Дипломатические контакты с Русью надолго прекратились.

▶ В этой австрийско-русской дипломатической торговле был один любопытный эпизод, связанный с попыткой заключения брачного союза. Иван остался равнодушен к королевской короне, но его весьма заинтересовало предложение породниться с императорским домом. Если сам он был женат на принцессе восточной империи и выдал бы свою дочь за принца западной империи, это очень повысило бы статус его державы в глазах соседей.

Император предложил женить своего племянника маркграфа баденского на московской княжне, дочери Ивана. Это показалось великому князю невместным. Он соглашался минимум на императорского внука, Максимилианова сына. Австрийцы были готовы рассмотреть и этот вариант, но просили показать их послу невесту, да поподробнее рассказать о приданом. Невесту не показали, сославшись на русские обычаи,

Максимилиан I. *А. Дюрер*

МЕЖДУ АЗИЕЙ И ЕВРОПОЙ

а приданого Иван давать не хотел. В результате принц женился на герцогине Бретанской, так что Ивана Васильевича подвела скупость, очень развившаяся в нем к старости. Впоследствии великий князь был вынужден отдать заневестившуюся дочь Феодосию (старшая, как мы помним, уехала в Литву) за одного из своих бояр — более престижных женихов уже не появилось.

Еще одним направлением активных дипломатических связей была Италия: Рим и Венеция. С папским престолом Москва завела деятельные сношения с момента переговоров о женитьбе на Софье Палеолог, Венеция же как морская держава издавна была заинтересована в контактах с восточными странами.

И папе, и дожу Москва была нужна как союзник против главного их врага — Турции. Итальянцы не скупились на лесть и посулы, надеясь, что русский principe ударит султану в тыл и тем самым даст Европе передышку от турецкого натиска.

Иван охотно поддерживал итальянцев в этом заблуждении, поскольку у него был практический интерес, о котором я расскажу чуть ниже, однако с султаном ссориться, конечно, не собирался.

В военно-политическом смысле Турция была для великого князя гораздо важнее итальянских государств. В то время это была самая могущественная — как на земле, так и на море — держава Европы. Она объявила Черное море «девственным», то есть недоступным для немусульманских кораблей. Та же участь, казалось, ожидает и Средиземное море. По счастью для Запада, после воинственного Мухаммеда II на оттоманский престол взошел султан-философ Баязет II (1481–1512), не любивший воевать, и в конфликте случилась передышка, однако баланс сил был явно в пользу Турции.

Иван III завел отношения с султанским двором через своего друга крымского хана, который с 1475 года стал турецким вассалом. Великому князю было важно известить падишаха о своих мирных намерениях, получить от столь великого владыки признание своего титула «государя всея Руси» и обеспечить защиту для русских купцов, торгующих в черноморских землях. Султана северная страна интересовала мало. Он согласился титуловать Ивана, как тому хотелось, купцов обещал не обижать, но никакой особенной близости с Москвой не возникло. Страны пока еще не имели общей границы и, образно выражаясь, смотрели в разные стороны.

 К началу княжения Ивана III относится удивительная история о путешествии тверского купца Афанасия Никитина в Индию, не имевшая политических и практических последствий, но расширившая представления русских о далекой стране, про которую в ту пору мало что знали и морские европейские державы. Рассказ Афанасия о поездке «Хождение за три моря» по содержательности и информативности может посопер-

РУСЬ ВОЗВРАЩАЕТСЯ НА КАРТУ МИРА

ничать с записками Марко Поло, но сам Никитин называет свое «хождение» греш-ным: с точки зрения тогдашнего русского человека, путешествия делились на благо-честивые, то есть для поклонения святыням, и суетные, то есть затеваемые ради ко-рысти.

В 1468 году Никитин покинул родную Тверь с товарами, присоединившись к каравану московского посланника Василия Папина, который вез девяносто кречетов ширваншаху (правителю Ширвана, царства на территории современного Азербайджана).

С коммерческой точки зрения, предприятие получилось катастрофическим. Сначала на караван напали астраханские татары, причем Никитин лишился всей своей «рухляди». Затем в Каспийском море случилось кораблекрушение, а в конце пути торговые люди были обобраны до нитки. Одни вернулись на Русь, другие остались в Шемахе, а Ники-тин решил хоть как-то покрыть убытки и в этом тщетном стремлении забирался всё дальше и дальше. Коммерсант из него был никудышный: он не смог выгодно продать единственное свое имущество, жеребца, и не стал закупать в обратный путь ценней-шие товары — перец и красители, решив, что они не нужны.

Зато Никитин вел записки, благодаря чему и остался в благодарной памяти по-томства.

Памятник Афанасию Никитину в Твери. С. Орлов, А. Завалов

МЕЖДУ АЗИЕЙ И ЕВРОПОЙ

Индийцы произвели на Афанасия большое впечатление: «...А все ходят брюхаты, а дети родятся на всякий год, а детей у них много. А мужики и жонки все нагы, а все черны... А жонки ходят голова не покрыта, а сосцы голы; а паропки да девочки ходят наги до семи лет, сором не покрыт». Сам он туземцам тоже показался необычен: «Яз куды хожу, ино за мною людей много, да дивуются белому человеку».

Обратно путешественник шел через Турцию, про которую, впрочем, почти ничего не рассказывает. В долгой дороге Никитин, кажется, начал подзабывать родную речь, потому что в текст вставлено немало татарских и арабских фраз. Горе-купец умер на обратном пути, в Смоленске, совсем немного не добравшись до родной земли. Его записки попали в Москву, были переписаны в летописи, однако затем надолго забыты и вновь обнаружены лишь Карамзиным.

Потомкам остается только радоваться, что Афанасий был так несметлив на выгоду, иначе он, конечно, вернулся бы много раньше и до Индии не добрался бы.

В правление Ивана III послами в малознакомые страны часто отправляли не русских вельмож, а «иностранных специалистов», которые лучше знали тамошние обычаи. При этом по неопытности Москва часто допускала ошибки, которые приводили к провалу важных дипломатических миссий.

Например, грек Юрий Таранхиот в 1489 году был отправлен ко двору германского императора с оскорбительно недостаточными подарками (сорок соболей да две шубы), что произвело в Вене скверное впечатление.

Брак дочери Ивана и Максимилианова сына провалился не только потому, что великий князь поскупился на приданое, но еще и из-за невыполнимого требования о сохранении невестой православия. Такое было возможно в Литве, где три четверти населения составляли православные, однако для Габсбургов, опоры католицизма, подобное условие, конечно, выглядело абсурдным.

Дружбы с Турцией не получилось из-за того, что великий князь строго-настрого запретил своему послу кланяться падишаху земным поклоном и вести переговоры с министрами — только напрямую с самим государем. Требование, нормальное при общении с татарскими ханами, для сложного оттоманского церемониала было необразимо. Султан оскорбился на невежу и обратного посольства не отправил.

Московской дипломатии еще предстояло многому научиться.

Впрочем, все эти вроде бы бесплодные поездки имели немаловажный смысл, потому что затевались не только ради переговоров с чужеземными правительствами, но и для практической надобности. Московские послы активно вербовали в германских и итальянских землях нужных специалистов — всевозможных мастеров, архитекторов, врачей, один раз даже привезли «органного игреца». В этом отношении контакты с Европой вполне себя оправдали. Подробнее об этой стороне деятельности Ивана III будет рассказано в следующей главе.

Русь меняется

Построить государство

За время княжения Ивана III страна Русь не просто сильно изменилась — она *появилась*. Если сравнивать Московию 1462 и 1505 годов, мы увидим совершенно другое государство. Дело не только в колоссальном увеличении территории, населения, доходов и расходов.

Раньше московский монарх делил Русь на «свою» и «чужую». Первую берег, вторую беспощадно обирал под предлогом сбора ордынской дани, а на самом деле для ослабления князей-соседей. Теперь разорять тверскую или рязанскую области стало себе в убыток. Возникла необходимость в создании механизма единого управления большой державой (так формируется центральное правительство) и в выработке унифицированных правил, которыми могли бы руководствоваться представители государя на местах (так появляются первые законы). Важнейшей и насущнейшей потребностью стало содержание общенациональной армии — дело тоже небывалое. Наконец, впервые возникла государственная идеология — стратегический курс, рассчитанный не на ближайшую перспективу, а на поколения вперед. Сначала это было собирание «всея Руси», затем нечто еще более масштабное — концепция «Третьего Рима». Эта новация требовала больших трудов и немалых затрат.

Принципиально иное государство возникло не потому, что так постановил объединитель Иван III. Это был человек осторожный, любивший декларировать приверженность «старине»; он и хотел бы править большой страной по прежнему обычаю, как собственной вотчиной, однако не мог не видеть, что это уже невозможно. Кажется, Иван не столько сознавал потребность в преобразованиях, сколько решал возникающие практические задачи одну за другой — и в результате построилось российское государство. Не могло не построиться.

Попытки Ивана Васильевича наладить внутреннюю жизнь, гражданское управление, законотворчество могут показаться неуклюжими и недостаточными. Но ведь опыту строительства большого государства взяться было неоткуда. Единственный известный русским образец, взятый за основу, — ордынский, был хорош только для военной мобилизации да для сбора дани. Учиться всей прочей государственной премудрости было негде. Византийская империя рухнула и примером для подражания считаться не могла. Европейские страны в XV столетии сами проходили науку централизации, кроваво и не всегда успешно.

Когда Иван унаследовал власть, Московское княжество имело две параллельные структуры власти: «общенациональную», ведавшую сбором татарской дани и созывом большого войска с участием вассальных отрядов, — и ту, что ведала собственными владениями великого князя и его дружиной. По мере того как новые территории и удельные княжества переходили в собственность Ивана III, расширялись полномочия не «общенациональной» администрации, что было бы естественно для централизованного государства, а администрации личной, дворцовой. Были и области, в которых осуществлялось двойное управление, что вносило путаницу. (При Иване IV отголосок такого деления на «государевы» и «негосударевы» владения проявится в учреждении Опричнины.)

«Личным» правительством великого князя руководил высший чиновник его двора — дворецкий. Его обширное ведомство делилось на «пути», своего рода департаменты: постельничье (ведавшее внутренней жизнью и в том числе охраной государя), охотничье, конюшенное и так далее — их власть распространялась на всю страну.

Вместе с тем в Московии существовал и высший государственный орган — Боярская дума, совещательный орган при монархе. В думу входили отпрыски знатнейших фамилий, бояре и окольничие (второй по рангу придворный чин). При Иване III этот совет состоял из 10–15 сановников.

На провинциальном уровне государя представляли наместники-волостели. Они должны были вершить суд от имени великого князя и собирать пошлины. Жалованья эти чиновники не получали — считалось, что они будут «кормиться», оставляя часть денег за собой. Разумеется, при обширности страны и растянутости коммуникаций такая система создавала питательную среду для всякого рода злоупотреблений. Отношение к должности как к источнику «кормления» оказалось на Руси чрезвычайно прочным и пережило несколько государственных укладов.

Так толком и не сформировались «министерства», которые могли бы контролировать отдельные направления государственной жизни из единого центра. Еще не созрела сама идея подобного «профильного» деления полномочий, хотя потребность в ней уже ощущалась. При Иване III возникают первые приказы (хотя само слово вошло в употребление несколько позже) — прообраз министерств, однако сведений о них сохранилось мало. Очевидно, эта система развития не получила. Во всяком случае, она не была всеохватной. Известно, что существовали приказы Посольский, Казенный (финансовый), Разрядный

РУСЬ МЕНЯЕТСЯ

(нечто вроде кадрового управления), потом появились Новгородский и Житный (продовольственный).

В приказах служили незнатные, но грамотные и сведущие люди, из которых образовалось пока еще немногочисленное бюрократическое сословие. Высшие его представители носили чин дьяков и руководили повседневной работой приказов. К концу правления Ивана III влияние дьяков возросло до такой степени, что они создали целую придворную партию, делавшую ставку на Софью Палеолог и ее сына Василия. Как мы знаем, в конце концов Василий и стал преемником, что еще больше усилило значение зарождающегося русского чиновничества.

В условиях столь слабого, несовершенного управления особенную важность приобрела связь между столицей и наместничествами. Здесь Москва переняла опыт Орды, где существовала ямская служба. Иван Васильевич всячески ее развивал. На стратегических маршрутах, ведущих к столице, были учреждены *ямы* со сменой лошадей и запасом фуража. Путешественников из Европы, где почтовой службы тогда еще не было, поражала хорошая организа-

Лист «Судебника» Ивана III

ция и быстрота курьерского сообщения на Руси. Известно, что немалое расстояние от Москвы до Новгорода (около 500 километров) гонец преодолевал всего за три дня.

Однако даже при относительно быстрой связи руководить каждой областью из центра было невозможно, да и не во все концы большой страны вели ямские тракты. Нужно было установить единые принципы, по которым наместники могли бы управлять на местах. Так появились первые общие законы, в 1497 году объединенные в Судебник. Свод получил такое название, потому что в основном касался судопроизводства. Вводились единые правила для всех судов и ведения тяжб. Кроме того, появилось нечто вроде уголовного кодекса с унификацией наказаний по тяжести преступления.

Интересно, что этот кодекс выглядит менее жестоким, чем большинство европейских аналогов позднего Средневековья. Правда, появилась смертная казнь, совершенно отсутствовавшая в домонгольской «Русской правде», но смерти предавали только убийц, изменников, поджигателей и «ведомых лихих людей», то есть рецидивистов. В обиход уголовного разбирательства вводится пытка, но применять ее разрешается лишь при наличии серьезных улик. Сохраняется древний обычай в сомнительных случаях устраивать «судебный поединок» — Бог-де укажет, кто прав, а кто виноват.

Раз образовалось государство, не могла не появиться и новая категория преступлений: антигосударственные. Они рассматривались как самые тяжелые и карались казнью. К злодеяниям этого рода относились измена и святотатство, то есть покушение на власть земного и небесного владык.

Социальные изменения

Единый порядок, твердая власть, прекращение татарских набегов и междоусобных войн — все эти факторы благоприятно сказались на жизни населения. Происходило формирование великорусской нации, которая уже не могла существовать в прежней системе общественных отношений, пригодной для раздробленной страны, но не для централизованной монархии. Новая реальность требовала перестройки всей социальной пирамиды. Не в последнюю очередь это объяснялось просто тем, что *народ стал большим*, его численность очень увеличилась.

 Установить, сколько людей жило в Московском государстве к концу правления Ивана III, не так-то просто. Мы лучше представляем себе данные предыдущего, ордынского периода, потому что татарские ханы проводили на оккупированных территориях переписи. Попытка пересчитать подданных на Руси будет предпринята вновь лишь

РУСЬ МЕНЯЕТСЯ

в середине XVI века, но к тому времени размеры страны существенно изменятся. Реконструировать вероятную численность населения во времена Ивана III возможно лишь при помощи исторической демографии, которая делает приблизительную правдоподобную оценку, оперируя целым набором косвенных сведений и логических допущений.

Размеры страны были огромны, но эти просторы в основном пустовали. Иностранных путешественников поражало, что на длинных дистанциях, иногда несколько дней кряду, им не встречалось ни одной деревни. А между тем время было относительно спокойное — лишь один большой неурожай (в 1485 году), мало эпидемий и кровавых войн. Единственным регионом, где, вероятно, несколько сократилось население, была Новгородчина, однако многих тамошних жителей переселили в другие области.

Историк-демограф Борис Урланис в первой половине XX века произвел расчеты, согласно которым получилось, что в Московском государстве 1500 года должно было обитать примерно шесть миллионов человек. Много это или мало?

Во всей Европе тогда жило около 90 миллионов. Плотнее всего были населены Италия (ок. 12 миллионов), Германия (ок. 11 миллионов), Франция (ок. 13 миллионов), однако первые два региона не в счет, поскольку они представляли собой конгломерат маленьких и средних государств. Держава Ивана III, вероятно входила в первую европейскую тройку, вровень с Испанией, и была раза в два населеннее Англии, где тоже как раз завершались централизационные процессы. Во «второй» Руси, Литовском княжестве, в конце XV века, вероятно, проживало 4—5 миллионов человек, по меньше мере три четверти которых были русославянского происхождения.

Для управления большой страной прежде всего нужно было произвести реформу правящего сословия, опоры престола. Боярство тут не годилось. Во-первых, оно было слишком малочисленно (по оценке В. Ключевского, не более 200 семей); во-вторых, его притязания и традиционные права не соответствовали системе абсолютной монархии, которую кропотливо строил Иван III.

Мешало еще и то, что внутри аристократии существовала сложная и запутанная иерархия, в которой каждый имел строго определенный статус и получал должность согласно родовитости. Знать делилась на разряды. Высшую ступень занимали потомки русских и литовских великих князей; затем шли потомки независимых и удельных князей; затем — потомки исконных московских бояр; затем — потомки немосковских бояр. Постоянно возникали ссоры и тяжбы из-за того, кто какую занимает ступеньку, но еще печальней было то, что даровитый, но «худородный» воевода или администратор никогда не находился на первых ролях, закрепленных за отпрысками «великих родов».

Это явление, именуемое «местничеством», будет больной проблемой московского государства на протяжении долгого времени. Иван III и не пытался

МЕЖДУ АЗИЕЙ И ЕВРОПОЙ

сломать перегородки внутри боярства — этим он лишь антагонизировал бы элиту. Государь действовал иначе — обстоятельнее и капитальнее. Не разрушая прежний «управленческий» класс, он начал создавать под ним новый, более удобный для самодержавной системы.

Внутри административного аппарата появились уже поминавшиеся дьяки — толковые, но неродовитые работники, из которых начала возникать бюрократия. Но этого было недостаточно. Централизованное государство для сбалансированности нуждалось в многочисленном и сильном сословии, которое всем, что у него есть, было бы обязано монарху. Так зародилось русское дворянство.

У некоторых историков, руководствовавшихся «классовой теорией», можно прочитать, что московские государи создали поместное дворянство чуть ли не специально для того, чтобы избавиться от боярства, но это, конечно, не так. Никто из последующих монархов, даже Иван Грозный, не собирался искоренять бояр, которые продолжали оставаться важной и нужной государственной инстанцией.

Главным мотивом для ускоренного формирования дворянства стала потребность централизованного государства в централизованных вооруженных силах.

До Ивана III понятия общенациональной армии не существовало. У великого князя была собственная относительно небольшая дружина, к которой во время войны присоединялись отряды удельных князей и бояр, а также полки вассальных татарских царевичей.

Эта мобилизационная система была неповоротлива, ненадежна и довольно опасна, как продемонстрировал мятеж государевых братьев накануне ордынского нашествия 1480 года. Единственным источником военной мощи в новой стране могла быть только верховная власть.

Главная трудность, разумеется, заключалась в расходах. Идея постоянной регулярной армии, которая целиком содержится на средства казны, в ту пору казалась странной. Зачем все время платить огромные деньги за то, что понадобится лишь во время войны? Европейские государства предпочитали пользоваться услугами наемников, то набирая их, то распуская. Иван III поступил мудрее. Он дал в пользование каждому воину по наделу земли, чтобы тот кормился сам, а взамен по первому зову являлся бы на службу полностью снаряженным и, если надел велик, с несколькими «боевыми холопами». В сущности, это была не армия, а полупрофессиональное воинское ополчение, которое мобилизовалось по принципу, заведенному еще Чингисханом.

Такую роскошь как большое войско Иван Васильевич мог себе позволить лишь потому, что в результате перекройки русских территорий у казны образовался огромный фонд государственных земель. Все владения, отобранные у

РУСЬ МЕНЯЕТСЯ

удельных князей, все обширные угодья разгромленной Новгородской республики (около миллиона гектаров пахотной земли) перешли в собственность великого государя, так что ему было куда «поместить» своих военных слуг — их стали называть «поместниками», а затем «помещиками». Земля давалась им не в личную собственность, а на время службы и передавалась по наследству, только если следующее поколение продолжало исполнять свои обязанности по отношению к государству.

Дворяне получали в среднем по 20–30 «сох» (так обычно назывался участок, который могло обрабатывать одно крестьянское семейство). Земледельцы платили своему помещику оброк, которого хватало, чтобы в случае призыва дворянин являлся на службу в доспехах и на боевом коне. Такая военно-мобилизационная система, с незначительными модификациями, просуществует вплоть до эпохи Петра I.

Во времена Ивана III дворянство было еще не слишком многочисленным: сначала несколько тысяч, потом несколько десятков тысяч человек, но это сословие быстро росло и крепло. Образовалось оно первоначально из так называ-

Смотр служилых людей. С. Иванов

89

ваемых «детей боярских» — потомков боярских родов, которые обнищали в результате постоянного деления вотчин между наследниками; из великокняжеских, княжеских и боярских слуг; наконец, из простолюдинов, отличившихся на военной или гражданской службе.

Изменения начали происходить и в основной массе народа, который (по расчету Г. Вернадского) в ту эпоху на 95% состоял из крестьянства, поскольку городов в стране было мало и они, за исключением Москвы и Новгорода, были невелики. Крошечными были и большинство деревень — собственно, даже и не деревень, а семейных хуторов. Соловьев пишет, основываясь на данных сохранившейся писцовой книги XV века: «Сел и селец с народонаселением от 15 до 120 душ встречаем очень мало; деревень с народонаселением от 7 до 15 и свыше душ также очень мало; обыкновенно деревни состоят из 1, 2, 3, 4 дворов с 1, 2, 3, 4 душами». («Душой» называли работника мужского пола, женщины в счет не шли). Эти крестьяне были лично свободны и, как правило, владели своими наделами. Они платили подати казне, а если жили на земле, принадлежавшей боярину, помещику или церкви, то оплачивали эту аренду своим трудом или оброком. Если условия крестьянина не устраивали, он мог перейти на другое место, и многие это делали, в том числе и собственники наделов. Земли было много, и особенной ценности на Руси она не представляла.

Отдельную социальную группу составляли холопы. Лично несвободные и бесправные, они принадлежали боярам и никуда уйти не могли, а если пускались в бега, то их ловили и возвращали обратно.

В неспокойные времена татарских набегов и княжеских междоусобиц крестьяне часто переходили с места на место, от одного землевладельца к другому или же подальше от бояр, в свободные края, благо было куда.

С такой мобильностью податного населения централизованное государство, конечно, мириться не могло. К тому же блуждания землепашцев разоряли бояр и помещиков. С подчинением всех великорусских земель одному правительству, крестьянам и беглым холопам деться от государства стало некуда. Власть получила возможность контролировать миграцию и не замедлила этим воспользоваться.

Одной из главных статей Судебника 1497 года было ограничение крестьянской свободы перемещения. Она пока не отменялась вовсе, но ограничивалась неделей до и после Юрьева дня (26 ноября). К этому времени все осенние работы уже заканчивались, и уход работников наносил землевладельцу наименьший ущерб. Кроме того, перед переселением крестьянин был обязан рассчитаться по всем задолженностям и заплатить господину «пожилое» — своего рода благодарность за то, что пожил в его владениях. Сумма была немаленькой: до рубля (в то время — условная счетная единица, состоявшая из 200 серебряных монет-«денег»).

РУСЬ МЕНЯЕТСЯ

Это был лишь первый шаг к закрепощению основной массы населения, но весьма существенный. И всё же к концу правления Ивана III ситуация сложилась странная: крестьяне были свободнее аристократов или дворян — те не имели и двухнедельной отдушины, когда можно было бы куда-то уйти. Самодержавное государство укреплялось сверху вниз.

Как уже было сказано, ограничение текучести населения было в первую очередь вызвано необходимостью взимания налогов. В правление Ивана III была проведена огромная работа по разделению всей страны на единицы налогообложения — «сохи». Размер «сохи» варьировался в зависимости от плодородия почвы: на скудных землях это могло быть и несколько дворов. Горожане, вовсе не возделывавшие землю, тоже делились на эти фискальные ячейки по доходам или количеству домов.

С этого момента на Руси возникает понятие более или менее прогнозируемого государственного бюджета. Помимо податей он складывался из многочисленных пошлин и сборов от торговли.

Структура русской торговли в это время тоже меняется. С одной стороны, оживляется внутренний товарообмен между областями — из-за долгого мира и отмены таможенных барьеров между княжествами. Появляются первые ярмарки, описание которых можно встретить у иностранных путешественников.

Вместе с тем внешняя торговля, кажется, приходит в некоторый упадок по сравнению с ордынскими временами. Татарские ханы покровительствовали купцам и позволяли Руси вести выгодный торг с восточными странами. Теперь эти маршруты в значительной степени нарушились, а новые, европейские, пока еще не наладились — в особенности после того, как Иван III разорвал новгородско-ганзейские связи.

Русский экспорт оставался всё тем же. Во-первых, конечно, пушнина — товар поистине стратегического значения, вроде нынешних нефти и газа, поскольку всякий мало-мальски обеспеченный житель Западной Европы в ту эпоху должен был носить меха, свидетельство статуса. Самым дешевым мехом считался беличий, его вывозили до полумиллиона шкурок в год; самым дорогим — горностай и соболь. А. Хорошкевич пишет, что в некий год начала XVI века Русь поставила на европейские рынки 60 сороков соболя и 227 сороков горностая (считали связками по сорок шкурок). Во-вторых, вывозили воск для свечей. В-третьих, ворвань и «рыбий зуб» с Северного моря. Ничего промышленного во времена Ивана III страна на экспорт, кажется, еще не производила; русские лен, пенька, кожи, сало, поташ станут известны в Европе несколько позднее.

Из товаров первой необходимости импортировали главным образом суконные и хлопчатобумажные ткани, писчую бумагу, а также соль, которой вечно не хватало. Кроме того, русские купцы везли из Астрахани, Крыма и Европы разные дорогие товары: специи, украшения, оружие, шелк, парчу, сладости, сыры и вина, но покупателей, которые могли позволить себе такую роскошь, было немного.

Иностранные мастера

Новой и несомненно самой важной «статьей ввоза» в эпоху Ивана III стал, выражаясь по-современному, импорт мозгов и технологий. Прижимистый Иван Васильевич не скупился, когда нужно было заманить в Москву опытных чужеземных специалистов самого разного профиля — их активно нанимали в Европе московские посланники.

Времена, когда Азия лидировала в военном, научном, технологическом и культурном отношении, уходили в прошлое. Теперь авангардом цивилизации становилась Европа — прежде всего Италия, расцветшая в эпоху Возрождения. Русь же за века ордынского владычества сильно отстала и находилась даже на более низком уровне развития, чем в XIII веке. Многие ремесла и навыки, освоенные древними мастерами, теперь были забыты.

Неизвестно, испытывал ли Иван III интерес к каким-то сферам культуры, кроме зодчества, но к техническим новшествам — несомненно. Государь очень ясно понимал, что его страна отстает от Европы во многих отношениях, и хотел сократить разрыв. Именно с этого — постоянного, жадного желания перенять всё полезное у Европы — то есть с психологической переориентации, и начинается медленный дрейф Руси из условной Азии в столь же условную Европу. Если бы лучших мастеров Москве могла предоставлять Турция, Русь, вероятно, так и осталась бы азиатской страной.

Первый толчок к рекрутированию иностранцев дал брак на римлянке Зое Палеолог. Ее сопровождала большая свита, состоявшая из греков и итальянцев, да и в дальнейшем, уже став Софьей Фоминишной, государыня всячески поощряла «итальянизацию» великокняжеской резиденции.

Всякая тоталитарная власть, особенно только что установившаяся, покровительствует архитектуре. Пышность построек наглядно демонстрирует мощь монарха и незыблемость его династии. Иван III, придававший большое значение возвышению своего престижа и величию государева звания, превратил Кремль из деревянного городка, обнесенного сильно обветшавшими каменными стенами, в великолепный архитектурный ансамбль.

Стены и башни были перестроены, заменены более мощными. Между рекой Москвой и рекой Неглинной проложили широкий ров, выложенный камнем.

РУСЬ МЕНЯЕТСЯ

От стен до ближайших домов было расчищено пространство шириной более чем в 200 метров — не столько мера безопасности (во время вражеского нашествия посады все равно сжигали), сколько зримое обособление вместилища Верховной Власти.

Еще разительнее были перемены внутри Кремля.

Прежние московские государи жили попросту, не заботясь о пышности. Она, пожалуй, была даже небезопасна, поскольку могла побудить Орду увеличить дань. В тех условиях было выгоднее прибедняться. Отец Ивана жил и умер в ветхом и тесном деревянном тереме (правда, он был слеп и все равно не мог наслаждаться красотами). Однако начинать полагалось не с государева дома, а с Господнего. В замке имелся каменный собор Ивана Калиты, но бедный, неладно сложенный и полуразвалившийся. Для главного храма большой страны такой не годился. Одновременно с покорением Новгорода, то есть с фактическим объединением Руси, начинается строительство величественного Успенского собора.

▶ История этого строительства примечательна. В 1472 году наняли двух московских зодчих, Кривцова и Мышкина. Мастерам было велено построить что-нибудь вроде владимирского Успенского собора. Они бодро разобрали старый храм и два года возводили новый, а на третий он взял и развалился (известь оказалась «не клеевита»). Увы, «каменная наука» на Руси подзабылась.

Московский Кремль при Иване III. *А. Васнецов.*

93

МЕЖДУ АЗИЕЙ И ЕВРОПОЙ

Хотели поручить дело псковичам, потому что в Пскове неплохо строили из камня, но решили не рисковать и отправили в Италию посланника подыскать хорошего архитектора. Болонец Аристотель Фиорованти, в то время работавший в Венеции, польстился на баснословное жалованье (десять рублей в месяц) и отправился в далекую страну с сыном Андреа и учеником Пьетро.

С недостроенными стенами фрязин (так на Руси звали итальянцев) иметь дело не пожелал и велел расчистить площадку. Съездил во Владимир. Тамошний собор XII века Аристотелю очень понравился. Фиорованти отказывался верить, что его строили не итальянцы. Талант зодчего проявился в том, что он сумел ухватить и воссоздать «русскость» православного храма. Торжественный и в то же время простой контур Успенского собора напоминает домонгольскую архитектуру.

Фиорованти научил русских делать прочные кирпичи и густой раствор, соорудил подъемник (раньше камни тянули наверх вручную). Работа закипела. Всего за четыре года — невероятная быстрота и по итальянским меркам — собор был построен. Его освятили в 1479 году. Правда, доверив иноземцам строить «тело» храма, его «душу», то есть иконопись русские оставили за собой. Так оно происходило и в дальнейшем. К иконопис-

Успенский собор в Кремле

РУСЬ МЕНЯЕТСЯ

ному делу и росписи храмов допускали только отечественных художников или православных греков.

Свое щедрое жалованье Аристотель Фиорованти отработал с лихвой. Истинный человек Ренессанса, он умел очень многое: кроме зодчества, итальянец владел искусством колокольного литья, делал пушки, чеканил монету.

Теперь, когда Богу было отдано Богово, настал черед и кесаря. Русские послы видели, что иноземные государи живут в помпезных каменных палатах, и Иван решил, что ему невместно принимать иностранные посольства в деревянном тереме. Венецианские мастера выстроили для приемов Грановитую палату, но, в отличие от Успенского собора, не по русским, а по беспримесно итальянским образцам. В 1490-е годы миланец Алоизо де Карезано (русские звали его Алевизом Фрязином Старым, ибо вскоре появился еще один Алевиз, прозванный Новым) спроектировал для государя и жилой дворец, но Иван Васильевич и его последователи «каменного житья» не любили, предпочитая деревянные терема, прохладные летом и теплые зимой. Зато теперь было что показать чужеземцам: у нас не хуже, чем у вас.

Вслед за великим князем собственными каменными (точнее кирпичными) палатами обзавелся митрополит, а затем и некоторые бояре.

Великий князь, не любивший докторов, держал при себе только иностранных, в основном немецких лекарей (которым, впрочем, тоже не доверял).

В Московию ехали горные мастера, умевшие находить и обрабатывать руду; ехали военные инженеры и литейщики; ехали ювелиры и специалисты по чеканке монеты.

Русскому войску, которое в боях с литовцами и особенно ливонцами столкнулось с массированным использованием полевой артиллерии, были очень нужны хорошие пушечные мастера. Для осады каменных крепостей требовались тяжелые осадные орудия. Поэтому стало быстро развиваться собственное литейное производство. Пройдет всего два-три десятилетия, и европейцы будут поражаться количеству и размеру русских пушек.

Итальянец Павел Дебосис отлил несколько гигантских орудий, поражавших современников. Самая большая пушка, названная в его честь «Павлином», весила 16 тонн и имела калибр в 550 миллиметров. Ее еще называли «царь-пушкой» — до тех пор, пока русский мастер Андрей Чохов век спустя не отлил исполина, ныне стоящего в Кремле. Новый пушечный царь затмил старого.

Власть и церковь

Не наставница, а помощница

Как я уже писал, прагматичный и приземленный Иван, видимо, не был религиозен. Это последующие русские монархи будут свято верить в «помазанность» и в особые отношения с Богом, а Иван III точно знал цену своего самодержавия, поскольку создал его собственными трудами, не уповая на Божью помощь. Набожность и религиозную ревностность великий князь выказывал, только когда это было ему выгодно. Иван III спокойно относился к иноверцам, не побуждая к переходу в православие ни вассальных татар, ни приезжих европейских мастеров, ни иудеев, которых охотно брал на службу дипломатами, лекарями и торговыми посредниками.

Точно с таким же практицизмом строил государь и свои отношения с церковью. Она была ему нужна не в качестве духовной наставницы, а в качестве исполнительной помощницы и удобного политического инструмента.

Русской церкви, следовавшей византийскому принципу единения патриархии с императорской властью, было не так трудно смириться с этой подчиненностью. С 1448 года русские иерархи стали выбирать митрополита сами, без участия Константинополя. Фактически это означало, что первосвященника теперь назначал московский государь. Уходили в прошлое времена, когда пастырь мог публично осудить монарха за прегрешения, а митрополит — осерчать и уехать из Москвы. В первую половину Иванова княжения мы еще видим несколько случаев былой церковной независимости (вспомним, как преосвященный Вассиан корил государя за малодушное бегство с Угры), однако вскоре подобная непочтительность стала совершенно немыслима.

 К этому же времени относится, кажется, последний в отечественной истории эпизод, когда глава духовенства взял верх над монаршей волей. Это произошло, когда Иван III слишком уж бесцеремонно вторгся в сферу, которая безраздельно принадлежала церкви. Во время торжественного освящения Успенского собора государь сделал выговор митрополиту Геронтию, что тот-де неправильно ведет крестный ход: против солнца. Геронтий возмутился — он, разумеется, лучше знал, как следует проводить шествия. Не вполне понятно, зачем равнодушному к церковной обрядности Ивану понадобился этот конфликт. Возможно, в момент освящения главного государственного храма вели-

ВЛАСТЬ И ЦЕРКОВЬ

кий князь хотел всем наглядно продемонстрировать, что собирается безраздельно властвовать и над церковью.

Государь разгневался на митрополита и запретил ему освящать храмы. Геронтий в знак протеста заперся в монастыре. Эта ссора произвела волнение в народе. Неизвестно, чем бы всё закончилось, если бы не осложнилась политическая обстановка: хан Ахмат стал грозить войной, в тылу начался мятеж государевых братьев — и великий князь пошел к владыке на поклон. Признал правоту Геронтия и обещал впредь не вмешиваться в отправление церковных обрядов.

Но когда гроза миновала, Иван припомнил митрополиту непокорство. Через некоторое время Геронтий по болезни вновь удалился в обитель, а потом, поправившись, пожелал вернуться, но государь его «не восхоте». Положение митрополита оставалось шатким вплоть до самой его смерти.

Строятся новые храмы, растет численность духовенства, московская церковь становится всё богаче, но былого политического влияния у нее уже нет. Еще попадаются принципиальные или норовистые церковные деятели, но после Геронтия на самый верх иерархии путь таким людям закрыт. Великому князю не нужны сильные митрополиты, нужны удобные. Если государь не доволен архиереем, то обходится с ним без церемоний, как с преступником (вспомним участь новгородского владыки Феофила).

К православию Иван относился так же потребительски, как к церкви. Для этого монарха религия была не законом жизни, а идеологическим обоснованием государственной идеи.

Сначала Иван Васильевич провозглашал себя опорой истинной веры, потому что этого требовала концепция «всея Руси» — ведь в литовской части Руси имелся собственный православный митрополит, киевский, ориентировавшийся не на Москву, а на Вильно. Борьба за церковное первенство была важной стадией борьбы за первенство политическое. Из-за поддержки государя московская митрополия взяла верх над киевской, потому что тамошнему митрополиту приходилось искать компромисса с католической элитой Литвы. Через некоторое время понятие «русская церковь» стало ассоциироваться только с Москвой. Была одержана важная психологическая победа, давшая Ивану и его преемникам морально-религиозное обоснование для объединения всех русских территорий.

Однако этим политическое значение православия для Ивана III не исчерпывалось. Правитель, обладавший стратегическим умом и строивший планы надолго вперед, начал выстраивать доктрину Москвы как «второго Царьграда» и «третьего Рима» на том основании, что после падения Константинополя огонь истинного благочестия и «правильной веры» переместился в Москву.

Православие, выросшее из стремления «правильно славить» Господа, то есть вектора сугубо духовного, начинает превращаться в политическую концепцию. Во времена Ивана у русской церкви произошла смена приоритетов, не афишируемая, но очевидная — зародилось характерное для последующей российской государственности сращивание церкви с властью, причем церковь обрекла себя на подчиненное положение. Отныне ее главная миссия — «правильно славить» уже не Господа, а государя.

Ереси

Времена Ивана III — это период церковных расколов и «ересей», охвативших всю Европу. С точки зрения развития человеческой цивилизации это было естественным следствием выхода из темной поры Средневековья. Начиналось Возрождение. Бурно развивались искусства и ремесла, возникали новые, небывалые прежде формы общественной жизни, а вместе с тем пробуждалась и мысль. Человек стал больше о себе понимать, перестал довольствоваться слепой верой, начал задавать невообразимые прежде вопросы. То, что раньше принималось как догма, теперь требовало аргументов и доказательств. Над Западной Европой витал дух Реформации.

Такие же процессы, хоть и менее оживленные, в это время возникают и в православии — естественно, в той части Руси, которая была более всего развита и даже во время ордынского ига не разрывала контактов с Европой. Идейное течение, зародившееся в Новгороде, получило название «ересь жидовствующих», потому что, как установило произведенное много позднее расследование, смятение умов породил некий «жидовин» по имени Схария, побывавший в Новгороде еще в 1470 году. Этот еврей якобы вел ученые беседы с духовными лицами и мирянами, соблазняя их суетными умствованиями. «Был в Киеве Жид именем Схариа, умом хитрый, языком острый, — рассказывает Карамзин, воспроизводя официальную версию. — В 1470 году приехав в Новгород с Князем Михайлом Олельковичем, он умел обольстить там двух Священников, Дионисия и Алексия; уверил их, что закон Моисеев есть единый Божественный; что история Спасителя выдумана; что Христос еще не родился; что не должно поклоняться иконам, и проч. Завелась Жидовская ересь».

Существовал ли на самом деле сатанический Схария, доподлинно неизвестно (возможно, его придумали впоследствии следователи, чтобы очернить оппонентов), да и никакой оформленной ереси на Руси, в общем, не возникло. Но появилась мода на вольнодумие и скептическое отношение к догматам, затронувшая узкие, но очень влиятельные круги сначала новгородского, а затем и московского общества. Д. Лихачев пишет: «Вероятнее всего, это даже была не ересь, сколько движение вольнодумцев. Это было, по всей вероятности, гуманистическое течение». Некоторые священники выражали недовольство мздоимством в церкви и в знак протеста отказывались причащать прихожан. Возникли

ВЛАСТЬ И ЦЕРКОВЬ

и элементы иконоборчества — несомненно отклик аналогичного движения в Западной Европе.

К «еретическим» разговорам, в которых участвовали немногочисленные книжники и умники, прибавилась нервозность, охватившая широкие слои русского общества: приближался 7000-й год от сотворения мира (по-западному 1492-й), и многие боялись конца света. Кто-то сулил Второе Пришествие Христа, кто-то ждал Антихриста. Известно, что осенью 1491 года крестьяне не хотели сеять хлеб — зачем, если все равно Апокалипсис?

На этом экзальтированном фоне в Новгород был назначен новый архиепископ — деятельный Геннадий.

▶ Геннадий (мирская фамилия Гонзов) прежде того был архимандритом кремлевского Чудова монастыря. Назначением на должность новгородского архиепископа, вторую по важности в стране, он был обязан ревностной поддержке великого князя. Геннадий держал сторону государя и когда тот ссорился с митрополитом Геронтием, за что последний даже сурово наказал его: посадил в ледяную темницу. Однако Иван III освободил верного человека и затем наградил его новгородской кафедрой.

Это безусловно был человек незаурядный. Он покровительствовал церковному просвещению: затеял полный перевод Библии на славянский язык, заказал перевод с латыни богословских книг, необходимых для дискуссий с еретиками. Геннадий завел большую библиотеку, держал у себя много «книжников» и писцов. Он же пригласил в Новгород из Любека книгопечатника, чтобы устроить на Руси типографское дело. Правда, из этой затеи ничего не вышло, и первая русская книга будет напечатана лишь семьдесят лет спустя. Однако главной чертой владыки было честолюбие. Он восхищался испанской инквизицией, сурово расправлявшейся с еретиками, и хотел завести такие же порядки и на Руси. В особенности нравилось ему преследование тайных иудеев, чем, вероятно, и было вызвано обвинение оппонентов в «жидовствовании», равно как и легенда о злокозненном Схарии. Стремясь стяжать славу ревностного защитника веры от еретиков, Геннадий безусловно метил в митрополиты — благо Геронтий, как мы знаем, был у великого князя в немилости.

99

В 1488 году архиепископ инициировал следствие над «жидовствующими», которое установило, что нити крамолы тянутся в Москву. Сам дьяк Федор Курицын, ближайший сподвижник государя, а вместе с ним еще несколько крупных государственных деятелей оказались заражены ересью. На этом основании Геннадий потребовал созыва особого собора, который осудил бы инакомыслящих.

Однако митрополиту чрезмерно активный архиепископ не нравился, Ивану Васильевичу эти дрязги тоже были ни к чему, и призывы Геннадия до поры до времени оставались тщетными.

Но в 1489 году Геронтий умер. Новым митрополитом стал не Геннадий, а игумен Симонова монастыря Зосима, близкий к Федору Курицыну и кружку московских вольнодумцев. (На самом деле еретиками они не были. Курицын всего лишь осуждал пороки монашества и отстаивал пользу образования, которое дает человеку «самовластие души», то есть свободу суждений — впрочем, идея по тем временам была довольно опасной). Зосима собор созвал, но Геннадия туда не пригласил, так что покрасоваться перед государем тому не удалось. На соборе «жидовствующих» поругали, некоторых особенно дерзких священников лишили сана, но никого не казнили и даже не заточили. Чтобы как-то подсластить Геннадию пилюлю, отдали на его суд нескольких новгородцев, так или иначе находившихся в юрисдикции архиепископа. Однако предавать их смерти, по-видимому, запретили. Геннадий устроил некое подобие испанского аутодафе, но без настоящих костров: осужденных провезли по городу с табличками «Се сатанино воинство» на груди, а потом сожгли у них на головах берестяные колпаки, после чего сослали в дальние монастыри. Этим жутким, но в сущности не слишком свирепым спектаклем закончился первый этап борьбы с «жидовствующими».

Казалось, вольнодумная партия взяла на Руси верх. Но речь тут шла не о церковных тонкостях, а о политике. Она всё и решила.

Большая политика

Как уже говорилось, 1490-е годы — период противостояния двух придворных фракций, одна из которых группировалась вокруг Елены Волошанки и ее сына Дмитрия, а другая — вокруг Софьи Грекини и ее сына Василия.

Федор Курицын, ведавший всеми посольскими делами (то есть, по-современному, министр иностранных дел), а также митрополит Зосима поддерживали права государева внука Дмитрия Ивановича; другая боярская группировка и с нею Геннадий Новгородский добивались, чтобы наследником был назначен государев сын Василий.

Сам Иван явно склонялся к первому выбору, ему нравилась идея вольнодумцев-реформаторов о секуляризации церковных и монастырских земель, которые таким образом перешли бы в казну.

Борьба шла с переменным успехом, обе стороны маневрировали и интриговали, что, вероятно, очень устраивало Ивана Васильевича, хорошо владевшего старинным политическим искусством балансирования и «равноудаления».

В 1494 году ревнители религиозной чистоты вроде бы добились успеха — свергли ненавистного Зосиму, но Иван III пошел на этот шаг, лишь чтобы посадить на митрополичий престол Троице-Сергиевского игумена Симона, человека робкого и во всем ему послушного.

ВЛАСТЬ И ЦЕРКОВЬ

Посрамление еретиков в Новгороде. *И. Сакуров*

МЕЖДУ АЗИЕЙ И ЕВРОПОЙ

Затем произошли драматические события 1497–1498 годов, когда партия Елены Волошанки и Курицына сначала восторжествовала над противной стороной, добившись коронации Дмитрия, а затем всего лишилась, и наследником стал Василий.

Историки точно не знают, чем были вызваны столь резкие зигзаги в политике Ивана III, однако после победы «Софьиной» фракции участь «жидовствующих» была предрешена.

В 1503 и 1504 годах состоялись два собора. На первом из них начался спор о церковных землях, в котором были обозначены позиции двух направлений православия, так называемых «иосифлян» и «нестяжателей» (историю этого важного противостояния я расскажу в следующем разделе, поскольку спор растянется на десятилетия). Позицию первых отстаивали единомышленники Генна-

Сожжение «жидовствующих» в 1504 году. *Лицевой летописный свод*

ВЛАСТЬ И ЦЕРКОВЬ

дия Новгородского, близкие к наследнику. Это, по-видимому, и определило исход. Старый, недужный Иван III готовился передать престол сыну и перечить не стал. «Жидовствующие» остались без защиты, и год спустя, на следующем соборе, с ними окончательно расправились.

Председательствовал Василий — Иван, видимо, уже был разбит параличом. Хотя сам Геннадий к этому времени со сцены сошел (чрезмерно ретивого архиепископа незадолго перед тем сняли по обвинению в мздоимстве), его мечта о русском аутодафе все-таки осуществилась.

В декабре 1504 года в Москве сожгли нескольких видных деятелей из числа «еретиков» и сторонников Федора Курицына, в том числе его родного брата. Дальнейшая судьба самого Федора неизвестна, но больше его имя в летописях и документах не встречается.

Разгром скептиков, смевших подвергать сомнению авторитет церкви, означал, что «самовластие души» в религиозных вопросах столь же недопустимо, как вольнодумство в вопросах государственных. Русское самодержавное государство и русская православная церковь должны быть едины.

1462-1505 Оценки и итоги

Оценки деятельности Ивана III в классической отечественной историографии на удивление неоднородны и в значительной степени объяснялись мировоззрением автора: историки либеральных взглядов относятся к этому монарху прохладно, поскольку именно он основал систему самодержавия и положил начало закрепощению крестьянства; «государственники» и монархисты превозносят Ивана до небес.

К числу последних, например, относится придворный историограф и статский советник Николай Карамзин, восторженно писавший: «Иоанн III принадлежит к числу весьма немногих Государей, избираемых Провидением решить надолго судьбу народов: он есть Герой не только Российской, но и Всемирной Истории».

Сергей Соловьев, Константин Бестужев-Рюмин и Венедикт Мякотин сдержанно отдают должное дарованиям Ивана III, однако объясняют впечатляющие итоги его княжения трудами рачительных предков и исключительно удачными внешними обстоятельствами (временным ослаблением Литвы и межтатарскими усобицами). Впрочем, во второй половине XIX века восторженность у историков вообще вышла из моды и возобладала научная умеренность. Знаток эпохи Николай Костомаров был скорее писателем и публицистом, нежели ученым, поэтому он позволяет себе довольно эмоциональные суждения об Иване Васильевиче, причем с резко негативным оттенком: «Он умел расширять пределы своего государства и скреплять его части под своею единою властью, жертвуя даже своими отеческими чувствами, умел наполнять свою великокняжескую сокровищницу всеми правдами и неправдами, но эпоха его мало оказала хорошего влияния на благоустроение подвластной ему страны. Сила его власти переходила в азиатский деспотизм, превращающий всех подчиненных в боязливых и безгласных рабов. Такой строй политической жизни завещал он сыну и дальнейшим потомкам. Его варварские казни развивали в народе жестокость и грубость. Его безмерная алчность способствовала не обогащению, а обнищанию русского края».

Во времена Сталина, когда тоталитаризация государственной власти достигла апогея, Иван III, наоборот, оценивался очень высоко. Осуждать «варварские казни» и «грубость» в ту эпоху считалось бестактностью, а державность, приращение русской земли, повышение международного престижа воспринимались как безусловное благо. Единственное уточнение, которое не забывали

1462–1505 ОЦЕНКИ И ИТОГИ

делать сталинские историки — это обязательное упоминание о роли народных масс. Владимир Снегирев, автор научно-популярной книги «Иван Третий и его время» (1942) пишет, что все эти успехи произошли лишь благодаря всенародной поддержке, и назидательно присовокупляет к похвалам в адрес правителя: «Русский народ, понимая прогрессивную политику Ивана Васильевича, активно поддерживал его».

Вероятно, правильнее всего оценивать правление этого монарха по объективным итогам, сравнивая две даты: 1462 и 1505 годы.

Разница поистине удивительная.

В 1462 году русского государства еще нет. Мы видим довольно большое княжество, московское, но в нем нет внутреннего единства, поскольку оно по-

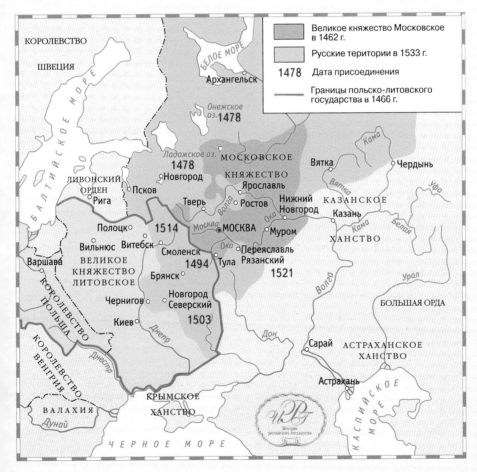

Рост Московского государства при Иване III и при Василии III. *С. Павловская*

МЕЖДУ АЗИЕЙ И ЕВРОПОЙ

делено на уделы; видим еще несколько княжеств; видим три купеческие республики, живущие собственным укладом.

Кроме того, почти половина русского населения живет в Литве — государстве, управляемом иноплеменной династией Ягеллонов и официально исповедующем другую религию.

Вся восточная, бо́льшая часть русских земель формально принадлежит Орде. Для внешнего мира русские — это народ, поделенный между владениями польско-литовского монарха и «тартарским» ханом.

Теперь переместимся в 1505 год.

На карте Европы появилось новое большое независимое государство, первое по размеру и второе или третье по населению.

Русский монарх общается на равных с римским папой и германским императором, а с ближайшими соседями — литовским государем и ливонским магистром держится высокомерно. Татарские владыки либо дружат с Русью, либо находятся от нее в политической зависимости.

Внутренне это государство достигло единства; централизационные процессы в нем практически завершены. Никакая сила не может соперничать с властью государя.

Дело объединения всех русских земель еще далеко не завершено, но эта цель поставлена. Более того — новая Русь претендует на гораздо большее: на статус «Третьего Рима», то есть уже не национального государства, а наднациональной империи.

И все эти свершения связаны с именем одной личности, являются плодом ее усилий.

Если создателем первого русского государства был полумифический Олег, то второе русское государство — то самое, на фундаменте которого существует современная Россия, — создано Иваном III. Именно он определил контуры постройки, которая во многом сохраняется и поныне, с ее достоинствами и недостатками.

Вот почему мне кажется справедливым мнение тех историков, кто оценивает деятельность Ивана III как блистательную. Я даже склонен согласиться с Карамзиным, который ставит этого государя на первое место среди отечественных правителей, выше Петра Великого. В самом деле: Петр не строил русское государство с нуля, он лишь произвел его реконструкцию. К тому же у осторожного Ивана не было тяжелых неудач, вроде Нарвской и Прутской конфузий. В отличие от прославленного в нашей истории Петра, великий князь Иван Васильевич оставил свою страну не истощенной, а процветающей, богатой и сильной.

И если «второе» русское государство продержалось меньше полутора столетий, виноват в этом не Иван III, а его преемники, не только не сумевшие довести начатое строительство до завершения, но и в значительной степени разрушившие уже построенное.

ВРЕМЯ
ВАСИЛИЯ ТРЕТЬЕГО
(1505-1533)

Правителей эпохи самодержавия, когда жизнь всей страны почти полностью зависела от воли (или безволия) одного человека, можно условно поделить на три типа: выдающиеся, скверные и посредственные.

Основное различие здесь следующее.

Выдающиеся правители были активны, сами создавали стратегическую повестку, нацеленную на усиление своей державы, и успешно ее осуществляли. Лучший пример такого самодержца — Иван Третий.

Скверные правители тоже были активны, но своими действиями лишь создавали себе и стране тяжелые проблемы, справиться с которыми не умели. Такие монархи приносили государству множество бедствий, а бывало что и приводили его к катастрофе.

Правители средние чаще всего были малодеятельны и просто плыли по течению, с большим или меньшим успехом решая проблемы по мере их возникновения. Ни стратегии, ни далеко идущих планов такие государи не строили.

Василий Третий, как и два предыдущих московских Василия, был правителем дюжинных способностей. Выражаясь метафорически, он не вел государственный корабль каким-то определенным курсом, а приспосабливался к направлению ветра, поворачивая то в одну, то в другую сторону. Поэтому события его княжения удобнее пересказывать не стратегическими «узлами», как мы это сделали с Иваном Третьим, а хронологически. С течением времени обстоятельства менялись, и государь на них реагировал — будь то события внутри страны, на Востоке или на Западе.

Василий III Иванович в жизни

Дела частные

Еще одно характерное отличие заурядного (и тем более скверного) правителя от правителя выдающегося проявляется в соотношении личных интересов с государственными. Первые русские самодержцы, кажется, и не проводили границы между первым и вторым, рассматривая страну как свое частное хозяйство, однако лидер истинно масштабный, каким был Иван Третий, всегда подчинял частно-семейные интересы потребностям «большой семьи», то есть державы. Его сын, как мы увидим, обычно поступал противоположным образом. Личное, семейное для него значило больше, чем государственное.

Поэтому с обстоятельств его частной жизни мы и начнем — они помогут лучше понять подоплеку многих политических событий.

Великая княгиня Софья Фоминишна родила долгожданного сына после нескольких дочерей 25 марта 1479 года. По древнему княжескому обычаю (кажется, в последний раз) мальчик получил два имени: Гавриила, которым никогда не звался, и Василия — в честь деда.

Портретов на Руси в ту эпоху не писали (вернее сказать, они были условны и к сходству с оригиналом не стремились), поэтому о внешности Василия Ивановича мы имеем еще меньше сведений, чем о внешности его отца — про того хоть известно, что он был высок и сильно сутул. Должно быть, ничего примечательного в облике великого князя не было, иначе дотошный императорский посол Сигизмунд фон Герберштейн, не поленившийся описать даже лицо митрополита, непременно отметил бы что-нибудь особенное во внешности московского властителя. Приходится довольствоваться портретом, который из скудных сведений собрал Карамзин: «Василий имел наружность благородную, стан величественный, лицо миловидное, взор проницательный, но не строгий».

ВАСИЛИЙ III ИВАНОВИЧ В ЖИЗНИ

Таким он выглядит и на этой иконе, но иконы, как известно,
к портретному сходству не стремились

У Василия, как и у отца, имелись братья, тоже доставившие ему немало хлопот. Иван III, невзирая на печальный опыт внутрисемейных раздоров, все же не мог оставить младших сыновей без наследства — это было бы вопиющим нарушением традиций. Поэтому, дав им в духовной наставление беспрекословно повиноваться новому государю («вы, дети мои, — Юрий, Димитрий, Семен и Андрей, держите моего сына Василия, а своего брата старшего вместо меня, своего отца, и слушайте его во всем») и завещав ему львиную долю земель и городов, примерно четверть страны умирающий все же выделил в частное владение остальным. Удельные княжества, которые с таким трудом искоренял Иван, восстановились.

Василий явно тяготился этой данью старинным обычаям и всю жизнь относился к братьям с сугубой подозрительностью.

Все они были размещены недалеко от Москвы, под присмотром: Юрий Иванович в Дмитрове, Дмитрий Иванович — в Угличе, Семен Иванович — в Калуге, Андрею Ивановичу достались Старица и Волоколамск.

Жениться им не позволялось, потому что владения каждого при отсутствии законных детей должны были отойти в государеву казну. (Таким образом удельные княжества братьев мало чем отличались от поместного жалованья, да еще отягощенного унизительным запретом на брак.) Обзавестись семьей удалось лишь самому младшему, Андрею Старицкому — да и то в пожилом уже возрасте, после того как у Василия родился наследник. Остальные братья так и умерли холостыми.

Каждого князя постоянно окружали шпионы и соглядатаи, докладывавшие в Москву о всякой мелочи. И эта предосторожность не была излишней. По меньше мере двое братьев, Юрий Дмитровский и Семен Калужский, в разное время едва не сбежали в Литву, к заклятым врагам, что было бы для государства тяжелейшим ударом, тем более что Юрий в то время являлся наследником престола. Только осведомленность об этих планах позволила Василию принять своевременные меры. Особенно опасен был Семен Иванович, небездарный полководец. Известно, что в 1510 году государь своей волей переменил ему весь состав двора, то есть фактически поместил под тотальный надзор, да и ранняя смерть Семена современникам казалась подозрительной — не отравлен ли?

Не менее тягостной проблемой, обострявшей болезненность отношений с братьями и висевшей над Василием вплоть до поздних лет, было отсутствие прямого наследника. В отличие от отца, щедро наделенного потомством, Василий Иванович очень долгое время оставался бездетен, притом что женили его молодым.

Роль ревностного оберегателя православия, которую взял на себя объединитель Руси великий князь Иван Васильевич, сильно ограничила матримониальный выбор. Сам государь нашел себе византийскую принцессу-эмигрантку, которая сделала вид, что никогда не переходила в католичество; старшему сыну с трудом сыскал дочь православного валашского господаря. Православных девиц венценосного статуса в Европе больше не оставалось. Подходящей невесты для Василия отец подобрать не сумел.

Сам-то Иван, будучи прагматиком, пожалуй, согласился бы ради политических выгод и на брачный союз с инославным домом, как он сделал, отдав дочь за католика Александра, но когда великий князь попробовал сосватать за наследника дочь датско-шведского короля Ганса, своего союзника, то получил отказ: принцессу не отдали за «схизматика». В конце концов, чувствуя приближение смерти и торопясь женить наследника, Иван III решил: раз нет родовитой невесты, пускай будет красивая и здоровая. Затеяли смотр, куда свезли множество девушек, причем не только из высшей знати — для великого государя все подданные теперь были одинаковы. В оправдание неслыханному событию сослались на византийскую историю: василевсы, не считая чужеземных царей ровней, часто выбирали себе жен на такого рода «конкурсах красоты».

Сначала был произведен отсев по внешней привлекательности. Потом повивальные бабки, гинекологи той эпохи, произвели еще один отбор, оставив только кандидаток, обладавших хорошими природными данными для деторождения. Окончательный вы-

ВАСИЛИЙ III ИВАНОВИЧ В ЖИЗНИ

бор, видимо, сделал сам государь. Он велел сыну жениться на девице Соломонии Сабуровой, представительнице весьма скромного рода. Ей было пятнадцать лет, жениху — двадцать шесть. Произошло это в 1505 году. Карамзин высказывает правдоподобное предположение, что скупой Иван нарочно взял сыну жену похудородней, «чтобы иметь более способов наградить родственников невестки без излишней щедрости». С этого времени у московских государей войдет в обычай выбирать жен из собственных подданных, и часто — после обстоятельных смотрин.

Великокняжеских, а затем царских дочерей в редких случаях выдавали за кого-то из приближенных, но чаще они оставались старыми девами или стриглись в монахини.

Однако несмотря на придирчивый отбор по физическим параметрам и в первую очередь по потенциальной «плодоносности», брак Василия Ивановича потомства не дал. Не помогли ни дары храмам, ни паломничества к святыням, ни знахари с ведуньями.

При самодержавной системе правления эта сугубо семейная проблема превратилась в государственную и была чревата серьезным кризисом. Пассивный Василий так, вероятно, и молился бы о чуде до самой смерти и трон перешел бы к брату Юрию, но вдруг с великим князем произошло вполне обычное событие, которое тем не менее имело большие исторические последствия: уже пожилой, сорокашестилетний монарх влюбился. Его сердце покорила юная Елена Глинская, племянница литовского православного магната-перебежчика, о котором

Выбор великокняжеской невесты. *И. Репин*

речь впереди. Дабы понравиться красавице, Василий Иванович совершил поступок неслыханной экстравагантности: на западный манер обрил бороду, украшение истинно православного человека.

На картине К. Лебедева мы видим Василия III без бороды

Должно быть, Елена разительно отличалась от русских княжон и боярышень, выросших в запертом тереме. Литовка была образованна, независима и по-европейски воспитанна. Карамзин высказывает следующее непатриотичное соображение: «Может быть, не одна красота невесты решила выбор; может быть, Елена, воспитанная в знатном Владетельном доме и в обычаях Немецких, коими славился ее дядя, Михаил, имела более приятности в уме, нежели тогдашние юные Россиянки, научаемые единственно целомудрию и кротким, смиренным добродетелям их пола».

И тут же пошли разговоры о том, что с бесплодной Соломонией надо развестись, чтобы держава не осталась без наследника. Угодливые бояре были за, говоря, что «неплодную смоковницу посекают и измещут из винограда», но высшее духовенство сомневалось. Прежде московские государи никогда не разводились. Артачилась и Соломония, не хотела идти в монастырь.

ВАСИЛИЙ III ИВАНОВИЧ В ЖИЗНИ

Примерно в то же время, столкнувшись с аналогичной дилеммой, английский Генрих VII ради развода с Екатериной Арагонской и женитьбы на Анне Болейн изменил конфессию всего королевства. Московскому государю было легче. Он склонил на свою сторону послушного митрополита, а Соломонию уличили в колдовстве (бедная женщина прыскала заговоренной водой государевы порты, чтобы вернуть мужнину любовь).

В ноябре 1525 года великую княгиню, несмотря на протесты, постригли и отправили в дальний монастырь.

> Герберштейн рассказывает: «Она плакала и кричала, когда митрополит в монастыре резал ей волоса; а когда он подал ей куколь, она не допускала надеть его на себя и, схватив куколь и бросив его на землю, топтала его ногами. Иоанн Шигона, один из первостепенных советников, негодуя на этот поступок, не только сильно бранил ее, но и ударил плетью, прибавив: «Смеешь ли ты противиться воле государя и медлить исполнением его приказаний?» Когда Соломония спросила, по какому праву он ее бьет, он отвечал: «По приказанию государя». Тогда с растерзанным сердцем она объявила перед всеми, что надевает монашеское платье не по желанию, а по принуждению, и призывала Бога в мстители за такую несправедливость».

Уже через два месяца нетерпеливый Василий III сочетался браком с Еленой Глинской. Долгое время и этот союз не давал потомства. Когда все уже отчаялись, в 1530 году наконец родился сын Иван (будущий Грозный). Разумеется, поползли нелестные для государя и его жены слухи, будто ребенок не от Василия, но это не имело значения: наконец появился наследник. К тому же год спустя Елена родила еще одного мальчика — правда, глухонемого.

Долгое ожидание наследника, скандальный развод и неординарный брак, наконец запоздалое рождение сына — вот главная коллизия жизни этого не слишком яркого монарха.

В 1533 году Василий тяжело занедужил. В московском государстве болезнь государя означала кризис всей государственной системы, особенно если наследник не готов принять власть — а княжичу Ивану в то время было всего три года.

115

> Летописи подробно описывают болезнь Василия III, потому что это было событием огромной государственной важности. Симптомы выглядят довольно странными. У великого князя на бедре образовался маленький нарыв, превратившийся в гнойную опухоль, из которой вылез какой-то стержень длиной в 25 сантиметров. Василий промучился несколько недель, обессилел и скончался. Консилиум медиков из числа читателей моего блога, ознакомившись с летописным описанием болезни, пришел к выводу, что, по-видимому, великого князя свел в могилу остеомиелит с костным секвестром, осложненный сепсисом, — скорее всего, на фоне диабета.

Василий Иванович умер 3 декабря 1533 года, оставив государство в чрезвычайно шатком положении. Самодержавная конструкция, выстроенная Иваном III, совершенно не предусматривала ситуации, при которой источником принятия всех важных государственных решений окажется трехлетний ребенок.

Таким образом, и в семейно-династическом смысле Василий III оказался не особенно состоятелен: наследника на свет все-таки произвел, но преемственность власти не обеспечил.

Реконструкция личности

При том что события частной жизни и довольно долгого правления Василия Ивановича историкам хорошо известны, об индивидуальных качествах этого человека, как и в случае с его отцом, мы можем судить лишь по поступкам и немногочисленным, не всегда достоверным отзывам современников, а между тем личность этого невыдающегося самодержца наложила отпечаток на ход отечественной истории данного периода, такого же тусклого.

Тяжелое потрясение, пережитое Василием во время спора о престолонаследии 1497–1498 годов, не могло не отразиться на характере князя, которому в то время было 18 лет. Речь ведь шла не только о том, кому достанется венец. На Руси близкие родственники государя, если это были не его дети, находились в серьезной опасности — рассматривались как потенциальная угроза престолу. Мы помним, сколь сурово Иван III обходился с младшими братьями. Если бы государем стал Дмитрий, а вместе с ним партия Елены Волошанки, участь Василия была бы печальна. Вот почему он (несомненно, под влиянием матери Софьи Палеолог) вступил в заговор — и понес тяжелую кару: отец велел его арестовать. Те несколько месяцев, в течение которых Василий находился в заключении, зная, что после смерти отца ему будет еще хуже, должны были напугать и ожесточить его на всю жизнь. Урок, который узник извлек из своего несчастья, заключался в следующем: никакого мягкосердечия в отношениях с родичами. Как безжалостно вел он себя с родными братьями, мы уже знаем. С племянником Дмитрием, чуть было не взявшим верх в борьбе за трон, Василий поступил еще круче.

Перед самой кончиной суровый Иван Васильевич вдруг помягчел. Герберштейн пишет: «...На смертном одре, он приказал привести его [Дмитрия] к себе и сказал ему: «Милый внук, я согрешил перед Богом и перед тобой, заключив

ВАСИЛИЙ III ИВАНОВИЧ В ЖИЗНИ

тебя в темницу и лишив тебя законного наследства; заклинаю тебя — прости мне обиду; будь свободен, иди и пользуйся своим правом». Димитрий, растроганный этой речью, охотно простил вину деда. Но когда он выходил из его покоев, его схватили по приказанию дяди Гавриила [автор называет Василия официальным именем] и бросили в темницу».

Страх Василия был столь силен, что он осмелился ослушаться своего грозного отца. Дмитрия поместили в оковы и посадили в «полату тесну», где вскоре он зачах, а возможно, был отравлен, «быв одною из умилительных жертв лютой Политики, оплакиваемых добрыми сердцами и находящих мстителя разве в другом мире» (Карамзин).

Подобную решительность Василий проявлял редко — только когда чувствовал себя в большой опасности или когда, как в истории с разводом, страстно чего-то желал.

Редко бывает, чтобы из наследника, выросшего при властном отце и своенравной матери, получился волевой, самостоятельный правитель. Став великим князем, Василий Иванович не стал изобретать ничего нового, а старался следовать курсом родителя. На первом этапе получалось неплохо, но затем политические обстоятельства стали меняться, приспособиться к ним у Василия не получалось, и дела шли всё хуже и хуже.

Единственное, в чем сын великого Ивана преуспел — еще больше возвысил положение московского самодержца, последовательно ведя линию отца. Впрочем, трудно сказать, чем определялась эта последовательность: осознанием государственной необходимости или природной чванностью. Судя по некоторым деталям — скорее второе.

В отличие от холодного Ивана Васильевича этот монарх был сердечен и прост с теми, кого любил.

Сохранились письма Василия к молодой супруге. Он очень трогательно заботится о ее здоровье и о маленьких сыновьях: «Ты б ко мне о своем здоровье и о детех отписывала, как тебя Бог милует и как детей Бог милует; да и о кушанье о Иванове и вперед ко мне отписывай, что Иван сын коли покушает, чтоб то мне ведомо было». Перед самым концом умирающий очень просил не приносить к нему сына, чтобы малыш не испугался, а прощаясь с женой, уверял ее, что ему совсем не больно.

Однако за пределами домашнего круга этот правитель был еще надменнее отца и приходил в ярость при малейшем возражении. Его придворные были до такой степени запуганы и принижены, что, по свидетельству Герберштейна, боялись сказать лишнее слово, отвечая на всякий нестандартный вопрос формулой: «Про то ведают Бог и Государь». Другой иностранец,

МЕЖДУ АЗИЕЙ И ЕВРОПОЙ

Иоганн Фабри, сторонник абсолютизма, видит в русском самодержавии образец для подражания: «Замечательно и заслуживает высшей похвалы у них то, что всякий из них, как бы ни был он знатен, богат и могуществен, будучи потребован князем хотя бы через самого низкого гонца, тотчас спешит исполнить любое повеление своего императора, яко повеление Божье, даже тогда, когда это, казалось, сопряжено с риском или опасностью для жизни… Словом, нет другого народа более послушного своему императору, ничего не почитающего более достойным и более славным для мужа, нежели умереть за своего государя».

Василий был груб с приближенными, а впадая в гнев, бывал и жесток. Однажды боярин Берсень-Беклемишев осмелился заспорить с государем — тот крикнул: «Ступай, смерд, прочь, не надобен ты мне!», а когда боярин не замолчал, ему отрезали язык. Однажды, осерчав, Василий велел утопить в реке татарских послов. За что-то уморил в темнице своего зятя, князя Василия Холмского, же-

Умирающий Василий III прощается с сыном. *Лицевой летописный свод*

ВАСИЛИЙ III ИВАНОВИЧ В ЖИЗНИ

натого на его родной сестре (той самой, которую Иван III неудачно сватал за внука австрийского императора).

Конечно, эта жестокость не идет ни в какое сравнение со зверствами Ивана Грозного. Громких казней во времена Василия не было, однако переменчивость и непредсказуемость его нрава приводила бояр и дьяков в трепет. Он награждал людей без особенных заслуг и так же вздорно отправлял их в опалу. Многолетний советник и наперсник государя боярин Иван Шигона-Поджогин, без которого Василий не принимал никаких решений, вдруг на несколько лет был посажен в темницу, а затем так же внезапно вновь оказался в фаворе.

Именно в ту эпоху в русский официальный обычай входит преувеличенная парадность (так называемая «показуха») как средство произвести впечатление на иностранцев. В дни церемониального въезда важных посольств в Москве закрывались лавки и базары, всех горожан заставляли выйти на улицы и даже сгоняли крестьян из ближних волостей; вперед ставили тех, кто получше одет. Пусть послы видят и расскажут у себя дома, как велик и могуществен русский государь. Наблюдательных иностранцев обмануть не удавалось, однако для организаторов действа важнее было понравиться своему государю.

Подобно отцу, Василий Иванович не мнил себя полководцем и еще меньше, чем Иван III, любил подвергаться военным опасностям. Бывало, что он выступал с войском в поход, но всегда оставался на отдалении от боевых действий. Герберштейну рассказывали, что во время нашествия крымцев государь пустился в бега и даже прятался несколько дней в стогу сена — скорее всего, это преувеличение и выдумка, но само хождение подобной сплетни свидетельствует о том, что великий князь отнюдь не слыл храбрецом. Надо сказать, что среди московских государей, начиная с Ивана Калиты, смельчаков и записных вояк не водилось (за исключением Дмитрия Донского, даже бившегося в рукопашной); ни один русский монарх не сложил голову на поле брани. В этом, как и во многом другом, отечественные властители следовали ордынскому обычаю. Еще Чингисхан завещал своим потомкам зря не рисковать жизнью и никогда не участвовать в сражениях, ибо в государстве ордынского типа гибель вождя означала крах всей системы.

Другой непривлекательной чертой Василия III было коварство. Уловка, с помощью которой он аннексировал Псковскую республику, фактически уже входившую в московское государство, но формально еще автономную, была недостойна законного и полновластного монарха.

 Произошло это в 1509 году. Сначала Василий заменил любимого псковичами наместника князя Петра Шестунова-Ярославского на своенравного Репню-Оболенского, который нарочно стал притеснять горожан, очевидно, следуя полученным в Москве инструкциям.

МЕЖДУ АЗИЕЙ И ЕВРОПОЙ

Вскоре в соседний Новгород прибыл великий князь, и представители Пскова, конечно, отправились туда жаловаться на свои обиды. Василий милостиво их принял и сказал, что хочет разобрать все претензии к Оболенскому, для чего велит прибыть в Новгород всем недовольным.

Обрадованные и обнадеженные, псковичи отправили к государю большую делегацию, в которую вошли все лучшие люди города и выборные от народа. Во дворец пустили только именитых псковичей, а прочих оставили ждать снаружи. Сначала арестовали всю знать, а затем и простолюдинов.

После этого, в начале 1510 года, Василий поехал в Псков и проделал там этот фокус еще раз: пригласил к себе оставшихся бояр и купцов, дабы их пожаловать своей милостью, — и всех велел задержать.

С Псковом великий князь поступил так же, как в свое время его отец с Новгородом: переселил оттуда все высшее и все среднее сословие (до шести с половиной тысяч семей), таким образом оставив народ без вождей. Освободившиеся земли и дома были переданы московским служилым людям.

Если Иван III был скуп, то у его сына скряжничество доходило до патологических размеров. Отправляя за границу послов, он не давал им никакого содержания и заставлял экипироваться за собственный счет.

Дьяк Далматов, посланный с важным поручением к германскому императору, стал жаловаться, что у него нет средств на такую дальнюю и дорогостоящую поездку. Тогда государь отобрал у наглеца все его имущество, а самого отправил в дальнюю ссылку, где тот и умер.

Если послы привозили подарки, полученные ими от иноземных сюзеренов, великий князь велел показать дары и забирал себе всё ценное, обещая взамен пожаловать что-нибудь другое.

Это бы еще ладно, но случалось, что чрезмерное скупердяйство Василия приводило к серьезным политическим последствиям.

Московским дипломатам удалось склонить к военному союзу Тевтонский орден, готовый воевать с Польшей. Но немцам не хватало денег на снаряжение войска, и магистр Альбрехт Гогенцоллерн попросил золота, чтобы вывести в поле десять тысяч пехотинцев и две тысячи всадников. Дело для Москвы было выгодное: появился шанс победить давнего врага, да еще чужими руками. Но Василий сначала бесконечно долго торговался и тянул, а потом дал золота всего на тысячу солдат. Альбрехт пошел воевать с маленькой армией, рассчитывая на получение новых сумм. Однако ему послали денег только еще на тысячу пехотинцев. В конце концов видя, что силы неравны и настоящей помощи от русских нет, магистр заключил мир с королем Сигизмундом и принял польское подданство в качестве герцога прусского. Так Русь лишилась, а Польша приобрела важного союзника.

ВАСИЛИЙ III ИВАНОВИЧ В ЖИЗНИ

К перечню недостатков Василия III следует прибавить еще то, что он не любил утруждать себя государственными делами. «Великий Князь, как говорили тогда, судил и рядил землю всякое утро до самого обеда, после коего уже не занимался делами, — пишет Карамзин. — Любил сельскую тишину; живал летом в Острове, Воробьеве или в Москве на Воронцове поле до самой осени; часто ездил по другим городам и на псовую охоту, в Можайск и Волок Ламский».

Таков был человек, которому довелось править русским государством с 1505 до 1533 года.

Дела внутренние

По следам великого отца

Монарх был зауряден и пассивен, но его большая, молодая страна быстро развивалась, становилась богаче и многолюднее, приноравливалась к новым условиям. Национальное возрождение — мощный энергетический импульс к саморазвитию. Механизм, собиравшийся на протяжении ста с лишним лет, со времен Ивана I Калиты и запущенный Иваном III, пришел в действие. Сжатая пружина стала распрямляться, и теперь достаточно было ей не мешать. Василий и не мешал — этим займется его преемник Иван Грозный во второй половине своего долгого царствования.

В эпоху Василия Ивановича во всех сферах русской жизни происходили важные изменения — в силу объективных причин, вне зависимости от намерений и усилий самодержца.

Кропотливая, надолго вперед рассчитанная стратегия Ивана III по сбору русских земель еще какое-то время приносила свои плоды. Как Москва присоединила Псков, мы уже знаем: купеческая республика к 1510 году была так ослаблена, что отказалась от автономии безо всякого сопротивления.

В 1517 (по другой версии, в 1520) году точно так же, без каких-либо осложнений, перешла во владения государя Рязань, давно уже управлявшаяся из Москвы. Рязанского князя Ивана Ивановича, приходившегося Василию двоюродным племянником, обвинили в том, что он-де замышляет стакнуться с крымским ханом, вытребовали в столицу и арестовали. Всех именитых рязанцев, как водится, на всякий случай расселили по другим областям — и бывшее великое княжество прекратило свое существование.

Удельное Волоцкое княжество, принадлежавшее двоюродному брату государя Федору Борисовичу, которому не позволяли жениться, перешло Василию по праву наследства, когда в 1513 году бездетный Федор умер.

Без лишних церемоний в 1517–1523 годах Москва прибрала к рукам опрометчиво отделившиеся от Литвы юго-западные княжества, Черниговское и Северское, воспользовавшись тем, что его правители затеяли между собой свару. Сначала Василий позволил одному князю прогнать другого, потом обвинил победителя в тайных сношениях с Литвой и забрал земли себе. (В этой истории примечательна одна деталь, демонстрирующая подчиненное состояние, в котором к этому времени находилась московская митрополия. Подозревая нелад-

ДЕЛА ВНУТРЕННИЕ

ное, удельный северский князь никак не хотел ехать к государю и согласился на поездку, лишь когда сам митрополит пообещал ему безопасность. Василий Иванович пренебрег гарантией и заточил князя в тюрьму, где тот и умер.)

О том, как Василий не собирал урожай, посеянный отцом, а присоединял новые русские земли самостоятельно, посредством оружия, будет подробно рассказано ниже — там всё происходило куда менее гладко.

Свой путь

Во времена этого государя генеральная идеологическая концепция — доктрина Третьего Рима, довольно смутно обозначившаяся при Иване III, получила окончательное оформление. Расширяющейся державе требовалась некая сверхцель, которая обосновывала и оправдывала бы весь ордынский,

Первой декларацией «цесарства» было венчание Дмитрия в 1498 г.
Лицевой летописный свод

то есть военно-служебный, строй государства. Сакрализация власти монарха, ее божественность объяснялась высокой миссией, которую Бог возложил на московских государей: спасти истинное христианство, православие, униженное падением Константинополя и теснимое европейскими неправоверцами.

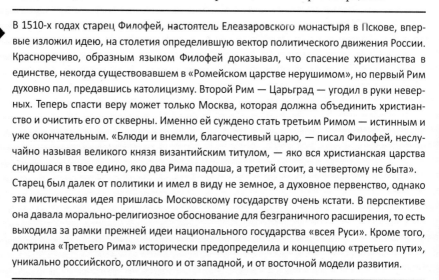

В 1510-х годах старец Филофей, настоятель Елеазаровского монастыря в Пскове, впервые изложил идею, на столетия определившую вектор политического движения России. Красноречиво, образным языком Филофей доказывал, что спасение христианства в единстве, некогда существовавшем в «Ромейском царстве нерушимом», но первый Рим духовно пал, предавшись католицизму. Второй Рим — Царьград — угодил в руки неверных. Теперь спасти веру может только Москва, которая должна объединить христианство и очистить его от скверны. Именно ей суждено стать третьим Римом — истинным и уже окончательным. «Блюди и внемли, благочестивый царю, — писал Филофей, неслучайно называя великого князя византийским титулом, — яко вся христианская царства снидошася в твое едино, яко два Рима падоша, а третий стоит, а четвертому не быта». Старец был далек от политики и имел в виду не земное, а духовное первенство, однако эта мистическая идея пришлась Московскому государству очень кстати. В перспективе она давала морально-религиозное обоснование для безграничного расширения, то есть выходила за рамки прежней идеи национального государства «всея Руси». Кроме того, доктрина «Третьего Рима» исторически предопределила и концепцию «третьего пути», уникально российского, отличного и от западной, и от восточной модели развития.

Идеология «Третьего Рима», без сомнения имперская по своей сути, с одной стороны, ориентировала страну на стремление к лидерству, с другой — понуждала ее к обособлению и неучастию в общеевропейской эволюции. Это неминуемо приводило ко все большему техническому, военному и общественного отставанию, поскольку как раз в эту эпоху Западная Европа становится авангардом научного, общественного и социально-политического развития. Иван III, активно используя иностранных мастеров и заимствуя европейские технологии, хотел сократить этот разрыв; его преемники вплоть до Петра будут, наоборот, оберегать «особость» Руси и ее культурную изоляцию, дабы не осквернить чистоту «Третьего Рима».

Управление и законы

Работу по административному реформированию нового большого государства Иван III провести не успел, а Василий и не пытался — он оставил всё, как было при отце.

По-прежнему функционировала Боярская дума, и высшей знати теперь жилось несколько привольнее, чем при строгом Иване III. Новый государь бывал

ДЕЛА ВНУТРЕННИЕ

вздорен и вспыльчив, но к этому времени бояре хорошо усвоили науку самодержавного двора: если не перечить великому князю и пониже кланяться, можно существовать вполне безбедно. Московская аристократия раболепствовала перед троном, однако в продолжение всего правления Василия никаких новых покушений на ее права и привилегии власть не предпринимала. Родовитых вельмож по-прежнему назначали на видные должности, военные и гражданские, а за неудачи и поражения строго не наказывали.

Профильные ведомства, приказы, так и остались в зачаточном состоянии. Областями управляли наместники, почти всегда — из первых по знатности родов.

Главные потребности государственного аппарата не усложнились, они сводились, во-первых, к сбору податей и пошлин; во-вторых, к отправлению правосудия; в-третьих, во время войны — к мобилизации войска.

Деньги в казну собирались по старинке, здесь ничего нового не произошло, а вот в судебной системе из-за ее неразвитости и примитивности все же пришлось кое-что менять. Известно, что при Василии был разработан какой-то новый судебник, однако его текст не сохранился. Известны лишь некоторые фрагменты.

Поскольку никакой полиции в ту пору не существовало и преступления раскрывать было некому, власть изобрела отличный способ, как сказали бы сейчас, «повысить раскрываемость»: возложили эту функцию на местных жителей, и если те сами не могли сыскать и представить на суд виновных, то должны были платить большой штраф (за непойманного убийцу — целых четыре рубля).

Итальянец Павел Иовий (Паоло Джовио), расспрашивавший в 1525 году русского посла Дмитрия Герасимова, сообщает, что московиты при следствии используют установленные законом пытки: «льют на голову холодную воду», а «для вынуждения признания, твердыми и заостренными гвоздями отдирают у обвиняемого ногти от пальцев». Ничего экстраординарного в такой судебной практике Иовий не находит — в тогдашней Европе применялись пытки еще более зверские, но в прежней, досамодержавной Руси истязания как законный метод дознания не практиковались.

Самые большие перемены произошли в устройстве русского войска. Число помещиков, служивших в дворянском ополчении, постоянно увеличивалось — их (по, возможно, преувеличенным сведениям) насчитывалось уже до трехсот тысяч. Правда, качество такой конницы было невысокое. В мирное время дворян собирали на смотры раз в два-три года и, кажется, вовсе не обучали искусству группового боя. Вооружение и доспехи тоже оставляли желать лучшего. Сабли имели только кавалеристы побогаче, остальные дрались па-

Воины в тегилеях. *Рис. XIX в.*

лицами и длинными ножами. Огнестрельного оружия у дворянской конницы тоже почти не водилось — стреляли из луков. Кольчугу и железный шлем могли себе позволить немногие, основная масса довольствовалась тегилеями — толстыми стегаными кафтанами, набитыми ватой.

Зато русские воины поражали иностранцев своей выносливостью и неприхотливостью. Армия была очень подвижна, поскольку на марше обычно двигалась без обозов. В сущности, это было войско классического ордынского типа: весьма недурное для маневренной войны и опустошительных рейдов, но не слишком пригодное для полевых сражений и тем более осад. В Европе XVI века главной боевой силой стала профессиональная пехота, копейщики и аркебузиры, которых у Василия III было очень мало, а для взятия крепостей требовалась хорошая артиллерия, которой вначале тоже не хватало.

Когда доводилось сходиться с европейской армией в большом сражении, русская конница обычно атаковала массой, с шумом и криками, рассчитывая повергнуть врага в панику. Если неприятель оказывался стоек, дворянское ополчение с такой же скоростью пускалось наутек. Недостатки подобной тактики до некоторой степени компенсировало хорошо развитое искусство маневра и фланговых ударов — тоже старинная татарская наука, иногда приносившая победу. Лучше всего свои воинские качества на протяжении XVI века русские проявляли в обороне, демонстрируя чудеса стойкости и бесстрашия. Защищать крепости получалось лучше, чем их брать; отбивать атаки — лучше, чем нападать самим.

Экономика и торговля

После отца Василию III досталась, в общем, процветающая страна — во всяком случае, так спокойно Русь не жила, вероятно, со времен Ярослава Мудрого.

Развитие поместной системы приводило к укрупнению деревень. Росли и богатели города. Природных несчастий и больших эпидемий в этот период не случалось; за все время был только один голодный год (1512).

Про русское сельское хозяйство 1520-х годов читаем у Павла Иовия: «В Московии нет ни винограда, ни маслин, ни даже вкусных яблок, потому что все нежные растения, кроме дынь и вишен, истребляются холодным северным ветром. Не смотря на сие, поля покрыты пшеницею, просом и другими хлебными произрастениями, а также всякого рода зеленью. Самое же важное произведение Московской земли есть воск и мед. Вся страна изобилует плодовитыми пчелами, которые кладут отличный мед не в искусственных крестьянских ульях, но в древесных дуплах».

Возникают новые производства и ремесла, что привело к расширению статей экспорта. В Европу кроме прежних, традиционных товаров (очень подорожавших в это время мехов, воска, леса, моржовых клыков) стали продавать кожу, лен, канатную коноплю, деревянную посуду; на татарские рынки шли сукно, полотно, скобяные изделия, седла и упряжь.

В 1523 году по государеву указу на берегу Волги открылась Макарьевская ярмарка, которой суждено было со временем стать главным русским торгом.

От отца Василий унаследовал любовь к строительству и на этом поприще развернулся еще шире, чем Иван III. По всей стране, особенно на рубежах, возводятся крепости, закладываются новые города, перестраиваются старые. Фортификационные сооружения теперь, в артиллерийский век, приходится строить из камня. Каменными стенами окружают себя Тула, Коломна, Нижний Новгород, Зарайск. Укрепляется приграничный Псков.

127

МЕЖДУ АЗИЕЙ И ЕВРОПОЙ

В больших городах для борьбы с двумя главными бедами — пожарами и ночными разбоями — учреждаются первые пожарные и сторожевые службы. Специальные люди, огневщики, следят, чтобы жители осторожно обращались с огнем, и спешат к очагам возгорания. Хаотично застроенный, тесный Новгород перестраивают заново, по упорядоченному плану. На ночь улицы перекрывают решетками и ставят к ним охрану. Передвигаться в темное время по городу запрещается — впрочем, не всем. Герберштейн пишет: «Кто же будет взят сторожами после этого часа, тех бьют и обирают или сажают в темницу, если только это не будут люди известные: тех обыкновенно стражи отводят домой».

Главное строительство, конечно, ведется в столице, важность которой в централизованном самодержавном государстве необычайно возрастает. Москва — материальное воплощение могущества страны, а Кремль — символ полубожественной власти самодержца.

▶ Довольно подробное описание Москвы в разгар строительной деятельности Василия оставил нам Герберштейн. «Самый город — деревянный и довольно обширен; издали он кажется еще обширнее, чем на самом деле, ибо пространные сады и огороды при каждом доме делают город больше... Далее, обширность города делает то, что он не имеет

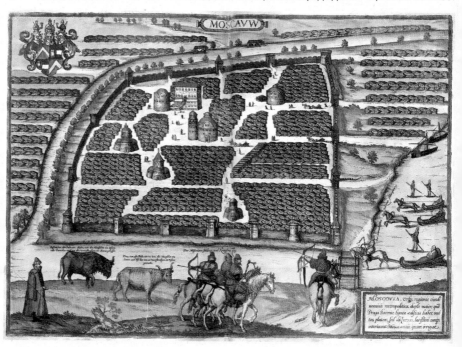

Карта Москвы в книге Сигизмунда фон Герберштейна. *XVI в.*

ДЕЛА ВНУТРЕННИЕ

В Московском Кремле. *А. Васнецов*

определенной черты и не укреплен как следует стеною, рвом и башнями... Стражи обыкновенно помещаются в тех местах, где открыт свободный доступ в город. Ибо остальную часть города омывает Москва, в которую под самым городом впадает река Яуза, а ее, по причине высоких берегов, редко можно переходить вброд. На ней выстроено много мельниц для общего пользования всех горожан. Этими реками несколько укреплен город, который, кроме немногих каменных зданий, храмов и монастырей, выстроен из одного дерева. Число домов в этом городе показывают невероятное, ибо нам говорили, что за шесть лет до нашего приезда в Москву все дома были переписаны по повелению князя и что их число превосходило 41 500. Этот город столь обширный и пространный, очень грязен, почему на улицах и площадях и в лучших его частях сделаны мостки.

В этом городе есть крепость, построенная из кирпичей и омываемая с одной стороны Москвою, с другой — рекою Неглинной. Неглинная же течет из каких-то болот перед городом. Она так заперта около верхней части крепости, что образует озеро и, вытекая оттуда, наполняет рвы крепости, на которых стоят мельницы, и наконец под самой крепостью, как я сказал, сливается с рекою Москвой. Крепость же так велика, что кроме обширных палат князя, великолепно выстроенных из камня, митрополит, также братья князя, вельможи и весьма многие другие имеют в ней большие деревянные палаты. Кроме того, в крепости находится много церквей, и эта обширность дает ей вид настоящего города.

МЕЖДУ АЗИЕЙ И ЕВРОПОЙ

Крепостные укрепления и дворец князя выстроены из кирпича на итальянский манер теми итальянцами, которых князь вызвал к себе обещанием больших наград. В этой крепости, как я сказал, много церквей; все они деревянные, исключая двух знаменитейших, которые выстроены из кирпичей: одна из них посвящена св. Деве, другая св. Михаилу... В нашу бытность строились весьма многие храмы из камня».

Василий ставит в Москве полтора десятка каменных церквей, в том числе два великолепных собора: обновлен и переделан златоглавый Благовещенский, домовая церковь великокняжеской семьи; Архангельский собор становится пантеоном правящего дома, сюда переносят останки прежних князей, начиная с Ивана Калиты. Главный собор государства, Успенский, расписывают многоцветными фресками (увидев законченную работу, Василий воскликнул, что ощущает себя «будто на небеси»). Современников поражает новая высокая звонница, будущая колокольня Ивана Великого — правда, не столь монументальная, как нынешняя, удлиненная при Борисе Годунове русским зодчим Федором Конем. Пока же, в начале XVI века, строят в основном итальянские архитекторы, сплошь Фрязины (их настоящие имена и фамилии не всегда известны).

К западу от Москвы, «у посада», Василий ставит женский Новодевичий монастырь — он назван так, потому что в столице уже было две «девичьих» обители: Зачатьевская и Вознесенская.

Дела церковные

Новодевичий монастырь находился на значительном отдалении от Кремля, украшением которого Василий был озабочен в первую очередь, и всё же венценосный скупец не пожалел на строительство загородной обители огромной суммы (3 000 рублей). Это было исполнением обета, данного великим князем Господу после присоединения Смоленска, а к обетам Василий относился серьезно.

Кажется, это был первый из потомков Калиты, кто был по-настоящему религиозен. Набожны будут и последующие московские цари. Это психологически понятно. При самодержавной системе правления, основанной Иваном III, государь оказывался вознесен на такую высоту, что кроме как на Бога уповать ему было не на кого. На плечи монарха давила вся тяжесть ответственности за державу; собственного разума хватало не всегда; советники могли быть сколь угодно умны, но это были обычные, не избранные Господом люди, к тому же часто руководствовавшиеся своими частными интересами. Самодержавному государю, в сущности, человеку очень одинокому, оставалось полагаться лишь на молитву и наитие свыше.

Василий, отнюдь не мудрец и личность невеликого масштаба, вечный молельщик о ниспослании наследника, должен был очень сильно ощущать мистическую зависимость от Божьего Промысла.

Он часто ездил на богомолья по разным городам и монастырям, много времени отдавал молитве, а перед самой кончиной выразил желание принять схиму. Это вызвало целый переполох среди приближенных. И отец, и дед Василия умерли «белыми», то есть не принимая символического монашества перед уходом. Можно сказать, что светская процедура умирания уже стала государственной традицией.

Великий князь из последних сил, коснеющим языком всё просил выполнить его предсмертную просьбу, а вельможи спорили, допустимо ли это. Первый советник Шигона и большие бояре говорили, что многие великие князья, начиная с Владимира Святого, скончались не чернецами. В конце концов митрополит все же велел принести монашеское платье, и государя постригли на последнем издыхании.

Искренняя религиозность Василия никак не влияла на его взаимоотношения с церковной верхушкой и на установившуюся при Иване III иерархию власти. Митрополит должен был исполнять волю великого князя, а дела духовные — подчиняться государевым интересам.

МЕЖДУ АЗИЕЙ И ЕВРОПОЙ

В это время развернулась многолетняя дискуссия между двумя ведущими направлениями московского православия, начавшаяся еще в правление Ивана Васильевича.

Приверженцев первой партии называли «иосифлянами» (или «осифлянами») в честь самого известного и активного из ее вождей Иосифа Волоцкого (ок. 1440–1515).

▶ Это был человек страстный и властный, истовой веры. В миру его звали Иваном Саниным, родом он был из Москвы. С ранней юности он ощутил призвание к монашеству и стал чернецом Боровского монастыря, известного своим суровым уставом. Однако этой строгости Иосифу (таково было его иноческое имя) казалось мало, он хотел настоящей аскезы. Став настоятелем обители, он предложил братии устрожить устав, а когда монахи не согласились, ушел в леса под Волоколамском и основал там новый монастырь, с неслыханно жестким регламентом. Например, инокам запрещалось общаться с женщинами, и про Иосифа известно, что он отказывался видеться даже с собственной матерью. В личной жизни Иосиф был равнодушен к удобствам, ходил в залатанной рясе,

Пострижение Василия Ивановича. *Лицевой летописный свод*

ДЕЛА ЦЕРКОВНЫЕ

но очень заботился о том, чтобы его монастырь владел многими землями и богатствами, которые расходовались на помощь нищим и страждущим. Он считал, что «Божьи люди» должны активно вмешиваться в жизнь мирян, что Божьи храмы должны быть пышными и великолепно изукрашенными, что слово пастыря для нижестоящих и для паствы непререкаемо.

Сторонники этой позиции (а к их числу относились большинство иерархов) отстаивали право церкви на собственность, требовали от духовенства не толкования Писания, а бездумного начетничества («Мнение — второе грехопадение», говорили они), осуждали всякое свободомыслие и призывали сурово карать еретиков. В смысле политическом это были приверженцы сильной монархической власти.

Противоположную партию позднейшие исследователи нарекли «нестяжательской», поскольку ее лидеры настаивали на твердом исполнении иноческого обета, который предписывал монаху отречься от всякого стяжательства и земного имущества. На этом основании владение землей почиталось недопусти-

Преподобный Иосиф Волоцкий, канонизированный во времена Ивана Грозного

МЕЖДУ АЗИЕЙ И ЕВРОПОЙ

мым, а трата денег на материальное украшательство храмов — греховной. Истинная красота не в вещественном, а в духовном, доказывали нестяжатели. Это были приверженцы не слепой веры с бездумным повторением молитв, а духовного поиска и медитации — «света Фаворского», то есть прямого общения с Богом. Карать еретиков земными карами они считали неправильным — достаточно отлучать их от церкви, а раскаявшихся принимать обратно в ее лоно с любовью и милосердием.

Это мировоззрение утвердилось главным образом в монастырях, находившихся к северу от Волги, в Белозерском и Вологодском краях, поэтому вождей движения называли «заволжскими старцами».

 В первый период долгой внутрицерковной полемики вождем нестяжателей был Нил Сорский (1433–1508). Этот монах был учеником почтенного кирилло-белозерского старца Паисия Ярославова, который посмел отказать Ивану III, когда тот позвал его в митрополиты. Монастырское уединение Паисию было дороже власти.

Таким же был и Нил, происходивший из семьи московских дьяков Майковых. Это был человек просвещенный, повидавший мир. В среднем возрасте Нил совершил паломничество в Грецию и, по некоторым сведениям, даже побывал в Святой Земле, что для русского человека той поры было большой редкостью. Вернувшись, старец основал неподалеку от Кирилло-Белозерского монастыря, на реке Сорке, обитель, монахи которой жили в нищете и кормились собственным трудом. Авторитет Нила Сорского на Руси был огромен.

Как мы видим, вопрос о монастырском землевладении был не главным пунктом расхождения между двумя этими принципиально различными платформами, первая из которых рассматривала церковь как учителя и поводыря неразумной паствы, а вторая стремилась побудить каждого человека к духовному развитию. Однако для государственной власти религиозные тонкости большого значения не имели, зато очень хотелось секуляризовать обширные церковные владения. И Ивану III, и его сыну Василию все время требовались новые земли, чтобы расселять дворян, основу государства, а монастырям принадлежали огромные угодья. (С. Платонов пишет, что вблизи столицы 37% всех пахотных земель были приписаны к церкви.)

Вот почему концепция нестяжательства поначалу казалась трону весьма привлекательной. На соборе 1503 года, вероятно, по предварительной договоренности с Иваном III, старец Нил Сорский вдруг заговорил о неправильности монастырского землевладения. Государь поддержал его, но в это время Иван Васильевич был уже не тот, что прежде. Он сильно сдал, здоровье его пошатнулось, и всем было ясно, что долго он не протянет. Поэтому митрополит и церковная верхушка сплотились вокруг набиравшего силу наследника, срочно вернули в Москву уже покинувшего собор Иосифа Волоцкого и предприняли атаку

ДЕЛА ЦЕРКОВНЫЕ

на нестяжателей. Ивану III пришлось уступить. Должно быть, он не хотел на закате жизни вступать в конфликт с сыном, которому предстояло вскоре взять на себя всю тяжесть государственной власти.

Через год состоялся новый собор, на котором иосифляне, уже не встречая противодействия со стороны больного Ивана, сурово расправились с еретиками-«жидовствующими», тем самым утвердив принцип церкви карающей, а не всепрощающей.

Однако когда новый монарх, вроде бы близкий к иосифлянам, встал к кормилу власти, он скоро понял правоту отца: государству были очень нужны церковные земли.

И началось движение в другую сторону.

На следующий год после восшествия на престол Василий призвал в Москву одного из заволжских старцев — Варлаама и в 1511 году поставил его митрополитом. Нил Сорский к этому времени уже умер, но великий князь приблизил двух новых священнослужителей, связанных с нестяжательством. Одним из

Нил Сорский тоже канонизирован, но на целый век позже

МЕЖДУ АЗИЕЙ И ЕВРОПОЙ

них был опальный, постриженный в монахи князь Василий Патрикеев, в иночестве Вассиан. Государь называл Вассиана «опорой своего царства» и «наставником в человеколюбии». Из Афона приехал высокоученый монах Максим (Михаил Триволис), в молодости учившийся в Италии. На Руси его именовали Максимом Греком. Он переводил и толковал священные книги, был активным сторонником обновления русской церковной жизни.

Казалось, что победа нестяжателей неизбежна — особенно после того, как умер их главный оппонент Иосиф Волоцкий (1515). Потребность государства в росте земельного фонда побуждала Василия III все время увеличивать число сторонников секуляризации среди духовенства.

Однако выяснилось, что есть проблема поважнее меркантильного интереса: нестяжатели, руководствовавшиеся не земными, а небесными резонами, оказались недостаточно гибкими в политических делах.

Первый конфликт случился из-за упоминавшегося выше северского князя, владения которого Василий хотел аннексировать. Князь не соглашался приезжать в Москву, пока не получит гарантий безопасности и от государя, и

Максим Грек. Канонизирован только в 1988 г., но на иконе XVII в. уже с нимбом

ДЕЛА ЦЕРКОВНЫЕ

от митрополита, а нравственный Варлаам, понимая, к чему идет дело, давать обещание не желал. Пришлось чрезмерно щепетильного митрополита снять и заменить более покладистым иосифлянином. «Ему наследовал некто Даниил, едва тридцати лет от роду, человек со здоровым и тучным телом и с красным лицом, — сообщает Герберштейн. — Для того чтобы не казаться преданным более желудку, чем постам, бдению и молитве, он всякий раз, как намеревался публично отправлять богослужение, обыкновенно делал свое лицо бледным с помощью серного дыма и в таком виде выходил пред народом». Этот бонвиван сделал всё, чего желал Василий, и обманутый северский князь оказался в тюрьме.

Еще нагляднее преимущества «иосифлянской» церкви продемонстрировала история 1525 года с государевым разводом — делом огромной личной важности для Василия. И Вассиан Патрикеев, и Максим Грек, и другие нестяжатели, разумеется, выступали против этого, с их точки зрения, греховного поступка, а вот митрополит Даниил опять проявил покладистость. Если бы не его твердая поддержка, брак Василия с Еленой Глинской не состоялся бы.

И теперь разгром «нестяжателей» стал неизбежен. Сначала расправились с Максимом Греком, потом с Вассианом (обоих покарали суровым монастырским заточением). Не помиловали и менее именитых: одних казнили за еретичество, других отправили в темницу.

Внутрицерковная полемика на этом еще не завершилась, однако облик московского православия определился на века. «Небесная», «духовная», «нищая» церковь самодержавному государству оказалась менее удобна, чем церковь богатая, легко управляемая и «политически грамотная». Церковь, не связанная собственностью, независима и — опаснее того — слишком общественно влиятельна, слишком авторитетна. А в том русском государстве, которое создал Иван III и которое как могли достраивали его преемники, не могло быть никакой альтернативной власти, особенно же держащейся на духовном авторитете. Единовластие стоило того, чтобы оставить церковные земли в покое. Лишь через два с половиной столетия, во времена Екатерины II, когда церковь и помышлять забыла о независимости от государства, в России наконец проведут секуляризацию церковных земель, взамен назначив духовенству казенное жалованье.

Дела азиатские

Взаимоотношения с Востоком при Василии III все еще важнее и теснее, чем с Западом; Азия «второму» русскому государству по-прежнему ближе и *понятнее* Европы. Вернее было бы назвать эти проблемы не «азиатскими», а «татарскими», поскольку в географическом смысле ханства, борьба с которыми отнимала у Москвы столько времени, средств и сил, находились на европейском континенте, но в политическом и культурном смысле это, конечно, были осколки всё той же азиатской империи, некогда созданной Чингисханом. Да и сама Русь была того же корня, вчерашняя ордынская провинция. Ее войны и замирения с Крымом и особенно с Казанью, пожалуй, похожи на ссоры родственников, никак не могущих решить, кто из них главный.

Татарская политика Ивана III, напомню, заключалась в том, что с самым сильным и агрессивным из ханств, Большой Ордой, он враждовал (и в конце концов уничтожил ее чужими руками); с Крымским ханом он дружил и состоял в крепком союзе; Казань он превратил в московского сателлита, посадив там на трон своего ставленника. Лишь развязав себе руки на Востоке, осторожный Иван Васильевич приступил к экспансии на Запад.

При Василии вся эта кропотливо выстроенная система рассыпалась. Спокойный «тыл» превратился во второй «фронт», причем в некоторые моменты становившийся главным и смертельно опасным. Азия не выпускала Русь из своих цепких рук, не давала ей двигаться в сторону Европы, а Василий III был недостаточно умелым правителем, чтобы решить эту проблему военным или дипломатическим путем. У него была большая армия, но стратегическое управление ею, как мы увидим, оставляло желать лучшего: главные свои преимущества, численность и маневренность, полководцы Василия использовать не умели, наносили удары не сжатым кулаком, а растопыренной пятерней; часто они действовали несогласованно и теряли драгоценное время из-за местнических споров — кто родовитей. Дипломатическим успехам мешали неразумная скупость государя и его неспособность просчитывать последствия тех или иных действий хотя бы на два шага вперед.

Политика этого монарха, как уже было сказано, сводилась к тому, чтобы следовать за событиями и решать проблемы по мере возникновения. Поэтому русско-татарские отношения этого периода проще описывать не тематически, а хронологически, перескакивая с казанских дел на крымские и обратно.

ДЕЛА АЗИАТСКИЕ

Если совсем коротко объяснить, что происходило на восточных и южных рубежах Руси в эти без малого тридцать лет, можно сказать так: Крым из друга превратился во врага; контроль над Казанью очень ослаб, а временами утрачивался вовсе.

Проблемы с Казанским ханством начались еще в последний год жизни Ивана III, который в это время был парализован и не мог полноценно управлять государством. При самодержавной системе власти паралич монарха влечет за собой и паралич всего государства. Хан Мухаммед-Эмин решил воспользоваться ситуацией и выйти из обременительной зависимости от Москвы.

 О том, насколько унизительным положение казанских «царей» было при Иване Васильевиче, можно судить по участи Ильхама (в русских летописях «Алегама»), предшественника Мухаммед-Эмина. Об этом рассказывает Герберштейн: «Так как он не всегда повиновался приказаниям московского князя, то московские советники, которых князь имел там для наблюдения за расположением царя, однажды на пиру напоили его пьяным, положили в повозку, как бы отвозя его домой, и ночью увезли его в Москву. Продержав несколько времени, князь наконец сослал его в Вологду, где он дожил остальной свой век». Вот как мало церемонились с формально независимым татарским государством русские надзиратели, так что Мухаммед-Эмина вполне можно понять.

Сначала хан избавился от приставленных к нему московских соглядатаев, а заодно перебил и ограбил русских купцов (в Казани как раз проходила большая торговая ярмарка); затем, демонстрируя силу, пошел с большим войском на недальний Нижний Новгород. К казанцам присоединились отряды Ногайской орды. Объединенное татарское войско, если верить летописи, насчитывало 60 тысяч всадников. Удар был внезапным, и если Нижний Новгород устоял, то лишь благодаря находчивости воеводы Ивана Симского по прозвищу Хабар («удалой», «удачливый»), одного из интереснейших персонажей эпохи — о нем мы еще поговорим. У Хабара был маленький гарнизон, зато в городе содержалось несколько тысяч пленных литовцев, захваченных в Ведрошском сражении 1500 года. Если бы Нижний Новгород пал, их ждала бы такая же печальная участь, как и русских. Поэтому Хабар вооружил литовцев, и это обеспечило городу достаточное количество защитников. После того как от пищального огня пал ногайский царевич, татары ушли несолоно хлебавши.

Будь Иван Васильевич здоров, Казань дорого заплатила бы за эту авантюру, но государь умирал, а его преемнику, озабоченному укреплением власти, было не до татар. Только весной следующего года Василий снарядил карательную экспедицию, но организована она была весьма бестолково. Часть войска под командованием государева брата Дмитрия Ивановича плыла на кораблях, а конница князя Александра Ростовского следовала отдельно и прибыла сильно позже. Полководец из Дмитрия был никудышный. Он полез в сражение, не до-

МЕЖДУ АЗИЕЙ И ЕВРОПОЙ

жидаясь подхода кавалерии, и был наголову разгромлен. Василий отправил вдогонку третью рать, с князем Василием Холмским, однако Дмитрию не терпелось взять реванш за поражение. Едва подошла конница князя Ростовского, Дмитрий снова ринулся в бой — и казанцы опять его разбили, причем захватили всю русскую артиллерию. Пришлось бесславно отступать.

На следующий год Василий собрал такую большую армию, против которой Казани было бы трудно устоять, поэтому Мухаммед-Эмин запросил мира, обещая отпустить весь полон и впредь вести себя послушно. Этим великий князь и удовлетворился — войска были ему нужны на западе. Лицо вроде бы удалось сохранить, мятеж был подавлен, но в отношении казанцев к Москве произошла опасная перемена: они увидели, что можно резать русских купцов, можно побеждать русское войско и потом оставаться безнаказанными.

Точно такую же ошибку Василий вскоре совершил применительно к Крымскому ханству.

Отношения начали портиться еще с тех пор, как окончательно распалась Большая Орда (1502), общий враг Москвы и Крыма. Теперь союз утратил для крымцев былой смысл. К тому же им не понравилось, что северские земли, куда они привыкли наведываться за добычей, теперь перешли к Руси и стали недоступны.

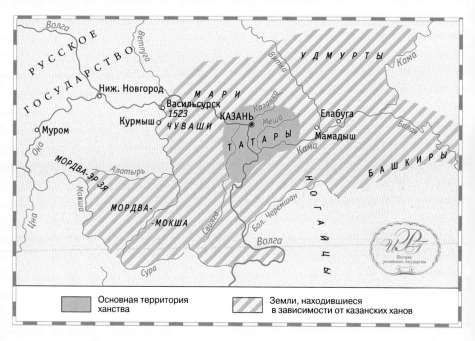

| | Основная территория ханства | | Земли, находившиеся в зависимости от казанских ханов |

Казанское ханство первой половины XVI в. *С. Павловская*

ДЕЛА АЗИАТСКИЕ

Возникла ситуация, в которой Москва по-прежнему нуждалась в помощи Крыма для борьбы с Литвой, а ханству эта дружба стала ни к чему. Пока не умер Иван Васильевич, которому хан Менгли-Гирей был многим обязан, мир сохранялся, но перед Василием у крымского властителя никаких моральных обязательств не было.

Сигизмунд Литовский слал хану щедрые дары, стараясь переманить его на свою сторону. То же самое следовало сделать и Василию — ведь его казна была намного богаче. Но помешала скупость. Москва слала подношения и хану, и всем видным мурзам, но такие жалкие, что татары обижались. Сигизмунд давал больше, да еще согласился принять от хана ярлык — то есть как бы признать себя крымским вассалом. Денег этот жест не стоил, и король, должно быть, не придавал ему особенного значения. Сигизмунд ссылался на византийский прецедент: откупались же василевсы от варваров, не считая это для себя зазорным? Этот политический трюк сработал. Крымцам показалось правильней грабить земли не исправно платящего литовского данника, а скупого северного соседа.

Конечно, в последующие годы от крымских набегов доставалось и литовцам, но главной мишенью разбойных нападений отныне становится Русь.

Первое зловещее предзнаменование новой беды случилось летом 1507 года, когда какие-то крымские мурзы напали на южные русские области. Силы были,

На сторожевой окраине. *С. Иванов*

МЕЖДУ АЗИЕЙ И ЕВРОПОЙ

видимо, небольшие, и московские воеводы отразили удар, а захваченных пленников отбили. Но начало вражде было положено.

А в 1512 году на те же области напали уже сыновья самого Менгли-Гирея и, что хуже, беспрепятственно ушли с добычей. Никаких карательных мер за эту агрессию не последовало — руки Василия были связаны очередной литовской войной.

Это было большой ошибкой. Теперь крымские набеги стали постоянными.

Периоды обострения сменялись затишьями, когда шел активный торг: кто перекупит крымцев — Москва или Литва. Раз за разом Сигизмунд оказывался щедрее, и хищные орды шли грабить Русь. Так было в 1516 и в 1517 годах.

Однако настоящая беда пришла, когда два ханства, Крымское и Казанское, договорились объединить свои силы. Произошло это после очередного поражения московской политики в Казани, где в 1521 году власть захватил Сахиб-Гирей, родной брат нового крымского хана Мехмед-Гирея.

Братья соединили войска близ Коломны, и произошло то, что Карамзин называет «самым несчастнейшим случаем Василиева государствования». Русская армия под предводительством князя Дмитрия Бельского была разбита. Татары шли прямо на Москву. В этой тяжелой ситуации Василий поступил так же негероически, как в 1480 году его отец: бросил столицу на мужа сестры, крещеного татарского царевича Петра, а сам отступил в безопасное место.

Гиреи штурмовать крепкие городские стены не собирались, но и уходить не торопились. Они разоряли окрестности Москвы, охотились на людей, чтобы угнать их в неволю. Великокняжеский казначей привез в татарский стан богатые подношения, чтобы умилостивить Мехмед-Гирея. Тот сказал, что уйдет, только если получит от Василия письменное обязательство данничества. Только через две недели затребованную грамоту доставили, и тогда победители неторопливо отправились восвояси.

Такой беды от татар на Руси не бывало со времен нашествия Едигея в 1408 году. Летопись пишет, что в рабство угнали 800 тысяч русских, и хоть это несомненное преувеличение, однако людей действительно пропало очень много. Казанцы продавали своих невольников в Астрахани, крымцы   в Кафе.

Еще горше был позор: государь «Третьего Рима» признал себя подданным крымского хана, который, в свою очередь, был вассалом турецкого султана!

▶ А дальше произошел совершенно поразительный эпизод, который с большим удовольствием пересказывают отечественные историки.

От Москвы татары пошли к Рязани, где воеводствовал уже знакомый нам Иван Симский-Хабар, человек отважный и предприимчивый, переведенный из Нижнего Новгорода на новое место службы. Он запер перед Мехмед-Гиреем ворота. Хан возмутился: как же так, ведь твой государь признал мое верховенство? Хабар выразил сомнение, что такое возможно. Ему сказали: приезжай в наш лагерь и посмотри сам. Воевода ехать

ДЕЛА АЗИАТСКИЕ

отказался, но пообещал покориться, если ему привезут грамоту и он убедится в ее подлинности. Татарам были очень нужны запасы продовольствия, хранившиеся в Рязани, поэтому они отправили государеву присягу Хабару, чтобы он не упрямился, а сами встали перед воротами, ожидая, что их сейчас откроют. Вместо этого со стен ударили пушки, и орда в панике рассеялась. Без осадных орудий взять город было невозможно, и татары убрались в степь, а злосчастный документ остался у русских. Так было аннулировано юридическое последствие проигранной войны.

На следующий год, боясь, что нашествие повторится, Василий собрал огромное войско и встал на Оке, но крымцы не любили нападать на подготовленного противника и в поход не вышли. Однако последствия все равно были печальными: из-за опасения за южную границу Василию пришлось заключить с Литвой менее выгодный мир, чем рассчитывала Москва.

Вскоре после потрясений 1521–1522 годов татарские дела несколько изменились к лучшему, но произошло это не по заслуге Василия, а по счастливой для Руси случайности.

Татарский мир не был единым. Объединение сил — казанцев и ногайцев, как в 1506 году, или казанцев и крымцев, как в 1521-м — никогда не бывало прочным. (В конечном итоге именно по этой причине централизованное русское государство и одолело татарские царства одно за другим.) В 1523 году Мехмед-Гирей вместе с ногайской ордой пошел походом на Астраханское ханство. Город они взяли, захватили богатую добычу, но после победы ногайские мурзы заманили крымского хана и его сына-наследника в западню и обоих убили. Затем ногайцы устремились в Крым и разорили весь полуостров. На некоторое время Крымское царство ослабело, и Москва получила передышку.

Надо отдать Василию должное — он сумел воспользоваться выгодной ситуацией. Сначала не поддался на вымогательство нового крымского царя Саадат-Гирея, обещавшего прочный мир за выплату мзды в 1800 рублей. Деньги были совсем небольшие, но русские, хорошо осведомленные о татарских событиях, знали, что крымцы сейчас неопасны.

В том же 1523 году Василий снарядил карательный поход на Казань, оставшуюся в одиночестве. Помимо обычного грабежа и разорения татарских владений русские построили на реке Суре, всего в 200 километрах от Казани, крепость Васильев-Новгород (впоследствии Васильсурск), чтобы и в будущем иметь плацдарм для подобных экспедиций. Здесь Василий проявил необычную для него предусмотрительность, впоследствии, уже во времена Ивана IV, облегчившую Москве окончательное покорение Казани.

На следующий год русские пошли с еще большими силами уже прямо на Казань, намереваясь изгнать оттуда враждебную крымскую партию.

Неудачный поход 1506 года великого князя ничему не научил. Войско снова двигалось двумя отрядами, разной скоростью. Конницу вел Иван Симский-Ха-

МЕЖДУ АЗИЕЙ И ЕВРОПОЙ

бар, князь Иван Бельский с пешей силой плыл на судах, причем припасы и пушки почему-то следовали отдельно, с отставанием. Хабар, как обычно, оказался на высоте положения — в бою на реке Свияге разбил посланные против него татарские отряды, но идти сушей занимало гораздо больше времени, чем плыть рекой, и Бельский подошел к Казани много раньше.

Хан Сахиб-Гирей к тому времени убежал в Крым за подмогой, оставив вместо себя тринадцатилетнего племянника Сафа-Гирея. Бельский стоял под городом несколько недель, дожидаясь, когда подойдет караван с осадными орудиями и провизией. Но на этот плавучий обоз, не имевший достаточной охраны, напали враги и почти весь его уничтожили. В русском лагере начался голод, уцелевших пушек было недостаточно для штурма стен. Не дождались помощи из Крыма и казанцы. Поэтому они прислали сказать, что готовы повиниться перед Москвой и отказаться от Сахиб-Гирея, если ханом станет Сафа-Гирей.

Положение осаждающих было тяжелым, и русские охотно согласились, хотя это вряд ли можно было назвать успехом: Казань уцелела, а вместо одного Гирея престол занял другой. Ради такого результата вряд ли стоило затевать грандиозный поход.

Через шесть лет, в 1530 году, отношения с повзрослевшим Сафа-Гиреем настолько обострились, что пришлось снова снаряжать большую армию. Ее опять вели двое полководцев: всё тот же недаровитый, но родовитый Иван Федорович Бельский и литовский выходец знаменитый князь Михаил Глинский, о котором будет рассказано в следующей главе. На сей раз обеим половинам войска удалось благополучно соединиться и начать осаду Казани, шедшую вполне успешно. В какой-то момент огонь русских пушек даже согнал защитников со стен, и часа три они были пусты. Но тут сказалась другая беда русского военного уклада — местничество. Полководцы заспорили между собой, кто из них главнее и кому достанется честь взятия Казани. Бельский приходился государю двоюродным племянником и считал себя выше. Глинский же, чуждый московским порядкам, был уверен, что он как родной дядя великой княгини имеет больше прав на первенство. Пока они препирались, татары оправились и вернулись на боевые позиции. Шанс был упущен.

Тем не менее цель похода была достигнута, хоть и не военным путем. В Казани произошел переворот, и мурзы прогнали Сафа-Гирея. Ханом стал московский назначенец царевич Еналей (Джан-Али).

Но власть русской партии была непрочной. Едва лишь Василий III умер, как Еналея свергли, и в Казань вернулся Сафа-Гирей, враг Москвы.

Недолгой получилась и передышка в противостоянии с Крымом. Вскоре возобновилось дипломатическое состязание между Русью и Литвой — кому удастся натравить на соперника крымского хана. Сигизмунд придумал хитроумный и действенный порядок: он платил хану ежегодно 7 500 золотых деньга-

ДЕЛА АЗИАТСКИЕ

ми и на такую же сумму присылал тканей, но выплата производилась, так сказать, по итогам отчетного периода — лишь в том случае, если не было набегов. Василий же скряжничал, и в результате это обходилось много дороже. В 1527 году хан Ислам-Гирей едва не взял Москву. В 1533 году снова случился большой набег. Урон в людях и имуществе всякий раз был огромен, к тому же приходилось сильно тратиться на строительство приграничных крепостей и содержание там постоянной рати.

Со времен Василия III крымская проблема становится тяжелой хронической болезнью московского царства, излечить которую не удастся ни «второму», ни «третьему» русскому государству.

Поскольку Крым являлся протекторатом османской империи, Москве пришлось развивать дипломатические отношения с турками. Василий несколько раз отправлял к султану послов, добивавшихся одного и того же: управы на крымцев и защиты для русских купцов, торговавших на Черном море. При этом государь очень заботился о том, чтобы его представители ни в коем случае не выглядели униженными просителями. Посланнику Михаилу Алексееву (1513) было строго наказано «поклониться султану, руки пригнув к себе выше пояса, по их обычаю, а на колени ему не становиться и в землю челом не бить». Впрочем, если бы посол и бил челом в землю, это вряд ли что-нибудь изменило. Стамбул по-прежнему, как и во времена Ивана III, обращал мало внимания на далекую северную страну. Селима I (1512–1520) больше занимали персидские и египетские дела, Сулеймана Великолепного (1520–1566) — европейские. Впрочем, защиту русским купцам турки обещали и даже иногда бранили своих крымских вассалов за разбой, но те не очень-то слушались.

Если суммировать общее впечатление от русской политики этого периода, совершенно очевидно, что главный интерес Москвы перемещается на запад, в сторону Европы, Азия же воспринимается как нечто досадное и мешающее, утягивающее в прошлое.

Дела европейские

Василий III, хоть и менее успешно, чем отец, продолжал собирать русские земли, оказавшиеся под властью польско-литовской монархии. Отбиваясь от крымцев и пытаясь подчинить казанцев, великий князь теснил западного соседа. Эту политику лаконично и точно охарактеризовал Карамзин: «В сношениях с Литвою Василий изъявлял на словах миролюбие, стараясь вредить ей тайно и явно». Когда же складывалась удобная ситуация, Москва переходила от худого мира к войне.

Литовские неурядицы

Состояние дел внутри Ягеллонской монархии продолжало оставаться скверным, и Литва не всегда могла дать серьезный отпор московским притязаниям. В войнах с Русью ей приходилось довольствоваться собственными ресурсами: обе части большой, но плохо устроенной державы по-прежнему существовали разными интересами.

В 1506 году, вскоре после смерти Ивана III, скончался и его зять король Александр. Если на Руси смена государя произошла без внутренних потрясений, то в польско-литовском государстве началась обычная в таких случаях смута.

У Василия, должно быть, по молодости и неопытности, даже возникла идея разом, безо всяких войн, сделаться действительным государем «всея Руси» — он предложил себя в великие князья литовские: написал вдовствующей королеве Елене, своей сестре, и магнатам, чтобы «пожелали его на государство Литовское». При враждебности отношений и православии Василия это была, конечно, совершенно утопическая затея.

Великим князем литовским, а вскоре и королем польским стал уже немолодой, опытный в государственном управлении Сигизмунд I, брат Александра. Однако новому монарху досталось весьма неспокойное наследство. В Литве, в ее восточных областях, соседствующих с Русью, зрел региональный мятеж — то есть возникла ситуация, которую Москва уже не раз обращала себе на пользу. На сей раз очагом недовольства стали обширные владения, принадлежавшие могущественному роду князей Глинских.

ДЕЛА ЕВРОПЕЙСКИЕ

▶ Род был татарского происхождения, вел начало от Мамая, но исповедовал православие и держался русской культуры. Во главе его стоял честолюбивый Михаил Львович Глинский (1470–1534), одна из самых ярких фигур эпохи. Он был хорошо образован, много лет прожил в Германии, Италии и Испании, побывал на военной службе у саксонского курфюрста. Герберштейн пишет: «Он был крепкого телосложения и изворотливого ума, умел дать хороший совет, был равно способен к серьезным делам и к шуткам и во всякое время был, как говорится, приятный человек. Этими душевными качествами он везде приобретал себе расположение и влияние, в особенности же у германцев, у которых получил воспитание...»

Глинский пользовался огромным влиянием среди русских жителей Литвы, не было препятствий и его придворной карьере, потому что во время европейских странствий он перешел в католичество. У Александра князь занимал ключевую придворную должность земского маршалка. В 1506 году он стяжал воинскую славу, разгромив нагрянувших в украинские земли крымцев, и после смерти короля многие стали говорить, что Глинский метит в великие князья.

Хотя Михаил Глинский заявил, что не имеет притязаний на престол, и присягнул Сигизмунду на верность, новый монарх относился к слишком сильному магнату с подозрением и приблизил к себе его недоброжелателей.

Глинский чувствовал себя уязвленным, требовал суда над магнатом Яном Заберезинским, предводителем враждебной ему партии. Король медлил и тянул время.

Тогда Глинский вступил в секретную переписку с Москвой, прося у Василия поддержки и обещая перейти на его сторону. Сигизмунд, кажется, об этих контактах не догадывался.

Малая война

У короля, наоборот, возникло ощущение, что он может укрепить свою пока еще шаткую власть, взяв реванш над московитами.

Из Вильно казалось, что момент очень удобный. Молодой государь не чета Ивану III, крымский хан Москве больше не союзник, а русское войско только что потерпело поражение от Казани.

Сигизмунд отправил в Москву послов с требованием вернуть все земли, захваченные Русью в правление Ивана Васильевича.

Но к этому времени Василий уже замирился с казанским ханом и сговорился с Михаилом Глинским, поэтому был не прочь повоевать.

В феврале 1508 года князь Глинский поднял мятеж. Начал он с того, что напал на своего заклятого врага Заберезинского и утопил его отрубленную голову в озере, без христианского погребения. Потом стал расправляться с другими врагами, которых у него накопилось немало. Попутно занял для Василия несколько городов и волостей.

С русской территории уже шло войско. Соединившись с силами Глинского, оно осадило важную крепость Оршу, но взять ее не сумело. Тут подошел с армией Сигизмунд. Стороны постояли некоторое время на противоположных берегах Днепра. Глинский рвался в бой, но осторожные московские воеводы рисковать не хотели, да и Сигизмунд сражения побаивался. Военная неудача могла стоить ему короны, и без того непрочно державшейся на его голове.

Битвы так и не произошло. Русская армия вернулась на свою территорию, а Сигизмунд стал просить мира. Ему пришлось согласиться на то, что все прежние завоевания Ивана III теперь станут законным московским владением.

Победа для Руси была невеликая, но всё же это была победа, к тому же доставшаяся без особенных потерь.

Сигизмунд I. Лукас Кранах Младший

ДЕЛА ЕВРОПЕЙСКИЕ

Большая война

Мир 1508 года был объявлен «вечным», но продолжался он недолго. Москва не собиралась отступаться от своих планов по объединению всех русских земель.

Глинскому, ушедшему с московскими полками, Василий в виде компенсации за потерянные вотчины дал два городка, но князю хотелось большего: он надеялся с помощью Василия отвоевать и получить во владение всю русскую часть Литвы. Михаил Львович, с его образованием, знанием Европы и польско-литовской ситуации, стал ближайшим советником государя и всячески подбивал его на новую войну.

В 1512 году в Москве решили, что пора. У Сигизмунда начался конфликт с обоими немецкими орденами, Тевтонским и Ливонским, и испортились отношения с германским императором; к тому же стало известно, что недавний крымский набег на Русь был спровоцирован литовскими интригами.

Целью новой войны было присоединение старинного русского города Смоленска с прилегающими к нему областями. Это был крепкий орешек — с прочными укреплениями и сильным гарнизоном.

Подступались к нему трижды.

Сначала зимой 1512–1513 годов сам Василий с братьями Юрием и Дмитрием полтора месяца простоял под стенами Смоленска, но взять его не сумел.

Летом 1513 года пришли снова и даже нанесли смоленской рати поражение в открытом поле, но занять город не вышло. Попробовали взять приступом, но штурмовать большие крепости русские войска в ту пору умели плохо. Василий придумал, как ему показалось, удачное средство повысить боевой дух воинов. «Для ободрения людей выкатили несколько бочек крепкого меду: пил, кто и сколько хотел, — рассказывает Карамзин. — Сие средство оказалось весьма неудачным. Шум и крик пьяных возвестил городу нечто чрезвычайное: там удвоили осторожность. Они [русские] бросились смело на укрепления; но хмель не устоял против ужасов смерти. Встреченные ядрами и мечами, Россияне бежали, и Великий Князь чрез два месяца возвратился в Москву, не взяв Смоленска, разорив только села и пленив их жителей».

На следующее лето Василий появился под Смоленском уже с мощными пушками. Осажденные несли тяжелые потери, но еще действеннее оказались переговоры, которые вел Михаил Глинский с наместником Юрием Сологубом, православным владыкой Варсонофием и городской знатью. Он сулил им всяческие милости от государя, и в конце концов руководители обороны капитулировали — ведь за все три осадные кампании подмоги от своего короля они так и не получили.

149

МЕЖДУ АЗИЕЙ И ЕВРОПОЙ

Василий сдержал слово. Он не только пощадил город, но и наградил видных смолян кого шубой, кого серебряным кубком. Всех желающих отпустил к Сигизмунду, велев остаться лишь тем, кто готов служить Москве по доброй воле. Жителей привели к присяге, которая предписывала «быть за великим князем и добра ему хотеть, за короля не думать и добра ему не хотеть». Юрий Сологуб служить Василию отказался и уехал к Сигизмунду, который предал наместника казни, расценив сдачу города как измену.

Взятие твердыни, которая так долго не доставалась Москве, стала главным военным достижением и самой большой удачей Василия в Литве.

Дальше дела пошли хуже.

Михаил Глинский в награду за свои заслуги рассчитывал по меньшей мере стать князем Смоленским, что полностью противоречило государственной политике самодержавной Руси, не для того избавлявшейся от старых удельных княжеств, чтобы заводить новые. Поняв, что его планам не суждено осуществиться, Глинский обиделся на Василия и вступил в тайные сношения с Сигизмундом, который, конечно, был очень этому рад. Михаил Львович тайно покинул расположение русских войск и бежал, однако его настигли и схватили.

От казни изменника спасло только то, что он отрекся от католичества и вернулся в православие. Однако больше чем на десять лет Михаил Глинский исчезает со сцены: князя держали в заточении. Вновь его звезда взошла только в 1526 году, когда Василий, женившись на Елене Глинской, простил ее дядю и вновь сделал его одним из первых бояр державы.

В 1514 году, вскоре после неприятного инцидента с Глинским, произошло событие во сто крат худшее.

Навстречу русской армии наконец выступило с большим трудом набранное литовское войско. Оно было меньше московского, но командовал им князь Константин Острожский, человек русский и православный, очень хорошо знавший все сильные и слабые стороны неприятельской армии. Напомню, что в 1500 году в битве на реке Ведроше Острожский был взят в плен и перешел на службу к Ивану III, однако Василий этого опытного полководца чем-то обидел, и тот убежал назад, на родину.

Довольно подробное описание сражения, произошедшего 8 сентября 1514 года под Оршей, оставил Герберштейн, собравший информацию с обеих сторон (он даже расспросил пленных русских воевод).

Литовская армия, насчитывавшая около 35 тысяч воинов, шла возвращать Смоленск. Московский воевода Иван Челяднин вел навстречу 80-тысячную рать и был совершенно уверен в победе, уповая на численное превосходство. Он даже нарочно отошел от Днепра, чтобы литовцы могли спо

ДЕЛА ЕВРОПЕЙСКИЕ

койно переправиться, и не захотел начинать битвы, пока к Острожскому не подойдут подкрепления — собирался разом уничтожить всю вражескую армию.

 Русские использовали обычную тактику — предприняли обходной маневр, чтобы обойти неприятеля с обоих флангов. Острожский ожидал этого и построил войска так, чтобы не дать себя окружить.

Некоторое время с переменным успехом продолжался рукопашный бой, причем с русской стороны постоянно прибывали подкрепления, так что масса войск все время увеличивалась. И тут Острожский применил новаторский тактический прием. Он имитировал отступление, чтобы выманить неприятеля на заранее пристрелянное пушками место, а потом его артиллерия открыла навесной огонь по задним рядам русских, поверх голов сражающихся. Не видя того, что происходит впереди, и решив, что бой проигран, замыкающие отряды обратились в бегство, а за ними побежала и вся армия.

Литовская конница преследовала и рубила бегущих. На их пути оказалась река Кропивна с крутым берегом, и там утонуло так много народу, что поток был запружен.

У стен Смоленска. *И. Сакуров*

МЕЖДУ АЗИЕЙ И ЕВРОПОЙ

Убитых никто не сосчитал, но в плен, по разному счету, попало то ли шестнадцать, то ли даже тридцать тысяч. Точно известно, что из одиннадцати русских «больших воевод» двое погибли и шестеро, включая командующего, сдались, а уйти сумели только трое. В плену оказались более шестисот детей боярских.

После такого разгрома Острожский взял несколько городов и беспрепятственно подошел к Смоленску, где немедленно подняли голову литовские сторонники, в том числе и горожане, недавно присягнувшие Василию и получившие от него за это награды. К их числу относился даже епископ Варсонофий. Они обещали впустить королевское войско в город. Но наместник Василий Шуйский раскрыл этот замысел, и, когда Острожский приблизился к стенам, там были развешаны все заговорщики: кто в подаренной Василием шубе, кто с наградным кубком на шее. Пощадили только владыку, но лишили сана и сослали в дальний монастырь.

У Острожского не было тяжелой артиллерии, и ему пришлось отступить. Таким образом, несмотря на Оршинское поражение, Смоленск остался у русских.

Война после этого длилась еще долго, но ничего значительного на театре боевых действий больше не происходило.

Дипломатическая война

Главные события теперь разворачивались на дипломатическом фронте. С 1517 года, при посредстве германского императора, которого представлял Сигизмунд фон Герберштейн, начались долгие, неоднократно прерывавшиеся переговоры о мире или хотя бы перемирии.

Василий, взяв Смоленск, на большее пока не претендовал; у короля не хватало сил, чтобы отобрать эту твердыню. При этом обе стороны не оставляли надежду взять верх с помощью привлечения внешних сил, поэтому торговля велась неспешно.

Первоначальные требования и русских, и литовцев были заведомо невыполнимы. Москва требовала отдать ей все исконно русские земли, включая Киев, Полоцк и Витебск (то есть бо́льшую часть литовской территории), потому что король «держит их неправдою»; Сигизмунд с таким же упорством добивался возвращения Смоленска. Главным козырем литовцев были захваченные под Оршей пленные. Простолюдины Василия, кажется, мало интересовали, но у знатных людей в Москве имелись родственники, и с ними нельзя было не считаться.

Время от времени то русские, то литовцы (но чаще русские, у которых было больше войск) предпринимали военные демонстрации — исключительно чтобы понудить противную сторону к уступчивости.

ДЕЛА ЕВРОПЕЙСКИЕ

Судьба войны тем временем решалась не на русско-литовских переговорах и не в мелких стычках, а далеко на юге и на севере. Дипломаты обеих сторон пытались перекупить крымского хана и тевтонского магистра. На обоих направлениях Москва потерпела поражение, причиной чему была злосчастная скупость Василия.

Мы уже знаем, чем закончилась его попытка натравить на литовцев магистра Альбрехта Гогенцоллерна: ему дали денег всего на две тысячи солдат, и в результате тевтонцы перешли в польское подданство.

Альбрехт Гогенцоллерн. *Лукас Кранах Старший*

Крымский хан тоже, как было рассказано, склонился на сторону Сигизмунда, и в 1521 году едва не взял Москву, оставив Русь разоренной и обезлюдевшей. Эта катастрофа наконец побудила Василия к большей сговорчивости. Сигизмунд тоже устал от нескончаемой войны, дорого обходившейся его казне.

В сентябре 1522 года подписали не мир, а перемирие сроком на пять лет. Смоленск остался за Русью, но пленных бросили на произвол судьбы (выжив-

МЕЖДУ АЗИЕЙ И ЕВРОПОЙ

шие вернутся домой только тридцать лет спустя). Еще болезненнее для Василия была политическая уступка: он официально отказывался от прав на Киев, Полоцк и Витебск, то есть от претензий на «всю Русь».

Такое решение, конечно, являлось временным компромиссом, и всем было ясно, что впереди будут новые войны.

Все прочие европейские дипломатические контакты Москвы были так или иначе связаны с русско-литовским противостоянием.

Со Швецией старались не ссориться, трижды продлевая мирный договор. Удерживались от прямых столкновений с вечно враждебным Ливонским орденом. Помирились с Ганзой, которую Иван III изгнал из Новгорода, чтобы торговать с Европой без посредников. Дружили с Данией, предоставляли всякого рода льготы датским купцам.

Оживились связи с германским императором, но опять-таки исключительно в связи с польско-литовской проблемой. Габсбургская империя, в зависимости от своих отношений с польским королем, то поддерживала Москву в ее борьбе, то начинала уговаривать помириться.

Римский папа вновь пытался подбить московитов к союзу против турок, взамен предлагая великому князю королевское звание, но Василий, как и его отец, от этой сомнительной чести отказался.

Любопытным эпизодом русской внешней политики было предпринятое в 1525 году посольство ко двору испанского Карла V, куда московский посол князь Иван Ярославский-Засекин добирался целых восемь месяцев. Путешествие было затеяно, потому что король был еще и германским императором, и Василий рассчитывал на его поддержку в отношениях с Литвой, однако Карла мало интересовали восточно-европейские дела, и проку из поездки не вышло.

В целом же контакты Москвы с Западной Европой при Василии III были эпизодическими, на постоянной основе они не велись. В восприятии западноевропейцев «Московия» по-прежнему оставалась страной далекой, малопонятной и еще более дикой, чем Литва, где, по крайней мере, жили не «схизматики», а «настоящие христиане».

1505-1533
Оценка и итоги

Большинство историков отзываются о правлении Василия Ивановича положительно, считая, что он был верным, хоть и не всегда эффективным продолжателем политики великого отца. В сущности, этот распространенный взгляд совпадает с оценкой, которую Василию III в свое время дал еще Герберштейн: «Он во многом подражал своему отцу, сохранил в целости доставшееся ему и присоединил к своим владениям многие области не столько войною, в которой был весьма несчастлив, сколько хитростью». Карамзин и вовсе провожает Василия III прочувствованным панегириком: «Василий стоит с честию в памятниках нашей Истории между двумя великими характерами, Иоаннами III и IV, и не затмевается их сиянием для глаз наблюдателя; ...он шел путем, указанным ему мудростию отца, не устранился, двигался вперед шагами, размеренными благоразумием, без порывов страсти, и приблизился к цели, к величию России, не оставив преемникам ни обязанности, ни славы исправлять его ошибки; был не Гением, но добрым Правителем; любил Государство более собственного великого имени и в сем отношении достоин истинной, вечной хвалы, которую не многие Венценосцы заслуживают. Иоанны III творят, Иоанны IV прославляют и нередко губят; Василии сохраняют, утверждают Державы и даются тем народам, коих долговременное бытие и целость угодны Провидению».

При этом создается ощущение, что авторы так благожелательны к этому государю, потому что его эпоха предстает истинным золотым веком по сравнению с ужасами следующего царствования. Если бы мрачная тень Ивана IV не затмевала фигуру его отца, то пришлось бы сравнивать Василия с Иваном III. Сияние предшествующего правления выставило бы период 1505–1533 годов совсем в ином свете: как *потерянное время*.

Страна продолжала расти и богатеть, население увеличивалось, росли города и развивались ремесла, но все эти позитивные явления были инерционным продолжением импульса, порожденного мощной энергией национального объединения и централизации.

Иван III достиг очень многого. Он заложил фундамент государства, но само здание еще нужно было построить. Василий ничего для этого не сделал. Он правил по старинке, не провел ни одной важной реформы: ни административной, ни судебной, ни местной. Государь заседал с ближними боярами, ездил на богомолья, охотился, устраивал свою семейную жизнь, а между тем в эту эпоху движение истории невероятно ускорилось, в Европе происходили огромные перемены. Это было время великих географических открытий, невиданного рывка науки, техники, культуры. Происходила настоящая революция в мореплавании, военном деле, мировой торговле. Запад эволюционировал все быстрее, Москва же, наоборот, замедлила темп, взятый Иваном III. Русь и прежде сильно отставала от Европы, теперь этот разрыв сделался еще заметнее.

Результаты не замедлили сказаться. Если в начале правления Василия баланс сил в конфликте с Литвой был явно не в пользу последней, то во второй половине периода ситуация начинает меняться. К моменту смерти Василия III положение Московской Руси заметно ухудшилось по сравнению со временем его восшествия на престол — а только по этому критерию, наверное, и следует давать оценку деятельности правителя.

В обмен на Смоленск пришлось пойти на формальный отказ от присоединения малороссийских и белорусских территорий; конфликты с татарскими ханствами истощали ресурсы страны, причем усилившийся Крым стал представлять для Руси нешуточную опасность.

Выход на балтийские берега, произошедший при Иване III, естественным образом вводил Русь в сферу большой европейской политики и торговли, но Василий, всецело занятый литовскими и татарскими проблемами, кажется, совершенно не занимался этим стратегическим направлением. Однако без твердого положения на Балтике страна была обречена оставаться европейским захолустьем, доступ которого к торговле и новым технологиям контролировали враждебные страны: Ливонский орден и польско-литовское королевство.

Все эти колоссальные проблемы — внутриполитическую, татарскую, литовскую, балтийскую — Василий III оставил своему наследнику, трехлетнему Ивану.

ВРЕМЯ ИВАНА ГРОЗНОГО (1533-1584)

Пожалуй, никто в русской истории кроме разве что Сталина не вызывал столько ожесточенных споров, как Иван IV Васильевич. Оно и неудивительно, поскольку это царствование, очень долгое и изобиловавшее драматическими событиями, сопровождалось грандиозными победами и катастрофическими поражениями, великими свершениями и ужасающими злодеяниями. Государственная модель, заложенная Иваном III, предполагала абсолютную, бесконтрольную власть самодержца над всеми сферами общественно-политической жизни, и в правление внука великого объединителя все плюсы и минусы этой системы проявились в полной мере.

Иван Грозный, казалось, совмещал в себе не одну личность, а две, притом несовместимые. Этот русский Джекилл-Хайд был, с одной стороны, реформатором и строителем, с другой — разрушителем государства и разорителем отечества; блестящим триумфатором — и жалким неудачником; истовым христианином — и сатанинским отродьем. А кроме того, он был еще книжником, красноречивым оратором, ярким писателем и музыкантом. Как всё это уживалось в одном человеке — загадка.

Царствование Ивана IV — проявление самодержавия в самой крайней его форме. Московское государство словно превратилось в огромное тело при крошечной и не всегда здоровой голове. Когда эта голова хорошо соображала и не болела, тело было здоровым и крепким; когда же у головы случалось помутнение или начиналась жестокая мигрень, всю Русь корчило в конвульсиях.

Я уже писал о том, чем отличаются друг от друга выдающийся, средний и скверный правители: первый сам вырабатывает программу действий и успешно ее осуществляет; второй просто плывет по течению; третий начинает плыть против течения, барахтается, захлебывается (часто — кровью) и становится камнем, который тянет государство ко дну.

Иван IV начинал как лучший из правителей, а затем, обойдясь без промежуточной стадии, переместился в разряд правителей третьей категории. В середине жизни с монархом случился некий надлом, о природе которого историки и литераторы выдвинули множество версий и предположений — в своем месте мы их, разумеется, рассмотрим. Этот явный, отмечаемый всеми авторами роковой рубеж определяет структуру данной части тома. Она разделена на две половины: «Время собирать камни» и «Время разбрасывать камни».

МЕЖДУ АЗИЕЙ И ЕВРОПОЙ

Есть и еще одна композиционная особенность. Поскольку запоздалый наследник Василия III взошел на престол трехлетним ребенком, государство пережило кризис высшей власти. Случился парадокс, совершенно не предусмотренный моделью Ивана III: довольно долгое время самодержавие должно было обходиться без самодержца.

Первая глава посвящена событиям странного и смутного периода, когда российский корабль плыл словно сам по себе, то бросаемый из стороны в сторону, то описывающий круги на одном месте. Именно в это хаотичное время сформировалась личность мальчика, а затем юноши, которому предстояло встать у кормила государственной власти.

Без государя

Целых полтора десятилетия, с 1533 до 1547 года, Русь существовала в условиях не то чтобы безвластия, но беспрестанной политической чехарды и нестабильности, сотрясаемая всё новыми и новыми правительственными переворотами.

В этой опасной ситуации страну спасали два обстоятельства.

Правящая верхушка, внутри которой шла непрекращающаяся борьба за первенство, была слишком поглощена раздорами и потому не слишком вмешивалась в естественные хозяйственно-экономические процессы, двигавшиеся своим чередом. Русь продолжала жить собственной жизнью. Самое лучшее, что может сделать слабая власть, когда страна развивается — не мешать; это и происходило. Осваивались новые пахотные земли, росли и богатели города. В эти годы политического безвременья, кажется, впервые проявилось замечательное качество русского народа: если его не тиранить и не слишком притеснять, он отлично управляется без мелочной опеки сверху.

Вторым благоприятным фактором было отсутствие внешней угрозы — с этим молодому государству в период неустроенности и дезорганизованности очень повезло.

Польско-литовский король Сигизмунд Старый теперь был совсем старым, воевать не хотел и всё надеялся, что Московия погрязнет в междоусобице и сама распадется на куски. Перемирие закончилось, летом 1534 года возобновились боевые действия, но обе стороны вели себя вяло: поляки скупились собирать большую армию, русским вообще было не до войны. Три года длились стычки, сводившиеся к мелким походам за трофеями, а в 1537 году сговорились о еще одном пятилетнем перемирии.

Поначалу везло и с Крымом. Там шла гражданская война между родственниками-Гиреями. В конце концов победил Сахиб-Гирей, но его больше занимали татарские проблемы — в первую очередь контроль над Казанским царством. У Москвы в ее теперешнем состоянии не хватало политической воли на поддержку русской партии в Казани, и крымским агентам в 1535 году удалось устранить московского ставленника Еналея, посадив вместо него Сафа-Гирея, представителя крымской династии. С этой неприятностью пришлось смириться — в отсутствие самодержавного правителя мобилизовать силы для большой войны на Руси было некому. Хуже то, что с 1540 года крымцы, подкупаемые польским королем, возобновили почти ежегодные

МЕЖДУ АЗИЕЙ И ЕВРОПОЙ

грабительские походы. Приходилось терпеть и это, благо нападения были локальными.

На Балтике сохранялось спокойствие. Ливония и Швеция тоже переживали трудные времена и русских владений не трогали. С обеими странами были заключены торговые договоры.

Конечно, настоящий сильный правитель, каким был Иван III, в столь выигрышной международной обстановке не сидел бы сложа руки, а воспользовался бы слабостью соседей, чтобы захватить новые земли и расширить свое влияние — именно так была устроена геополитическая жизнь той эпохи, построенная на праве сильного. Однако боярская, то есть аристократическая система правления, хорошо себя проявившая в XIV и в первой половине XV века, к середине XVI века стала архаичной и неэффективной: когда не было монарха, способного принимать стратегические решения, решения и не принимались. Каждый временщик заботился не о государственном интересе, а о своей личной корысти и безопасности. Через несколько десятилетий в письме к князю Курбскому царь Иван описывает это время так: «Все расхитили лукавым умыслом, будто детям боярским на жалование, а между тем все себе взяли; из казны отца нашего и деда наковали себе сосудов золотых и серебряных, написали на них имена своих родителей, как будто бы это было наследованное добро… Потом на города и села наскочили и без милости пограбили жителей, а какие пакости от них были соседям и исчислить нельзя; подчиненных всех сделали себе рабами, а рабов своих сделали вельможами; думали, что правят и строят, а вместо этого везде были только неправды и нестроения, мзду безмерную отовсюду брали, всё говорили и делали по мзде».

За время, пока подрастал новый самодержец, политическая власть в стране менялась шесть раз.

Хоть Василий III умирал долго и очень беспокоился за жену и сыновей, его посмертные распоряжения были плохо продуманы. Он просто взял трех самых авторитетных и опытных сановников да повелел им «ходить» к великой княгине Елене, то есть осуществлять управление от ее имени. Это были три старика: дядя государыни князь Михаил Глинский, заслуженный боярин Михаил Захарьин-Юрьев и Иван Шигона-Поджогин, главный советник Василия. Вероятно, умирающий рассчитывал, что таким образом будет сохранен баланс сил между кланом Глинских, старой московской аристократией и служилой бюрократией. Однако пресловутая система «сдержек и противовесов» работает только при наличии верховного арбитра — правителя, а в его отсутствие немедленно рассыпается, сменяясь борьбой за власть.

Это и произошло, но не сразу. Главную опасность для московской верхушки представляли братья покойного — Юрий Дмитровский и Андрей Старицкий. Поэтому первым делом, прямо от гроба, митрополит и бояре повели обоих кня-

БЕЗ ГОСУДАРЯ

зей присягать маленькому племяннику, причем дядья обязались «государства не хотеть» и сидеть в своих уделах. Но этого москвичам показалось мало. Несколько дней спустя честолюбивого Юрия обвинили в заговоре и взяли под стражу. Посадили в ту же темницу, где в свое время угас несчастный Дмитрий Иванович, и уже не выпустили до самой смерти — три года спустя князь умер «гладкою нужею», то есть голодной смертью. Тихого Андрея пока оставили на свободе, но вдалеке от столицы, куда тот, впрочем, и сам боялся показываться («трепетал за себя и колебался в нерешимости», пишет Карамзин).

Устранив общую опасность, московские сильные люди начали враждовать между собой.

Оставленный покойным «триумвират» продержался всего несколько месяцев и был разгромлен стороной, которая, по-видимому, никем всерьез не принималась — вдовствующей великой княгиней. И сам Василий, и его бояре относились к молодой Елене Глинской просто как к матери будущего государя. По представлениям тогдашних русских людей женщина должна была сидеть в тереме и не покушаться на управление чем бы то ни было, тем более государством. Однако Елена была воспитана в иных традициях и к тому же оказалась человеком решительным, до безжалостности твердым.

Овдовев, она поступила не по-русски, а по-европейски: обзавелась фаворитом. Князь Иван Овчина-Телепнев-Оболенский, имевший важный придворный чин конюшего и тесно связанный с членами Боярской думы, которых «триумвиры» отодвинули от власти, не только завоевал сердце великой княгини, но и не побоялся вступить в конфликт с ее дядей, прославленным Михаилом Глинским. В этом противостоянии Елена взяла сторону не дяди, главы ее рода, а любовника. Удар был нанесен в августе 1534 года, когда Михаила Глинского по приказу государыни арестовали. Сделать это оказалось не так уж трудно, поскольку, в отличие от Захарьина-Юрьева и Шигоны-Поджогина, у князя Глинского, человека иноземного и к тому же много лет просидевшего в заточении, не было своей партии. Племянница посадила дядю обратно в ту же тюрьму, где старик вскоре умер. Тем самым Елена избавилась не только от непрошеного опекуна, но и от самого опасного члена «триумвирата». Двое остальных были менее активны и без дальнейшей борьбы отошли в тень.

Так свершился первый переворот. В стране установилась власть великой княгини Елены и князя Овчины-Оболенского.

 Во всей старомосковской истории есть только еще один случай официального «женского» владычества: правление царевны Софьи в конце XVII века, но о Глинской мы знаем гораздо меньше, чем о старшей сестре Петра Первого. Елена несомненно была женщиной умной и волевой, если сумела переиграть многоопытных интриганов и не побоялась, в нарушение всех московских обычаев, вывести на первый план своего возлюбленного.

Зато мы знаем, как она выглядела.

Елена Глинская. *Реконструкция С. Никитина*

Этот скульптурный портрет был сделан по результатам вскрытия гробницы Елены в 1998 году. Она была красивой, пропорционально сложенной, довольно высокого по тем временам роста (165 см) и рыжеволосой — впрочем, последнее обстоятельство вряд ли было известно современникам, поскольку женщины столь высокого положения всегда тщательно прикрывали волосы.

Все сколько-нибудь значительные деяния этого скудного свершениями периода русской истории были осуществлены в короткий период Елениного правления.

Была проведена давно уже необходимая денежная реформа. Наследие былой раздробленности — хождение множества разновесных монет — очень затрудняло и торговлю, и сбор всевозможных пошлин. При Елене наконец стали

БЕЗ ГОСУДАРЯ

чеканить стандартную серебряную «копейку», названную так по изображению всадника с копьем.

Столица обзавелась еще одним поясом обороны — Китайгородской стеной, защитившей часть московских посадов, которые прежде в случае угрозы вражеского нападения нужно было предавать огню.

Кроме того, в 1537 году Елена провела жестокую, но необходимую для государственного единства операцию по устранению последнего потенциального претендента на престол — князя Андрея Старицкого. Как бы смирно тот ни сидел в своем уделе, но пока он был на свободе, положение маленького Ивана оставалось непрочным.

Когда великая княгиня стала требовать, чтобы князь явился в Москву, стало ясно, что это не к добру. Андрей Иванович долго тянул время, сказываясь больным. Наконец, желая продемонстрировать свою кротость и лояльность, отправил в столицу всю свою немалую дружину — то есть добровольно разоружился. Этого-то безжалостная правительница, по-видимому, и ждала. На беззащитную Старицу пошли московские полки. Перепуганный Андрей кинулся в бега, но ни на мятеж, ни на эмиграцию решимости у него не хватило. В конце концов он поддался на обещания милости, явился к Елене, но милости не дождался. Приближенных Старицкого повесили, а самого его посадили в заточение, почему-то заковав ему голову в «железную шляпу». Андрей Иванович, человек уже пожилой, в положении «железной маски» продержался недолго и скоро умер. (Нельзя не отметить, что все враги Елены Глинской умирали очень быстро и удобно — вероятно, не без посторонней помощи.)

Наверное, из этой суровой, сильной женщины получилась бы неплохая регентша, которая благополучно «додержала» бы государство до совершеннолетия сына, но в апреле 1538 года Елена Глинская, едва дожив до тридцати лет, скончалась. Герберштейн, повторяя ходившие в Москве слухи, утверждает, что правительницу отравили, и это вполне возможно. Однако смерть могла произойти и по естественным причинам. Известно, что в последний год жизни великая княгиня много хворала и ездила по монастырям молиться об исцелении.

Лишившись покровительницы, князь Овчина-Оболенский не продержался и недели. На седьмой день по кончине Елены произошел переворот: временщика схватили, посадили в заточение и, чтобы не обагрять рук кровью, «умориша гладом и тягостию железною».

Во главе третьего по счету правительства оказался могущественный клан Шуйских — Рюриковичей из рода суздальских князей. Их предводителем был знаменитый Василий Васильевич — тот самый воевода, что после Оршинского разгрома (1514) сумел удержать Смоленск, повесив на стенах изменников. Не ограничившись устранением Овчины-Оболенского, этот крутого нрава боярин, за молчаливость прозванный Немым, изгнал из думы своих врагов, а злейшего из

165

МЕЖДУ АЗИЕЙ И ЕВРОПОЙ

них, «великого дьяка» Федора Мишурина предал бессудной казни. Затем Василий Шуйский женился на казанской царевне Анастасии (дочери крещеного татарского царевича Петра и Евдокии, сестры Василия III), чем еще больше закрепил свое первенство, взяв титул «наместника на Москве». Однако новый правитель провластвовал недолго. Через несколько месяцев он тяжело заболел и умер.

Партию Шуйских возглавил его брат Иван Васильевич, не отличавшийся государственными талантами. Он испортил отношения со многими влиятельными боярами, а затем и с высшим духовенством, изгнав митрополита Даниила и поставив на его место троице-сергиевского игумена Иоасафа, который скоро переметнулся в противоположный стан. К лету 1540 года Иван Шуйский оказался практически в изоляции. Митрополит Иоасаф и его союзник князь Иван Бельский, неважный полководец (тот самый, кто бездарно воевал под Казанью), но весьма ловкий интриган, без особенного труда оттерли чванливого и неумного Ивана Шуйского от власти.

Этот тандем тоже продержался наверху недолго, около полутора лет. Ошибкой Бельского и митрополита Иоасафа было то, что они не расправились с Шуйскими. В январе 1542 года произошел новый переворот. Люди Ивана Шуйского ночью ворвались во дворец к Бельскому, бросили его в сани и отправили в ссылку, на север, и там, вдали от столицы, через несколько месяцев потихоньку умертвили. Митрополит, за которым тоже пришли, кинулся спасаться в покои великого князя, но заговорщиков это не остановило. Иоасафа чуть не прикончили на месте, однако удовлетворились тем, что сослали в монастырь. Его место занял новгородский архиепископ Макарий — как мы увидим, личность во многих отношениях выдающаяся.

Неудачный опыт предшествующего правления, кажется, ничему не научил Шуйских. Повторно захватив власть, они стали держаться еще надменней, чем прежде. В 1542 году наместник Иван Шуйский умер, и его место занял Андрей Михайлович Шуйский, личность уже совершенно ничтожная.

С великим князем он не считался и не церемонился, что было большой ошибкой, ибо Иван уже выходил из детского возраста и вел счет своим обидам.

Он не забыл, как в его присутствии Шуйские волокли из дворца митрополита Иоасафа. Новым оскорблением стала расправа над полюбившимся мальчику боярином Федором Воронцовым. Прямо при тринадцатилетнем Иване люди Шуйских набросились на Воронцова и стали его избивать, а затем, невзирая на просьбы юного монарха, отправили прочь из Москвы, в ссылку.

Три месяца спустя подросший Иван впервые показал зубы: 29 декабря 1543 года он приказал своим псарям схватить Андрея Шуйского. Застигнутый врасплох, временщик был забит до смерти. Великокняжеские слуги раздели труп донага и оставили валяться на земле, в воротах его собственного дворца — в

БЕЗ ГОСУДАРЯ

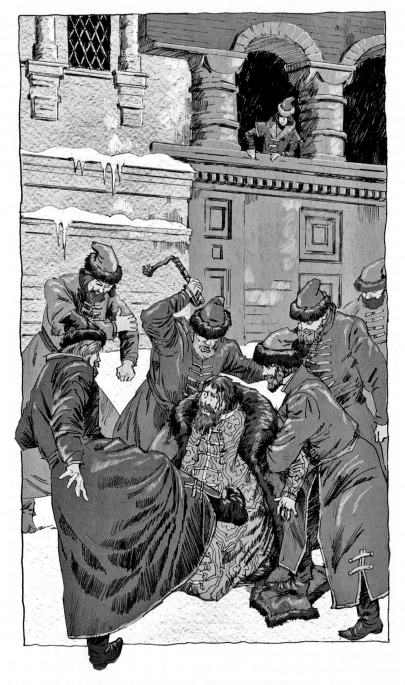

Псари убивают Андрея Шуйского. *И. Сакуров*

167

МЕЖДУ АЗИЕЙ И ЕВРОПОЙ

устрашение всем государевым обидчикам. Этой демонстрации оказалось достаточно, чтобы власть Шуйских пала. Все видные деятели их партии были отправлены в ссылку. В Москве свершился новый переворот, на сей раз осуществленный самим великим князем. «И от тех мест начали бояре от государя страх имети и послушание», говорится в летописи.

Однако монарх был еще слишком юн, чтобы править самостоятельно. Во главе государства оказалась очередная аристократическая клика, только теперь она состояла не из чужих Ивану бояр, а из его ближайших родственников, дядьев Юрия и Михаила Глинских. Большим влиянием пользовалась и их мать сербчанка Анна Стефановна, приходившаяся великому князю бабушкой.

От очередной смены режима жизнь страны не улучшилась. Молодые Глинские не только были никудышными правителями, но еще и предавались всевозможным бесчинствам, так что вскоре заслужили ненависть столичного населения. Однако, в отличие от Шуйских, они во всем потакали подростку Ивану, и государево покровительство делало их положение прочным.

В ту эпоху совершеннолетие наступало в пятнадцать лет — именно до этого возраста Василий III завещал опекунам «беречь» его сына, однако Иван пока не выказывал желания взять на себя государственные заботы. Он превращался в жестокого и вздорного юношу, который карал без вины и жаловал без заслуг, а Глинские лишь поощряли этот произвол.

В 1545 году великий князь разгневался на боярина Афанасия Бутурлина «за невежливые слова» и велел отрезать виновному язык. Когда Боярская дума возмутилась, Иван всю ее подверг опале, так что митрополиту Макарию пришлось долго утрясать этот конфликт.

В следующем 1546 году бесчинства юного государя привели к настоящему политическому кризису.

> В ожидании очередного набега крымцев было решено устроить военную демонстрацию — вывести полки на южный рубеж. Подросший Иван возглавил войска сам и встал лагерем у Голутвина, однако татары не появились, и великий князь со скуки начал тешиться всяческими озорствами. Сначала они были безобидны: юноша попробовал сам пахать и заставил заниматься тем же вельмож; потом затеял разгуливать на ходулях. Однако игра в похороны, когда живого человека наряжали в саван и срамословно «отпевали», показалась боярам кощунством, и они зароптали.
>
> Игривое настроение Ивана моментально сменилось яростью. Возможно, все голутвинские безобразия были устроены не просто так, а специально для провоцирования боярского возмущения — дабы проверить пределы своей власти.
>
> Прямо перед великокняжеским шатром были обезглавлены трое старших бояр: дворецкий Иван Кубенский, приходившийся Ивану родственником, недавний любимец Федор Воронцов (тот самый, обиженный Шуйскими и впоследствии вернувшийся ко двору) и брат последнего Иван Воронцов. Еще один боярин, Иван Федоров-Челяднин

БЕЗ ГОСУДАРЯ

спасся лишь тем, что униженно молил о пощаде. Этого немолодого уже сановника, который занимал высокий пост конюшего, «ободрали нага» и отправили в ссылку. Молодого Федора Овчину-Оболенского (сына фаворита Елены Глинской) посадили на кол. Князю Ивану Дрогобужскому отрубили голову. Это было предвестием мучительств, которым Иван будет подвергать боярство в позднейшие годы.

К этому же времени относятся два серьезных государственных события, совершенных по инициативе молодого государя: его венчание на царство (январь 1547) и женитьба (февраль 1547), о чем будет подробно рассказано в следующих главах, но эти проявления политической воли пока еще были эпизодическими. Вплоть до лета 1547 года фактическая власть находилась в руках Глинских.

Конец правлению временщиков положили события драматические.

С середины весны в Москве один за другим произошли сильные пожары. Неизвестно, были ли эти несчастья случайными или же действовали поджигатели, недовольные засильем Глинских и хотевшие вызвать мятеж. Скорее всего, поначалу пожары происходили сами собой, а затем, чувствуя воспаленные настроения в народе, кто-то решил этим воспользоваться и довести дело до взрыва.

21 июня 1547 года запылал Кремль, так что выгорели соборы и дворцы, а вслед за тем и городские посады. В огне погибли 1700 человек.

Был пущен слух, что виной всему Глинские. Бабка государя Анна-де летала по небу сорокой, вырывала у людей сердца и ворожила, а сыновья ей в колдовстве помогали. Иррациональность обвинений (зачем бы Глинские стали сжигать город и так им принадлежавший?) никогда не служит препятствием для бунта, если народ находится в истерическом состоянии. Толпа, состоявшая не только из черни, но и многочисленных детей боярских (что косвенным образом подтверждает теорию заговора), разгромила терема Глинских и перебила их слуг. Князя Юрия схватили прямо в Успенском соборе, на глазах у юного Ивана, и забили камнями.

Царь в ужасе скрылся в помосковную резиденцию Воробьево, однако толпа явилась и туда — требовать выдачи княгини Анны и ее сына Михаила. Уцелевших Глинских не сыскали, однако их власть на этом закончилась.

С лета 1547 года эпоха боярского управления завершается. Потрясенный страшными пожарами и народным мятежом, семнадцатилетний Иван перестает быть лишь символом государственной власти и становится ее фактическим предержателем.

А это означает, что пришло время ближе познакомиться с человеком, личные особенности которого на протяжении нескольких десятилетий будут существенным образом влиять на ход русской истории.

Иван Васильевич IV в жизни

Личное и семейное

Конечно, когда речь идет о самодержце, отделить государственное от приватного очень непросто. То, что обычно относится к сфере сугубо частной — браки, разводы, рождение детей, болезни — у монархов становится событием политическим. И все же русский царь с пугающим прозвищем «Грозный» точно так же, как все люди, был ребенком, вырос, прошел через все естественные этапы человеческого бытия, и каждая из происходивших с ним перемен немедленно сказывалась на внутренней и внешней жизни страны. Это был человек непоследовательный, импульсивный, странный, и без понимания внутренней механики его поступков вряд ли возможно разобраться в истории этого важного и трудного периода.

Частная биография Ивана IV известна гораздо хуже, чем может показаться по количеству посвященных ей художественных и исторически-полемических сочинений. С. Платонов пишет: «Материалы для истории Грозного далеко не полны, и люди, не имевшие с ним прямого знакомства, могут удивиться, если узнают, что в биографии Грозного есть годы, даже целые ряды лет без малейших сведений о его личной жизни и делах». Добавлю: многие факты, считающиеся общеизвестными, при ближайшем рассмотрении оказываются недостоверными или сомнительными. И при жизни, и после смерти Иван был окружен слухами и сплетнями, что и неудивительно — в истории нечасто встречаются венценосцы, до такой степени (выражаясь сдержанно) колоритные.

Что же нам доподлинно известно о жизни этого человека?

Он родился 25 августа 1533 года, когда великий князь Василий был уже очень немолод и почти отчаялся обзавестись наследником, поэтому мальчику дали имя «Иоанн», что означает «божья благодать» — в честь Иоанна Крестителя и великого деда Ивана III Васильевича. Почти все авторы повторяют легенду о том, что в минуту рождения ребенка началась ужасная гроза: «Земля и небо

ИВАН ВАСИЛЬЕВИЧ IV В ЖИЗНИ

потряслися от неслыханных громовых ударов, которые следовали один за другим с ужасною, непрерывною молниею» (Карамзин). При этом, пока Иван IV был жив, «грозным» его не называли. Этот эпитет прирос к нему посмертно — очень возможно, что как раз из-за этого красочного мифа.

▶ Написанных с натуры царских портретов, разумеется, не существует (набожный Иван не позволил бы писать с него «икону»), но сохранилось несколько описаний внешности государя, в том числе одно — большая редкость — составленное не иностранцем, а русским. Князь Иван Катырев-Ростовский, который, возможно, видел Ивана в раннем детстве, но скорее всего пересказывает с чьих-то слов, в своей «Летописной книге» пишет: «Царь Иван, образом нелепым, очи имея серы, нос протягновен и покляп, возрастом велик бяше, сухо тело имея, плещи имея высоки, груди широки, мышцы толсты». Этот не слишком привлекательный образ совпадает с наблюдениями императорского посла Даниила Принца, который видел Ивана сорокашестилетним. Австриец пишет: «Царь очень высок, тело имеет полное силы и довольно толстое, большие глаза, которые у него постоянно бегают и все наблюдают самым тщательным образом. Борода у него

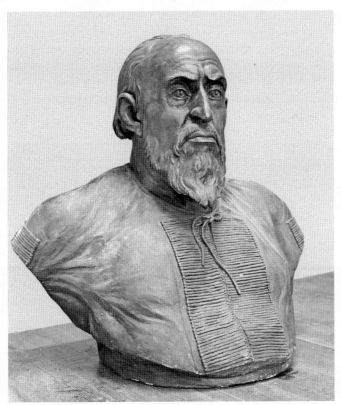

Иван Грозный. *Реконструкция М. Герасимова*

МЕЖДУ АЗИЕЙ И ЕВРОПОЙ

рыжая [вспомним, что того же цвета были волосы у Елены Глинской. — *Г.Ч.*], с небольшим оттенком черноты, довольно длинная и густая, но волосы на голове, как большая часть русских, он бреет бритвой».

В 1963 году после вскрытии гробницы с царскими останками историки получили более точное представление о физических данных Ивана IV. Он действительно был для своего времени очень высоким — почти 1 метр 80 сантиметров, тучным, преждевременно состарившимся вследствие всевозможных излишеств и малоподвижного образа жизни, однако в молодости, вероятно, обладал крепким здоровьем и недюжинной силой.

Тогда же, по черепу и сохранившимся описаниям современников, антрополог М. Герасимов воссоздал облик Ивана Васильевича.

Известно, что Иван от природы был наделен живым, острым умом и обладал разнообразными талантами. Например, как это бывает с нервными и впечатлительными натурами, он отличался музыкальностью: пел в церковном хоре и даже сочинял стихиры, которые, будучи записаны «крюками» (древнерусскими нотами), сохранились до нашего времени.

Это был человек начитанный, хорошо знавший Библию и историю, любивший блеснуть своей эрудицией. У царя скопилось большое собрание книг, что впоследствии породило легенду об уникальной «библиотеке Ивана Грозного», якобы вывезенной его бабкой Софьей Палеолог из Византии.

Иван IV уже в юности проявил себя прекрасным оратором, что для русских монархов редкость — самодержцы почитали излишним тратить красноречие на подданных.

Еще одним талантом этого незаурядного властителя было литературное дарование. Переписка царя с князем Андреем Курбским является замечательным образцом отечественной словесности, причем письма Ивана несомненно составлены им самим, поскольку в тексте слышен неповторимый голос живого человека, натуры страстной и противоречивой. Чтение этого пространного и эмоционального произведения позволяет реконструировать внутренний мир Ивана Грозного с гораздо большей степенью достоверности, чем изучение осторожных русских летописей или записок современников-иностранцев, наблюдавших царя с дистанции и многое домысливавших.

Еще более богатый материал для понимания личности царя дает история его семейно-интимной жизни, в которую, впрочем, вплетено немало домыслов и мифов.

Ивана Грозного иногда называют «русским Генрихом VIII», но у английского короля, как известно, было только шесть жен, а в количестве браков русского царя историки путаются (как мы увидим, это немудрено).

Матримониальная эпопея Ивана Грозного интересна тем, что отражает и человеческую эволюцию, и перемены в жизни страны. Упрощенно говоря,

ИВАН ВАСИЛЬЕВИЧ IV В ЖИЗНИ

Русь 1547 года от Руси 1584 года отличалась так же сильно, как супруг Анастасии Юрьевой-Захарьиной (первой жены Ивана) отличался от супруга Марии Нагой (последней жены — по разному счету то ли пятой, то ли шестой, то ли восьмой).

Об Анастасии Романовне известно много больше, чем о последующих царицах.

На исходе 1546 года шестнадцатилетний Иван, тогда еще не царь, а великий князь, в присутствии митрополита и бояр произнес речь, поразившую всех внезапной разумностью (как мы помним, совсем незадолго перед тем, во время недоброй памяти Голутвинского похода, да и после него юный государь вел себя бесчинно и безрассудно). Иван сказал, что ему пора жениться и что вначале он подумывал взять в супруги иноземную принцессу, однако боится не сойтись с нею в обычаях и нравах, а потому хочет найти невесту среди своих подданных. Летопись сообщает, что бояре расплакались от радости — видимо, никак не ожидали от непутевого юноши такого здравомыслия.

Царица Анастасия. *Лицевой летописный свод*

МЕЖДУ АЗИЕЙ И ЕВРОПОЙ

По уже сложившемуся обычаю свезли кандидаток, девушек из лучших родов, устроили смотрины, и в феврале 1547 года царь (как раз за месяц перед тем принявший этот титул) остановил свой выбор на дочери покойного окольничего Романа Захарьина-Кошкина. (Не нужно удивляться тому, что фамилии у родителей и детей той эпохи не всегда полностью совпадают: к родовому имени прибавляли то личное прозвище, то «отечество»; впоследствии за родом Анастасии закрепилась фамилия «Романовы» — те самые, которые впоследствии создали династию).

Традиция приписывает первой жене Ивана IV всевозможные добродетели: скромность, набожность, кротость, доброту. Трудно сказать, была ли Анастасия в действительности таким уж ангелом (известно, что она враждовала с ближайшим царским советником Алексеем Адашевым), но при ее жизни Иван совершил почти все лучшие свои деяния, и жили супруги, кажется, в мире и согласии.

Анастасия Романовна чуть было не сыграла в русской истории гораздо бо́льшую роль. В 1553 году царь заболел «тяжким огненным недугом», то есть какой-то лихорадкой, едва не сведшей его в могилу. Наследник был младенцем, и верные Ивану придворные сплотились вокруг царицы, готовясь провозгласить ее регентшей. Но царь выздоровел, и Анастасии не пришлось повторить судьбу Елены Глинской.

Летом 1560 года молодая царица захворала и вскоре умерла. Ходили слухи (впрочем, обычные в подобных случаях), что ее отравили. Пишут, что Иван вроде бы очень тяжело перенес эту потерю, однако не прошло и десяти дней после ее кончины, как царь объявил о намерении жениться вновь, и теперь непременно на дочери или сестре иноземного государя.

У польского короля было две незамужние сестры, и царь затеял сватовство к младшей, Екатерине, но препятствием стало различие в вероисповедании — вечная проблема брачных переговоров Москвы с европейскими дворами. Тогда Иван удовольствовался дочерью малозначительного, но все же чужестранного властителя — князя «пятигорских черкас» Темрюка. Зато не возникло трудностей с религией: пятнадцатилетняя княжна Кученей ради столь выгодного союза охотно приняла православие и стала называться на Руси царицей Марией Темрюковной.

Эту женщину русские летописи и историки не жалуют, рисуя ее исключительно в черных красках и приписывая ей дурное влияние на венценосного супруга. Брак по времени совпал с введением Опричнины и другими страшными событиями, а на Руси всегда любили объяснять злодейства монархов чьим-нибудь дурным воздействием. «Сия Княжна Черкесская, дикая нравом, жестокая душою, еще более утверждала Иоанна в злых склонностях», — пишет Карамзин, но довольно трудно поверить, что очень молодая, вряд ли хорошо владевшая русским языком женщина могла манипулировать царем, который в то время был уже на четвертом десятке.

ИВАН ВАСИЛЬЕВИЧ IV В ЖИЗНИ

Мария Темрюковна умерла после восьми лет замужества, в 1569 году.

После этого Иван IV еще несколько раз, вплоть до конца жизни, пытался найти себе жену равного статуса — из какого-нибудь правящего дома.

Царю очень хотелось заполучить польскую принцессу Екатерину, в руке которой ему отказали. У Ивана, привыкшего получать всё, чего он добивался, это желание стало чем-то вроде навязчивой идеи, так что дело со временем приняло скандальный оборот. Екатерина была выдана за шведского принца Юхана (Иоганна), правившего Финляндией. Юхан был братом короля Эрика XIV и постоянно враждовал с ним, за что угодил в темницу. Тогда Иван IV сделал Эрику выгодное предложение: отдай за меня Екатерину, а я за это уступлю тебе часть Прибалтики. То, что муж Екатерины был жив, да и сам царь женат (на Марии Темрюковне) препятствием Ивану не казалось. От супруги он всегда мог избавиться, а шведский король, по его представлению, так же легко мог прикончить брата. Это предложение, при всей его чудовищности, по крайней мере не выходило за рамки

Екатерина Ягеллонка. *Лукас Кранах Младший*

МЕЖДУ АЗИЕЙ И ЕВРОПОЙ

здравого смысла. Однако три года спустя, когда Юхан сверг сумасшедшего Эрика и занял престол, Иван посмел обратиться с тем же требованием уже к новому королю, то есть к мужу Екатерины! В письме из Москвы говорилось: «Если Яган-король и теперь польского короля сестру, Екатерину-королевну, к царскому величеству пришлет, то государь и с ним заключит мир по тому приговору, как делалось с Ериком-королем». Нечего и говорить, что шведско-русским отношениям такая инициатива на пользу не пошла.

Другой, не менее сумасбродной затеей уже последних лет правления Грозного была попытка сватовства к английской королеве Елизавете, про которую Иван узнал, что она, оказывается, «пошлая девица», то есть старая дева. Но жених в то время и сам был уже немолод, а между Англией и Русью как раз завязалась выгодная торговля через Белое море — по мнению царя, такой брак сулил обеим сторонам выгоды. (Был тут у Ивана и еще один интерес, о котором речь пойдет ниже.)

В Лондоне очень хотели торговать, но к предложению далекого и, с британской точки зрения, полудикого властителя, к тому времени уже обладавшего скверной репутацией, всерьез не отнеслись — ответили вежливым отказом. Тогда Иван велел своему послу узнать, нет ли какой-нибудь свободной английской княжны, королевской родственницы. Оказалось, есть — Мария Гастингс, Елизаветина племянница. Царя устраивала и племянница. Англичане отговорились тем, что невеста не достойна столь блестящей партии: и родство-де с королевой дальнее, и «рожей не самое красна». Иван Васильевич сказал послу Джерому Боусу, что будет тогда искать какую-нибудь другую подходящую англичанку и наверняка сделал бы это, если бы вскоре не умер.

Таким образом, усилия царя найти иностранную невесту были тщетными. После черкешенки Марии Темрюковны государь женился только на соотечественницах.

Даже те авторы, кто приписывает Анастасии Романовне благотворное влияние на Ивана, а Марии Темрюковне — зловредное, согласны в том, что все последующие жены на царя вообще никакого влияния не имели. Выбирая очередную супругу, государь, видимо, интересовался только ее внешностью.

У нас есть некоторое представление о вкусах Ивана Васильевича по наказам, которые он давал своим послам, отправлявшимся за границу сватать новую невесту. Так, дипломату Федору Сукину, который ехал в Польшу выбирать одну из сестер короля Сигизмунда Августа, было велено отдать предпочтение той, что окажется «тельна» и не слишком «суха».

Такое же задание — выяснить, дородна ли Мария Гастингс, — получил двадцать лет спустя и Федор Писемский, посол в Англии. Он сумел разглядеть девицу вблизи и после доложил, что она «тонка» — то есть, англичане насчет ее «некрасности» не солгали.

ИВАН ВАСИЛЬЕВИЧ IV В ЖИЗНИ

▶ Следующие после Марии Темрюковны царские браки (иные из них таковыми назвать трудно) никакого политического значения не имели. Перечислю их лишь в качестве иллюстрации личностных изменений, происходивших с самодержцем в зрелые годы.

Овдовев во второй раз и не сумев найти жену за рубежом, царь вновь, как в 1546 году, затеял смотрины, которые, однако, теперь выглядели иначе. Во-первых, они были много масштабней. Рассказывают, что в 1571 году, в разгар Опричнины, к царю свезли две тысячи девушек со всей страны. Во-вторых, многомесячный «процесс отбора» якобы сопровождался всяческими непотребствами, о чем рассказывают немецкие очевидцы Таубе и Крузе (впрочем, враждебные по отношению к царю и пристрастные). В конце концов царь отобрал двенадцать «финалисток», которых тщательно осмотрели лекаря и повивальные бабки. Избранницей стала некая Марфа Собакина, девица невеликой знатности. Однако медицинский осмотр, которому подверглась царская невеста, оказался неквалифицированным: Марфа — возможно, от нервного потрясения — сразу после обручения начала чахнуть. Царь все равно на ней, уже полуживой, женился, но через несколько дней она умерла. Впоследствии церковь объявила этот брак несостоявшимся, что уже вносит путаницу в нумерацию Ивановых жен, впоследствии еще усугубившуюся.

Менее чем через полгода царь женился на некоей Анне Колтовской, про которую известно немногое. Есть предположение, что она, как и Марфа Собакина, приглянулась царю во время смотрин 1571 года. В ту пору Иван еще пытается соблюдать приличия и просит церковь о разрешении на новый брак, с точки зрения церковных правил четвертый и, стало быть, незаконный. Проблема решается тем, что митрополит накладывает на царя нетяжелую епитимью, а женитьбу на Собакиной, как уже было сказано, задним числом «аннулируют». Анна Колтовская продержалась во дворце недолго. Уже через полгода Иван от нее избавился — слава богу, бескровным образом: отправил в монастырь, где экс-царица тихо просидела более полувека, пережив всех современников.

Еще существует миф о Марии Долгорукой, на которой Иван якобы женился в ноябре 1573 года, а на следующее утро после свадьбы велел посадить в карету и утопить в пруду. Следующей женой (шестой, пятой, четвертой?) стала Анна Васильчикова, обычная дворянка. Известно, что свадьбу, с церковной точки зрения совсем уже неприличную, справили «не по царскому чину», безо всякой пышности. Васильчикова вышла из царского фавора через несколько месяцев и была сослана в монастырь.

Особняком стоит история, связанная с Василисой Мелентьевой, которую Иван приблизил около 1575 года. Это была замужняя женщина необычайной красоты (то есть «дородностью» и «тельностью» она, по-видимому, царю угодила). Сведения об этом странном союзе смутны. В «Хронографе о браках царя Ивана Васильевича», источнике, достоверность которого подвергается сомнениям, говорится, что мужа Василисы «заклали» опричники; саму же Василису называют не женой, а «женищей» — чем-то вроде официальной сожительницы. Царь с ней «имал молитву», то есть сочетался каким-то редуцированным церковным обрядом. В любом случае, этот союз тоже длился очень недолго.

МЕЖДУ АЗИЕЙ И ЕВРОПОЙ

Царь Иван Васильевич Грозный любуется на Василису Мелентьеву. *Г. Седов*

Последний брак Ивана IV (1580), на Марии Федоровне Нагой, племяннице тогдашнего царского фаворита Афанасия Нагого, заслуживает большего внимания, но не из-за личности невесты и не потому, что это считалось важным государственным событием, — как раз в те годы царь вел переговоры с Лондоном о женитьбе на Марии Гастингс, извещая королеву Елизавету, что взял жену «не по себе» и легко может ее «оставить». Никакого политического влияния при жизни супруга Мария Нагая не имела, и положение ее было двусмысленным: то ли царица, то ли не царица; то ли законная жена, то ли нет. Но этой вполне заурядной женщине — не по ее воле, а по стечению обстоятельств — была уготована удивительная и драматическая судьба. Имя Марии Нагой, несчастной матери несчастного царевича Дмитрия, нам встретится еще не раз — и в этом томе, и в следующем.

Пришло время рассказать об Иване Васильевиче как об отце. Законных детей у царя, кажется, было восемь: три рано умершие дочери и пятеро сыновей. (Ходили слухи, что были и внебрачные, но государь-де лично умерщвлял их в колыбели как порождение плотского греха. Вероятно, это выдумки, хотя от Ивана IV с его весьма специфической набожностью, о которой мы еще поговорим, можно ожидать чего угодно.)

ИВАН ВАСИЛЬЕВИЧ IV В ЖИЗНИ

Старший сын от первого брака, Дмитрий (не путать с Дмитрием-младшим, который появился тридцать лет спустя), родился в 1552 году, сразу после взятия Казани, и был назван в честь победителя Куликовской битвы, став полным тезкой Дмитрия Ивановича Донского. В возрасте нескольких месяцев царевич чуть не был провозглашен государем — когда отец болел и был совсем плох. А еще два месяца спустя, во время паломничества царской семьи в Кириллов монастырь, младенца уронили с лодки в реку, и он утонул. Трагедию описывают по-разному, но судя по тому, что за столь ужасную небрежность никто не был наказан, возникает предположение, что виноват был сам царь.

В 1554 году появился новый наследник, царевич Иван. Он получил хорошее образование, вырос сильным, здоровым и, кажется, обладал твердым характером, что при таком родителе удивительно. Иван ходил с войском в походы, принимал участие в заседаниях Боярской думы и приеме послов, но к управлению его не допускали. Деспотичный отец постоянно вмешивался в личную жизнь сына: то своей волей женил, то разводил — если брак немедленно не давал потомства. Третья жена Ивана Ивановича, происходившая из боярского рода Шереметевых, наконец понесла. Но грозный царь, в пожилом возрасте сделавшийся болезненно вспыльчивым, и тут нашел, к чему придраться. Ему не понравилось, что беременная Елена лежит на лавке, сняв тяжелое и тесное верхнее платье. Иван Васильевич накинулся на сноху с побоями, в результате чего случился выкидыш. Дальнейший ход событий разные источники излагают неодинаково. То ли царевич попробовал заступиться за жену, то ли выразил воз-

Иван у тела сына. *В. Шварц*

МЕЖДУ АЗИЕЙ И ЕВРОПОЙ

мущение потерей ребенка уже позднее, но царь впал в неконтролируемый гнев, начал избивать сына посохом и нанес рану в височную область. Наследник одиннадцать дней пролежал в горячке и умер. Это произошло в ноябре 1581 года. Иван IV был в отчаянии — династия оказалась перед угрозой угасания.

Дело в том, что третий сын (тоже от Анастасии) 24-летний Федор был хил и малоумен.

Был у Ивана IV еще ребенок от Марии Темрюковны, царевич Василий, родившийся в 1563 году, но он умер в младенчестве.

Большой и нежданной радостью для царя должно было стать рождение осенью 1582 года еще одного сына — Дмитрия. Но этот поздний ребенок оказался эпилептиком и к тому же из-за сомнительной законности брака Ивана с Марией Нагой не мог считаться полноправным наследником после бездетного Федора.

Таким образом, к концу своей долгой и бурной семейной жизни Иван Грозный осталя с двумя сыновьями, физическое и психическое здоровье которых оставляли желать лучшего.

Изучая биографию Ивана IV, нельзя обойти стороной вопрос и о его собственной психической нормальности. На эту тему историками и медиками сломано немало копий, и кто в этой давней дискуссии прав, сказать трудно.

В XVI веке династия московских Рюриковичей, потомков Ивана Калиты, стала проявлять признаки вырождения или, во всяком случае, наследственной предрасположенности к психическим аномалиям. Оба сына Василия III в этом смысле были неблагополучны, и если о нормальности старшего, Ивана, еще можно спорить, то младший, Юрий, был явно нездоров. Князь Курбский пишет о нем: «был без ума и без памяти и бессловесен: тако же, аки див якой, родился». Р. Скрынников прямо называет Юрия Васильевича «глухонемым идиотом». Царского брата держали в почете и даже женили, но ни к каким делам не допускали; он умер тридцатилетним.

Из переживших младенческий возраст детей Ивана Грозного, как мы видели, здоров был только один.

Версия о безумии Ивана IV появилась еще при его жизни (разумеется, за пределами Руси) под воздействием известий и слухов о странном, иногда необъяснимом поведении русского монарха. Высказывали подобное предположение и некоторые историки, ссылаясь на патологическую, иррациональную жестокость Ивана Васильевича, на резкие перепады его настроений и состояний, на рассказы современников о припадках исступления, когда на губах у царя выступала пена. Однако всерьез занялись изучением «медицинской гипотезы» лишь с конца XIX века, когда появилось несколько аналитических исследований личности царя, составленных профессиональными психиатрами.

Первым с этой точки зрения Ивана Грозного оценил профессор Я. Чистович, объявивший, что царь был «не извергом, а больным».

ИВАН ВАСИЛЬЕВИЧ IV В ЖИЗНИ

Автор «Психиатрических эскизов по истории» профессор П. Ковалевский поставил диагноз: «Иоанн Грозный был душевнобольной человек, причем его душевная болезнь выражалась в форме однопредметного помешательства (мономания, или паранойя), позволявшего ему одновременно и управлять государством, и совершать деяния, которым могут быть найдены объяснения только в его болезненном душевном состоянии... В период ослабления бредовых идей параноик покоен, тих, исполнителен, более или менее общителен и легко подчиняется требованиям общественной жизни; в период ожесточения бредовых идей параноик выходит из своей тихой жизни и пытается проявить в жизни тяготеющее над ним влияние своих бредовых идей».

К такому же выводу пришел психиатр Д. Глаголев, нашедший у Ивана Грозного паранойю, в которой отсутствие систематизированного бреда сочеталось с «образованием ложных идей».

На это можно возразить, что в таком случае очень многих тоталитарных правителей следует диагностировать как законченных параноиков. Характерная для этой аномалии «моноидея» у таких людей принимает один и тот же вид мании преследования, мучительной недоверчивости и подозрительности — и нельзя сказать, чтобы эти навязчивые идеи не имели под собой оснований. Самодержавным властителям всегда есть чего опасаться, просто наиболее мнительные из них иногда утрачивают адекватность. Парайноя — профессиональное заболевание диктаторов, как коронованных, так и некоронованных.

Иван IV несомненно был от природы натурой нервической и легко возбудимой; специфические условия, в которых он находился с раннего детства, должны были привести его к ментальной изоляции от всех остальных людей, что, конечно, не способствует психологической нормальности. Чуть позже я попытаюсь обосновать отвратительную (и безусловно, патологическую) жестокость царя именно психологическими, а не психиатрическими причинами.

Во всяком случае царь не был сумасшедшим — как его современник шведский король Эрик XIV, страдавший клинической шизофренией с раздвоением личности, что в конце концов привело к потере престола. Иван IV за власть держался крепко, обладал железной волей и в самих его зверствах, по-видимому, всегда присутствовал какой-то пусть низменный или ошибочный, но рациональный мотив.

Иное дело, что нервная возбудимость и акцентуированность психики подрывали физическое здоровье царя, который на шестом десятке, в особенности после несчастного происшествия с наследником, начал быстро сдавать. В пятидесятитрехлетнем возрасте у Ивана обнаружилась какая-то тяжелая болезнь, которую невнятно называют «внутренним гниением». Он выглядел дряхлым стариком. В последние дни царь не мог ходить, его носили в кресле. В кресле его и хватил удар — во время игры в шахматы. Это случилось 18 марта 1584 года. Государя постригли в монахи то ли потерявшим сознание, то ли уже мертвым.

МЕЖДУ АЗИЕЙ И ЕВРОПОЙ

Страшное царствование закончилось. Горсей пишет, что, проходя мимо Архангельского собора, где погребли грозного царя, либо даже просто помянув его имя в разговоре, русские люди крестились и молились, чтобы он вновь не воскрес.

Митрополит перед кончиной Иоана Грозного посвящает его в схиму. *П. Геллер*

Реконструкция характера

Факты и обстоятельства частной жизни Ивана IV описать нетрудно — они худо-бедно задокументированы. Куда труднее восстановить психологический портрет человека, чья воля управляла — или пыталась управлять — ходом восточноевропейской истории в течение нескольких десятилетий. Здесь не удастся обойтись без допущений и предположений. Нужно лишь, чтобы они были аргументированными и в достаточной мере вероятными.

Как мы знаем, основные черты характера формируются в раннем детстве, а детство Ивана нормальным никак не назовешь. В трехлетнем возрасте он лишился отца, в семилетнем — матери. Поначалу окруженный заботой и лаской, мальчик вдруг оказался заброшенным, полностью одиноким. Моменты показ-

ИВАН ВАСИЛЬЕВИЧ IV В ЖИЗНИ

ной благоговейности по отношению к номинальному государю (во время официальных церемоний) сменялись бесприютностью и полным пренебрежением. Временщики не церемонились с ребенком — эти ранние обиды Иван запомнит на всю жизнь и много лет спустя будет жаловаться, как бесчинствовали при нем бояре, как Иван Шуйский «седя на лавке, лохтем опершися о отца нашего постелю, ногу положа на стул, к нам же не прикланяяся», как великого князя и его убогого брата плохо кормили и скверно одевали «яко убожейшую чадь».

С тринадцати лет, после того как Иван велел слугам умертвить Андрея Шуйского и к власти пришли «свои» временщики Глинские, жизнь подростка резко переменилась. Раньше им пренебрегали — теперь его стали баловать, поощрять в каких угодно безобразиях, и происходило это в самом опасном возрасте, когда юный человек начинает усваивать правила и ограничения взрослой жизни. Подросток Иван узнал, что для него ни правил, ни ограничений нет. Всё, что он ни пожелает, должно быть исполнено. Всё, что бы он ни натворил, похвально. «Бунт переходного возраста» у самодержцев происходит не так, как у обычных тинейджеров. Сначала мальчик бросал с дворцовой крыши кошек и собак, потом начал на улицах топтать конями людей — придворные «ласкатели» лишь восхищались и называли это удалью. Первые расправы Ивана над боярами вызвали не ропот, а раболепный страх; юноша, конечно, запомнил и этот урок. Наблюдения за вельможами, которые окружали государя в ранние годы, должны были составить у него весьма невысокое представление о человеческой природе.

Царевич Иван на прогулке. *М. Авилов*

МЕЖДУ АЗИЕЙ И ЕВРОПОЙ

К счастью, именно в те годы, когда великий князь выходил из отрочества, то есть в самое правильное время, около Ивана оказалось несколько личностей совсем иного калибра: митрополит Макарий, священник Сильвестр, дворянин Алексей Адашев, под влиянием которых юноша сильно изменился, чему способствовали и московские события лета 1547 года, глубоко потрясшие царя и заставившие его взяться за ум.

Резкая переменчивость, метания из стороны в сторону были чуть ли не главной чертой характера Ивана IV. Он от природы был неуравновешен и вспыльчив; с возрастом неуравновешенность переросла в тяжелое сумасбродство, вспыльчивость — в приступообразную гневливость. Переходы от благодушия к ярости, от самовосхвалений к самобичеванию, от щедрости к мелочности происходили очень легко. Эта непредсказуемость вселяла в окружающих еще бо́льший ужас, чем пресловутая жестокость. Никогда нельзя было предугадать, куда повернет настроение мнительного, капризного властелина.

▶ Еще в ранней юности, летом 1547 года, Иван ни с того ни с сего осерчал на псковских челобитчиков, явившихся к нему с какими-то своими печалями. Кажется, вина жалобщиков состояла лишь в том, что они потревожили царя не вовремя. Он велел подвергнуть бедняг всяческим издевательствам и истязаниям, постепенно распаляясь. Псковичей обливали горячим вином, поджигали им волосы и, вероятно, в конце концов замучили бы до смерти, но тут прискакал гонец с сообщением, что в Москве с колокольни свалился колокол, и государь, моментально забыв о челобитчиках, поскакал смотреть на такую невидаль. Лишь тем псковичи и спаслись.

Точно так же два десятилетия спустя, в самый разгар опричных казней, на царя что-то нашло, и он вдруг не только прекратил кровопийствовать, но простил тех, кто угодил в опалу.

Горсей рассказывает, что в 1575 году на Руси случился великий голод, и множество нищих устремились в города, где можно было получить подаяние. В Москве, которую заполонили бродяги, было объявлено, чтобы все они шли за милостыней в Александровскую слободу, где тогда находилась царская резиденция. На зов явились несколько тысяч обездоленных, но их стали не кормить, а убивать, бросая трупы в озеро. Так истребили семьсот человек. Затем настроение царя внезапно изменилось. Бойня прекратилась, и всех уцелевших отправили на прокорм и излечение по монастырям.

От зверств, безобразного разврата, упоения кощунствами Иван мог без какого-либо промежутка перейти к покаянию, посту и утрированному благочестию. Очень возможно, что все поздние «незаконные» женитьбы царя объяснялись тем, что после беспорядочного блуда ему хотелось благочиния и брачного союза, хоть как-то, пускай не по полному обряду, но освященного церковью. Благого порыва обычно хватало ненадолго.

ИВАН ВАСИЛЬЕВИЧ IV В ЖИЗНИ

В. Ключевский обратил внимание на еще одно свойство Грозного: симптомы мании преследования и болезненная подозрительность странным образом уживались в нем с доверчивостью. Когда царь приближал к себе очередного любимца, то привязывался к нему всем сердцем, осыпал незаслуженными милостями и не хотел с ним расставаться. Затем проявлялась переменчивость нрава, и конец недавнего фаворита оказывался печален, а то и ужасен. Вся вторая половина правления Ивана IV устлана костями таких кратковременных наперсников.

Ключ к внутренней логике поступков Ивана Грозного, вероятно, следует искать в религиозности государя — весьма причудливой и очень далекой от канона. Мне кажется ошибкой представлять Ивана IV человеком аморальным (как это делает, например, С. Платонов, утверждая, что «душа Грозного была ниже его ума»). По-видимому, у этого монарха имелись свои представления о добре и зле, просто они очень отличались от общечеловеческих. В некотором смысле Иван IV Васильевич стал закономерным результатом эволюции, которую запустил Иван III Васильевич: это был самодержец в самом беспримесном виде, вознесенный над другими людьми на недосягаемую высоту. Выше был только Бог. С Ним-то Иван Грозный, кажется, всю жизнь и вел диалог, признавая над собой только Его суд и Его власть. Человек, по воле случайности (с его точки зрения — Высшей Воли) родившийся государем, должен был обладать острым чувством своей богоизбранности. Многие деяния Ивана, смысл которых был непонятен современникам и не всегда понятен потомкам, видимо адресовались Богу.

▶ При этом в ранней юности государь религиозным не был. В декабре 1546 года он вдруг отправился в Новгород, сопровождаемый большим воинским отрядом. Цель похода была грабительская: Ивану донесли, что где-то в храме Святой Софии спрятана архиепископская казна, копившаяся долгие годы и утаенная от великого князя во время покорения республики. Схватили главного ключаря Софийского дома (так называлось архиепископское управление) и соборного ключника, подвергли их пыткам, и несчастные выдали место, где хранились сокровища. Летопись рассказывает, что в Москву из Новгорода увезли несколько возов серебра. Захват церковного имущества был поступком не только разбойничьим, но и кощунственным.

Перемена в сторону истовой набожности с Иваном произошла полгода спустя, во время московских пожаров. Обращаясь к церковному собору 1551 года, Иван так описывает произошедший в нем духовный переворот: «Господь наказывал меня за грехи то потопом, то мором, и все я не каялся, наконец бог наслал великие пожары, и вошел страх в душу мою и трепет в кости мои, смирился дух мой, умилился я и познал свои согрешения». Вскоре после пожаров, в сентябре 1547 года доверенный советник царя Алексей Адашев сделал Троице-Сергиевой обители колоссальное пожертвование —

семь тысяч рублей (для сравнения: самое большое монастырское дарение благочестивого Василия III составляло 60 рублей). Р. Скрынников высказывает весьма правдоподобное предположение, что это и была новгородская добыча, которую царь таким образом «возвращал Богу».

Периодически царь впадал в покаянное настроение, униженно моля Господа о прощении за грехи и злодеяния. В разгар опричных казней он обратился к братии Кирилло-Белозерского монастыря с посланием, в котором называл себя «псом смердящим» и признавался: «Сам всегда в пиянстве, в блуде, в прелюбодействе, во скверне, во убийстве, в граблении, в хищении, в ненависти, во всяком злодействе».

Иван Грозный выпрашивает у Кирилло-Белозерского игумена благословения на монашество. *К. Лебедев*

ИВАН ВАСИЛЬЕВИЧ IV В ЖИЗНИ

Его постоянно посещала мысль об «уходе из мира», принятии монашества, однако мешали властолюбие и страх, поэтому Иван пытался совместить царствование с иночеством. Он устроил в Александровской слободе подобие рыцарско-монашеского ордена, членами которого сделал триста самых доверенных опричников. Себя он именовал «игуменом», главного своего палача Малюту Скуратова-Бельского — «пономарем». Когда на царя нападал очередной приступ набожности — а это происходило часто, — все должны были обряжаться в черные рясы и ночь напролет молиться. Пишут, что царь набивал себе шишки на лбу усердными земными поклонами. Он пел в церкви, звонил в колокола, во время трапез читал «братии» божественные книги, истощал себя постом. Затем истерический припадок заканчивался, и в слободе опять начиналась вакханалия — до следующего покаяния.

Одним из главных источников сведений об опричном терроре является уникальный исторический документ: Синодик, то есть поминальный список казненных и убитых, составленный незадолго до Ивановой кончины. На исходе жизни царь распределяет по монастырям суммы на поминовение своих жертв, пытается их все припомнить, но это уже невозможно, и Синодик заканчивается словами: «Помяни, господи, и прочих, в опричнину избиенных всякого возраста, мужеска полу и женьска, их же имена Сам веси, Владыко».

Покаяние содержится и в духовной Ивана IV, причем не формальное, какого требовал жанр завещания, а эмоциональное и, похоже, искреннее. Царь сравнивает себя с худшими ветхозаветными грешниками и пишет, что он «Богу скаредными своими делы паче мертвеца смраднейший и гнуснейший» и «сего ради всеми ненавидим есмь» — вполне адекватная самооценка.

Набожность сочеталась в молельщике и начетчике Иване с крайним суеверием. Он верил в приметы, в колдовство, в сглаз, в дурные предзнаменования — до такой степени, что иногда это влияло на важные решения (правда, не всегда в дурную сторону, как мы увидим в эпизоде с псковской карательной экспедицией).

Побывавшие в Москве иностранцы рассказывают несколько примечательных историй о суеверных обычаях русского царя.

Живший при дворе в 1560-е годы Альберт Шлихтинг сообщает, что царь приказывал убивать всякого, кто случайно оказывался на его дороге в начале какого-нибудь важного пути, считая это зловещим предзнаменованием. Однажды слуга царского любимца Афанасия Вяземского не удержал на поводу породистого скакуна, и тот, порвав уздечку, пронесся мимо вышедшего из дворца Ивана. Тот приказал и коня, и слугу рассечь надвое и кинуть в болото.

Была и вовсе поразительная история с репрессированным слоном, которую рассказывает немец-опричник Генрих фон Штаден. Это экзотическое животное государю прислали в дар откуда-то с Востока вместе с дрессировщиком-арабом. Вскоре в Москве

МЕЖДУ АЗИЕЙ И ЕВРОПОЙ

случился мор, и царь решил, что виноват в этом невиданный зверь. Слона и араба сначала отправили в ссылку, но затем Ивану этого показалось мало и он повелел обоих казнить. На счастье дрессировщика, тот успел умереть своей смертью. Слон горевал, лежа на могиле своего единственного друга. Там животное и убили, а клыки доставили государю в доказательство исполнения приказа.

Если уж Иван был способен заподозрить в злом умышлении слона, то от людей измены и коварства он ожидал постоянно. И современники, и историки единодушно называют главной чертой характера Грозного крайнюю, параноидальную подозрительность, которая еще и всячески поощрялась опричным окружением, заинтересованным в усилении своего влияния. Царь доходил до того, что посылал первым сановникам государства, своим ближним боярам, фальшивые послания от польского короля — для проверки. Хорошо зная обыкновения повелителя, бояре исправно сдавали подложные грамоты «куда следует», но само испытание, конечно, было недобрым знаком.

 Сохранилось множество историй о маниакальной подозрительности Ивана IV. Приведу лишь одну из них, страшную своей нелепостью, в изложении итальянца Алессандро Гваньини.

«Некий секретарь великого князя, его кровный родственник, однажды пригласил на пир нескольких придворных, своих приятелей, и принял их, конечно, весьма пышно. Однако, веселясь с друзьями, он забыл посетить государя великого князя. И он послал одного из своих слуг во дворец государя, чтобы тот посмотрел, что делается в церкви у великого князя. Слуга, не дойдя нескольких шагов до дворца, увидел великого князя, разговаривающего с каким-то советником; заметив его, слуга поворачивает домой, чтобы доложить это хозяину. Но потом, когда великий князь отослал того советника, с которым разговаривал, он спросил, чей это слуга приходил ко двору и по какой причине. Тотчас слугу возвращают с дороги, и он отвечает, что послан посмотреть, что делается во дворце великого князя. Государь, услышав о причине, внезапно задержал слугу у себя и приказывает позвать как самого секретаря, так и его сотрапезников. Когда они явились, он приказал их пытать по-всячески, желая вымучить ответ, зачем они послали слугу во дворец расспрашивать о нем, и зачем они собрались на такой пышный пир, и одновременно он желал узнать, какие тайные разговоры они вели о нем. В конце концов, одни умерли, замученные жестокими пытками, других же, лишив всего имущества, он оставил полумертвыми».

Бесконтрольный властелин жизни и смерти своих подданных сам постоянно пребывал в страхе за собственную жизнь, а это порождает особый тип жестокости — иррациональной и немотивированной, которая была в высшей степени характерна для Ивана IV. Какой-нибудь Чингисхан был не менее безжалостен, но его зверства всегда преследовали конкретную, *прагматическую* цель: запугать еще непобежденного врага, привести население завоеванной террито-

ИВАН ВАСИЛЬЕВИЧ IV В ЖИЗНИ

рии к повиновению, укрепить расшатанную дисциплину и так далее. Правитель, одолеваемый бесформенными страхами, очень часто карает исключительно для самоуспокоения и, если так можно выразиться, для профилактики. Такому человеку менее страшно жить, когда все вокруг напуганы больше его самого.

У печально знаменитой жестокости Ивана Грозного, как мне кажется, может быть и еще одно психологическое объяснение.

Он получил титул великого государя в таком раннем возрасте, что вряд ли помнил время, когда по своему статусу не возвышался над всеми остальными людьми. Притеснения, чинимые временщиками, порождали обиду и мстительность, но никак не сокращали этой дистанции. Иван всегда был не таким, как другие: один-единственный, особенный, избранный Провидением — а все прочие не имели значения. Судя по поступкам царя, он был начисто лишен эмпатии, то есть ему и в голову не приходило ассоциировать чьи-то страдания с собственными переживаниями. В определенном смысле он, вероятно, так до старости и остался жестоким ребенком, с любопытством отрывающим крылышки мухе и жадно наблюдающим, как визжит мучаемая кошка. У него было право терзать всех, кого он пожелает, а подданные должны были безропотно сносить любые кары. В письме Ивана князю Курбскому есть любопытный пассаж, проникнутый искренним, наивным негодованием: да как же это ты «не изволил еси от мене, строптиваго владыки, страдати»? Так жалуется ребенок, у которого отобрали игрушку.

Иван был безжалостен и в юности, легко предавая подданных пыткам и казням. Начиная со времен Опричнины, казни стали массовыми, и если поначалу людей умерщвляли без особых затей — чаще всего, просто вешали, рубили головы или, самое свирепое, сажали на кол, — то со временем Грозный явно вошел во вкус и начал проявлять извращенную фантазию. Возникает ощущение, что царю стало скучно просто убивать тех, кто вызвал его гнев; истязания и казни превратились в своего рода аттракцион.

Невозможно, да и незачем перечислять все небывалые прежде экзекуции, изобретенные Иваном IV и его палачами. Довольно нескольких примеров.

Ливонские немцы Иоганн Таубе и Элерт Крузе рассказывают об ужасной казни, которой царь предал своих ближайших соратников — казначея Никиту Фуникова, думного дьяка Ивана Висковатого и их «сообщников»: «Он приказал сперва привязать казначея к столбу, развести огонь и топить под ним котел с горячей водой. До тех пор, пока тот не испустил дух. Канцлера [так авторы называют думного дьяка] приказал он привязать к доске и растерзать и изрезать его, начав с нижних конечностей и кончая головой, так что от него ничего не осталось... У многих приказал он вырезать из живой кожи ремни, а с других совсем снять кожу и каждому своему придворному определил он, когда тот должен умереть, и для каждого назначил различный род смерти: у одних приказал он отрубить правую и левую руку и ногу, а только потом голову, другим же разрубить живот, а потом отрубить руки, ноги и голову».

МЕЖДУ АЗИЕЙ И ЕВРОПОЙ

Гваньини описывает некую инфернальную машину, якобы изобретенную самим Иваном. «Это орудие из четырех колес изобретено для пыток самим нынешним великим князем: к первому колесу привязывают одну руку, ко второму — другую, таким же образом — каждую ногу к остальным двум колесам. Каждое колесо поворачивают пятнадцать человек, и будь казнимый хоть железный, хоть стальной, но шестьюдесятью человеками, беспощадно тянущими в разные стороны, он разрывается на части. Сам же князь обычно созерцает самолично эту казнь, и когда человека разрывает, он громко кричит, ликуя, на своем языке: «Гойда, гойда!», как будто бы он совершил нечто выдающееся».

Большинство рассказов подобного рода оставлено иностранцами, которым можно было не опасаться царского гнева, но есть и отечественные свидетельства. Так, Карамзин приводит отрывок из сохранившейся рукописи: «И быша у него мучительныя орудия, сковрады, пещи, бичевания жестокая, ногти ост彼рыя, клещи ражженныя, терзания ради телес человеческих, игол за ногти вонзения, резания по составам, претрения вервии на полы [веревкой пополам] не только мужей, но и жен благородных, и иныя безчисленныя и неслыханныя виды мук на невинныя, умышленныя от него».

Государю было мало подвергать свои жертвы физическим мучениям. Он, кажется, получал особенное удовольствие, прибегая к пытке психологической. Например, царь любил для острастки, в качестве своеобразного предупреждения, наказать человека через его родственников. «Он приказал также повесить многих женщин на воротах их домов, и мужья должны были ежедневно проходить под этими телами и при этом не показывать вида, что с ними произошло», — сообщают Таубе и Крузе. Шлихтинг пишет, что некую женщину царь велел повесить над столом, где ее муж с семейством обычно ели — и долго не позволял снимать тело. С шурином князем Михаилом Черкасским, братом царицы Марии Темрюковны, Иван поступил еще чудовищнее: самого до поры до

Казнь боярина. *В. Владимиров*

ИВАН ВАСИЛЬЕВИЧ IV В ЖИЗНИ

времени не тронул, но его юную жену и полугодовалого сына велел изрубить и бросить во дворе, чтобы наказанный ежедневно проходил мимо.

Иногда, войдя в исступление, Иван и сам брал на себя функции палача. Известны случаи, когда государь не брезговал обагрять руки кровью. Так, он проткнул копьем придворного повара, заподозренного в попытке отравительства, а конюшего Ивана Федорова, предварительно поиздевавшись, зарезал ножом прямо во дворце.

Из рассказов современников ясно, что Иван Грозный в зрелые годы сделался законченным садистом, который получал удовольствие, наблюдая за чужими страданиями и сам причиняя их. Таубе и Крузе повествуют: «После того как он кончает еду, редко пропускает он день, чтобы не пойти в застенок, в котором постоянно находятся много сот людей; их заставляет он в своем присутствии пытать или даже мучить до смерти безо всякой причины, вид чего вызывает в нем, согласно его природе, особенную радость и веселость. И есть свидетельство, что никогда не выглядит он более веселым и не беседует более весело, чем тогда, когда он присутствует при мучениях и пытках до восьми часов». То же пишет и Шлихтинг: «У тирана в обычае самому собственными глазами смотреть на тех, кого терзают пытками и подвергают казни. При этом случается, что кровь нередко брызжет ему в лицо, но он все же не волнуется, а наоборот, радуется и громко кричит».

Ряд отечественных авторов позднейшего времени уверены, что свидетельствам иностранцев, живописующих зверства Грозного, не следует доверять, поскольку эти люди преследовали какие-то корыстные цели. Не исключено, что и фон Штаден, и Шлихтинг, и Таубе с Крузе сгущали краски, желая произвести большее впечатление на европейских читателей, Александр Гваньини же в Москве никогда не бывал и лишь пересказывал то, что слышал от других. Какие-то эпизоды наверняка искажены или вовсе придуманы, но крайняя жестокость русского царя была общеизвестна и повергала современников в содрогание — до такой степени, что могла побудить к самому страшному для христиан деянию, массовому самоубийству. В 1577 году, когда Иван IV лично руководил осадой ливонской крепости Венден и она уже не могла больше держаться, все оставшиеся в живых защитники с членами семей, триста человек, получив благословение духовенства (нечто беспрецедентное), подорвали себя порохом, лишь бы не попасть в плен. Это неудивительно: ранее, взяв столь же упорно сопротивлявшийся замок Вейсенштейн, Грозный приказал всех пленных зажарить.

Д.С. Лихачев отмечает, что к концу жизни в поведении царя всё ярче проявляется склонность к юродству и скоморошеству. Иван Васильевич и прежде любил всяческие потехи, окружал себя шутами, музыкантами и дрессировщиками медведей.

191

МЕЖДУ АЗИЕЙ И ЕВРОПОЙ

Иван IV обладал весьма своеобразным чувством юмора — жестоким, глумливым, рассчитанным на то, чтобы смешить не публику, а исключительно самого себя. Шутки государя были не всегда кровавыми, но неизменно злыми.

> Английский дипломат Джильс Флетчер приводит несколько примеров такого остроумия — возможно, выдуманных, но и в этом случае весьма характерных.
>
> Однажды царь-де приказал москвичам насобирать целый колпак живых блох, а когда ему ответили, что сделать это невозможно, поскольку блохи ускачут, горожан обложили огромным штрафом за неисполнение государевой воли. В другой раз Иван взыскал с придворных огромную сумму в 30 000 рублей за то, что те якобы истребили в лесах всех зайцев и царю теперь не на кого охотиться. С жителей Пермского края монарх потребовал поставок кедрового дерева, которое там отродясь не росло — и взял компенсацию за ослушание в 12 тысяч рублей.

Знаменитый эпизод с отречением от престола в пользу татарского князька Симеона Бекбулатовича (об этом речь впереди) трактуется историками по-разному. Многие пытались обнаружить в этой диковинной затее какой-нибудь государственный или хотя бы практический смысл, но не исключено, что это была всего лишь злая шутка пресыщенного человека, продиктованная смесью юродского самоуничижения и злорадного предвкушения паники, которую вызовет этот трюк.

Однако чаще всего глумливость Ивана Грозного была сопряжена с кровопролитием и душегубством. Муки и казни обставлялись, как шутовское представление.

Самой незатейливой из забав подобного сорта было зашить какого-нибудь несчастного в медвежью шкуру и затравить собаками. Но иногда устраивалось целое действо.

> Боярина Василия Данилова, ведавшего пушкарями, заподозрили в измене. Иван велел усадить изломанного на пытке Данилова на телегу, в которую запрягли ослепленную лошадь, и объявил, что боярин волен ехать к своему польскому королю, после чего повозку погнали в пруд и утопили.
>
> Престарелого архиепископа Пимена из Новгорода в Москву везли посаженным на кобылу задом наперед, со скоморошьей волынкой в руках — здесь царь уже кощунствовал, глумился над пастырским званием.
>
> Сохранилось множество рассказов о жестоких забавах Грозного, но, пожалуй, нагляднее всего характер царя и типичное поведение его жертв проступают в относительно травоядной истории, которую можно прочитать у Шлихтинга.
>
> «Однажды пришел к тирану некий старец, по имени Борис Титов, и застал тирана сидящим за столом, опершись на локоть. Тот вошел и приветствует тирана; он также дружески отвечает на приветствие, говоря: «Здравствуй, о премного верный раб. За твою верность я отплачу тебе неким даром. Ну, подойди поближе и сядь со мною». Упомя-

ИВАН ВАСИЛЬЕВИЧ IV В ЖИЗНИ

нутый Титов подошел ближе к тирану, который велит ему наклонить голову вниз и, схватив ножик, который носил, взял несчастного старика за ухо и отрезал его. Тот, тяжко вздыхая и подавив боль, воздает благодарность тирану: «Воздаю благодарность тебе, господин, за то, что караешь меня, твоего верного подданного». Тиран ответил: «С благодарным настроением прими этот дар, каков бы он ни был. Впоследствии я дам тебе больший».

Возникает впечатление, что больше всего Иван Грозный неистовствовал, когда сталкивался с проявлениями (увы, нечастыми) чувства собственного достоинства. В подобных случаях царь подвергал свою жертву особенным глумлениям.

Храбрый стрелецкий воевода Никита Казаринов-Голохвастов, попав в опалу, не стал молить царя о прощении, как делали другие, а удалился из мира, принял схиму. Когда в монастырь явились опричники, Голохвастов сам вышел им навстречу, не проявляя страха. Он был готов к смерти. Ну раз ты стал такой ангел, так и лети к ангелам, сказал ему Иван. Велел посадить на бочку пороха и подорвать.

Титов благодарит государя. *И. Сакуров*

МЕЖДУ АЗИЕЙ И ЕВРОПОЙ

▶ У Шлихтинга описана совершенно омерзительная расправа над неким «Иваном Михайловичем», которого автор называет «заместителем казначея». Этот мужественный человек посмел объявить себя ни в чем не повинным и бросил царю в лицо дерзкие слова. «Те схватывают его; снимают одежду, подвязывают под мышки к поперечным бревнам и оставляют так висеть. К тирану подходит Малюта с вопросом: «Кто же должен казнить его?» Тиран отвечает: «Пусть каждый особенно верный казнит вероломного». Малюта подбегает к висящему, отрезает ему нос и садится на коня; подбегает другой и отрезает ему ухо, и таким образом каждый подходит поочередно, и разрезают его на части. Наконец подбегает один подьячий государев Иван Ренут и отрезает ему половые части, и несчастный внезапно испустил дух. Заметив это и видя, что тот, после отрезания члена, умирает, тиран воскликнул следующее: «Ты также скоро должен выпить ту же чашу, которую выпил он». Именно, он предполагал, что Ренут из жалости отрезал половые части, чтобы тот тем скорее умер».

Идея тоталитарной власти, доведенная Иваном IV до крайней степени, в принципе не признает за подданными права на достоинство, воспринимаемое такой системой как неповиновение и угроза ее авторитету. Настоящему самодержцу нужны не соратники, пускай даже дельные и полезные, а покорные и безгласные рабы, не подвергающие действия властителя сомнению, тем более критике.

Главная коллизия царствования Ивана Грозного именно в том и состояла, что в начальный период правление осуществлялось государем при помощи дельных и полезных соратников, а в конечный период — в окружении покорных и безгласных рабов. В таких условиях развитие получили не сильные стороны этой безусловно незаурядной личности, а ее ничем не сдерживаемые пороки.

Теперь вернемся в лето 1547 года, когда семнадцатилетний юноша — умный, но легко подпадающий под чужое влияние; хорошо образованный, но суеверный; жестокий, но боящийся греха; одолеваемый низменными страстями, но исполненный высоких планов, — созрел для того, чтобы взять управление державой в свои руки.

Время собирать камни

Преобразования и реформы

В начале своего самостоятельного правления Иван IV проявил задатки выдающегося государя. На ближних бояр внезапное превращение жестокого и вздорного подростка в смелого реформатора произвело впечатление чуда, хотя на самом деле преображение не было ни чудесным, ни внезапным.

Во время ужасных пожаров и народных волнений лета 1547 года юный монарх испытал тяжелое потрясение, сменившееся религиозным экстазом, под воздействием которого пробудились те стороны этой богатой натуры, которые до сих пор были не востребованы. Эта перемена подготавливалась довольно давно, о чем свидетельствуют первые «взрослые» деяния Ивана, к тому времени уже совершенные: женитьба на Анастасии Захарьиной и принятие царского титула.

Историки сходятся во мнении, что благотворное влияние на юношу оказывал митрополит Макарий, пользовавшийся огромным авторитетом — не в последнюю очередь из-за того, что не вмешивался в борьбу за власть и сторонился политики. Это был «муж чюдного рассуждения», бескорыстный и высокообразованный. Он составил знаменитые «Четьи-Минеи» («Ежемесячные чтения»), куда свел все известные на Руси тексты «божественного содержания». Этот 12-томный сборник в течение полутора веков, вплоть до петровской вестернизации, будет главным источником учености для русских книжников. Макарий не только пристрастил своего духовного питомца к чтению, но и вселил в него мистическую идею о высокой миссии православного «царя», помазанника Божия.

Акт царского венчания, совершенный в январе 1547 года, конечно, был жестом политическим. «…Московский государь нашел недостаточным прежний источник своей власти, каким служила отчина и дедина, то есть преемство от отца и деда, — пишет В. Ключевский. — Теперь он хотел поставить свою власть на более возвышенное основание, освободить ее от всякого земного юридиче-

МЕЖДУ АЗИЕЙ И ЕВРОПОЙ

ского источника». Это безусловно так, но помимо того, принятие царского звания, кажется, было исполнено для Ивана еще и сакрального значения: отныне он становился Божьим избранником, поставленным не только над своими подданными, но и над неправославными государями.

Во время коронации митрополит Макарий возложил на голову Ивана так называемую «шапку Мономаха», якобы посланную Владимиру Мономаху византийским императором Константином Мономахом. Смысл этого символического обряда был очевиден: священный огонь вселенской православной империи передавался от «второго Рима», Цареграда, «третьему Риму» — Москве. На самом деле император Константин умер за много лет до восшествия Владимира Мономаха на престол, так что история была абсолютно мифической. Да и золотая шапка была не византийского, а азиатского происхождения, очевидно, подаренная одному из пращуров Ивана ордынским сюзереном — предположительно Ивану Калите ханом Узбеком. (Впрочем, таково было и всё московское государство, византийское по риторике и ордынское по принципам своего устройства.)

Макарий благословляет юного Ивана. *Лицевой летописный свод*

ВРЕМЯ СОБИРАТЬ КАМНИ

▶ Так или иначе Иван IV свято верил в свою преемственность от василевсов и даже возводил родословие к «Августу-кесарю», что, с его точки зрения, ставило русского царя выше всех прочих европейских монархов, которых он считал либо не подлинными самодержцами, либо худородными выскочками.

Свои взгляды на превосходство русского самодержавия Иван изложил в письме князю Курбскому: «А о безбожных народах что и говорить! Там ведь у них цари своими царствами не владеют, а как им укажут их подданные, так и управляют. Русские же самодержцы изначала сами владеют своим государством, а не их бояре и вельможи!»

Печальнее всего, что Грозный не упускал случая и напрямую заявить чужеземным королям об их ничтожестве, обращаясь к ним свысока, а иногда и оскорбительным образом. Это сильно осложняло и без того непростую работу русской дипломатии. Переписка Ивана IV с иностранными сюзеренами — чтение удивительное. Следуя своему представлению о монаршем величии, Иван исходил из того, что имеет дело не с государствами, а с государями, и потому руководствовался критериями, на современный взгляд, странными: не столько мощью страны, сколько происхождением и родословием монарха, своего рода местничеством, по которому шведские короли были безродными выскочками, польский король — шутом, который не умеет себя поставить, и так далее.

«...Наших великих государей вольное царское самодержство, не как ваше убогое королевство... — пишет он польскому Сигизмунду II, — что (ты) еси посаженой государь, а не вотчинной, как тебя захотели паны, так тебе в жалованье государство и дали...»

Шведскому Юхану III он пеняет: «...Нам известно, что вы мужичий род, а не государский, что, когда при отце твоем Густаве приезжали наши торговые люди с салом и с воском, то твой отец сам, надев рукавицы, как простой человек, пробовал сало и воск и на судах осматривал и ездил для этого в Выборг; а слыхал я это от своих торговых людей. Разве это государское дело? Не будь твой отец мужичий сын, он бы так не делал... А если ты, взяв собачий рот, захочешь лаять для забавы — так то твой холопский обычай: тебе это честь, а нам, великим государям, и сноситься с тобой — бесчестие».

Даже с английской королевой, которой Иван благоволил и от которой добивался разного рода милостей, он будет разговаривать сверху вниз: «И мы чаяли того, что ты на своем государстве государыня и сама владеешь... ажно у тебя мимо тебя люди владеют, не токмо люди, но и мужики торговые».

Поразительно, но Иван, похоже, начисто забыл не только о том, что его дед считался вассалом татарского хана, но и в том, что сам он — царь новоиспеченный и многими иностранными державами этот титул еще не признан.

Считается, что решающим моментом, с которого семнадцатилетний Иван преисполнился решимости преобразиться и покончить со всяческим злом, стала беседа со священником Сильвестром, который в разгар народного бунта не побоялся обратиться к царю с суровой речью, говоря, что все несчастья — Божья кара за государевы грехи и впереди грядут наказания еще более ужасные. Подавленный страшными событиями юноша, по природе впечатлительный, религиозный, суеверный, поклялся покончить с прошлым и начать жить по-новому.

МЕЖДУ АЗИЕЙ И ЕВРОПОЙ

Но одного порыва было мало. Выражаясь языком современным, требовалась собственная «команда», которая взяла бы на себя трудную, никогда прежде не выполнявшуюся задачу по преобразованию государства, находившегося в весьма неблагополучном состоянии.

Постепенно — на это ушло года два — вокруг Ивана сформировалась группа способных, энергичных, и, что редко бывает, бескорыстных помощников, вошедшая в историю под названием «Избранной рады», то есть совета специально отобранных людей. Этот термин, упомянутый в письме Курбского, в документах не использовался, да и самой рады официально не существовало — в стране по-прежнему действовала Боярская дума, старомосковская форма правительства, в которое входили некоторые (но не все) члены «Избранной рады».

Иван IV и Сильвестр во время московского пожара 1547. *П. Плешанов*

ВРЕМЯ СОБИРАТЬ КАМНИ

Собственно говоря, это был просто кружок или клуб ближних наперсников молодого царя, пользовавшийся полным его доверием и определявший политику страны на протяжении всех 1550-х годов.

Полный состав рады нам неизвестен. Ей несомненно покровительствовал Макарий, но, как уже было сказано, митрополит в мирские дела обычно не вмешивался. На главных ролях в государственном совете (можно назвать «Избранную раду» и так) были два человека.

Во-первых, уже известный нам «поп Сильвестр», который после памятной беседы с Иваном сделался при царе чем-то вроде духовного наставника. Мы мало что знаем про ранние годы Сильвестра — лишь то, что он приехал в Москву вслед за владыкой Макарием и получил место священника в Благовещенском соборе, домовой церкви царской семьи. Сильвестр был умен, красноречив, нестяжателен и, по-видимому, нечестолюбив — во всяком случае, не стремился к занятию высоких должностей. Он до самого конца так и оставался просто «попом». Это был ученый книжник, собравший большую библиотеку и написавший (или составивший) книгу «Домострой», в допетровской Руси популярную не меньше, чем Макариевы «Четьи-Минеи». Это был свод жизненных правил, возможно, адресованный и юному царю. Сильвестр видел свою миссию в том, чтобы руководить Иваном в повседневной жизни, наставлять его в вопросах веры и морали. Сам священник подавал пример нравственного поведения и был «чтим добре всеми». Кроме того, у Сильвестра, человека сильной веры, бывали какие-то «видения», которыми он делился с впечатлительным Иваном. «Бысть же сей священник Сильверст у государя в великом жаловании и в совете в духовном и в думном и бысть яко всемогий, вся его послушаху и никтоже смеяше ни в чем же противитися ему», сказано в летописи.

Влияние Сильвестра касалось в основном вопросов духовных и этических, он опекал государеву душу. Делами же государственными, практическими ведал второй лидер «Избранной рады», царский любимец Алексей Федорович Адашев. Он происходил из обычной дворянской семьи, не связанной ни с каким «большим» родом, состоял при мальчике Иване рындой (оруженосцем или телохранителем) и стал ближайшим другом молодого государя.

Адашев должен был нравиться и Макарию с Сильвестром, поскольку отличался набожностью и занимался благотворительностью: щедро раздавал милостыню нищим и убогим, даже содержал приют для прокаженных, «тайне питающе, обмывающа их, многажды же сам руками своими гной их отирающа». Это, конечно, похвально, но существеннее то, что Адашев был разносторонне одаренным администратором. Он мог составлять законы, вести дипломатические переговоры, командовать войсками, ведать финансами. В летописи сказано: «А как он был во времяни [в фаворе], и в те поры Руская земля была в великой тишине и во благоденстве и управе».

МЕЖДУ АЗИЕЙ И ЕВРОПОЙ

Не исключено, что столь благостный образ предводителей «Избранной рады» сформировался у потомков по контрасту с безобразиями и несчастьями последующего периода, однако факт остается фактом: пока государством управляли Адашев, Сильвестр и их соратники, Русь развивалась и процветала; когда же рада прекратила свое существование, дела пошли из рук вон плохо.

Предположительно в число «избранных» входили еще несколько видных деятелей эпохи: доблестный полководец князь Александр Шуйский-Горбатый, опытный воевода князь Дмитрий Курлятев-Оболенский и — не на первых ролях — молодой Андрей Курбский, знаменитый не столько своими деяниями, сколько литературным наследием.

Для проведения государственных реформ царь и его помощники затеяли небывалое на Руси дело: решили обратиться за советом не к боярству, а к более широким слоям общества. В 1550 году в Москве был созван Земский собор, в работе которого приняли участие представители дворянства и именитого купечества. Это, конечно, был не парламент и даже не прообраз парламента. Члены собора должны были не принимать решения, а внимать им. И всё же это было событие поистине историческое. Государственная политика никогда прежде публично не обсуждалась и не разъяснялась тем, кто должен был беспрекословно ее исполнять.

Царь — еще одно беспрецедентное событие — обратился к собравшимся со своего рода программной речью, в которой объяснил бедственное состояние дел боярским произволом и своим прежним «несовершеннолетием» и пообещал, что теперь всё пойдет иначе: притеснениям и злоупотреблениям конец, царь будет своим подданным защитником и справедливым судьей, а все жалобы и прошения следует адресовать окольничему Алексею Адашеву. По сути дела, это означало, что теперь боярство отстраняется от управления государством.

Там же, на Земском соборе, было объявлено, что грядут новшества в своде законов, Судебнике и системе местного управления.

В следующем 1551 году состоялся еще один собор, теперь церковный, долженствовавший исправить злоупотребления и недостатки в устройстве жизни духовного сословия. Собор получил название «стоглавого», потому что решения съезда были сформулированы в ста пунктах. И касались они отнюдь не только церковных вопросов. На Стоглавом Соборе параметры реформы, объявленной годом ранее, окончательно определились.

Необходимость переустройства страны возникла уже давно. Провинции большого государства управлялись по архаичному принципу, мало изменившемуся с удельных времен: в областях всем заправляли наместники-«кормлен-

ВРЕМЯ СОБИРАТЬ КАМНИ

щики», в чьих руках сосредоточивалась вся полнота власти. Они и собирали подати, и следили за порядком, и вершили суд. При отсутствии какого-либо контроля такие администраторы главным образом заботились о собственном «кормлении», что истощало доходы царской казны и разоряло население. Кроме того, в разных частях страны не существовало единообразия во взимании всякого рода пошлин и сборов, что в централизованном государстве недопустимо.

Реформа выводила вопросы правопорядка и суда из ведения кормленщиков, передавая их земским учреждениям, в которые назначались выборные старосты, судьи, сотские, пятидесятские, целовальники, дьячки. При желании местные жители могли «откупить» себе право обходиться вовсе без наместника, то есть полностью перейти на самоуправление. Повсюду были разосланы экземпляры обновленного Судебника, положениями которого должны были руководствоваться местные суды при вынесении приговоров.

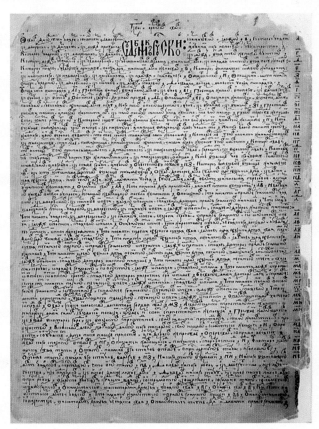

Страница из «Судебника»

МЕЖДУ АЗИЕЙ И ЕВРОПОЙ

За предшествующие десятилетия русские земли были наскоро, на живую нитку, сшиты в подобие пестрого лоскутного одеяла, которое еще предстояло превратить в государство, живущее единым порядком. Как это делается, никто не знал, учиться реформаторам было не у кого, вот почему разработанные ими меры кажутся половинчатыми и мало проработанными. Тем не менее важность земских преобразований была огромна.

Другой насущной необходимостью было создание правительственного аппарата. При великих князьях никаких «профильных» ведомств не существовало. Когда возникала потребность, государь «приказывал» вести то или иное дело какому-нибудь боярину. По исполнении задания или когда отпадала надобность, поручение отменялось. Но для большого государства такой способ управления не годился. Существовало множество забот, которыми требовалось заниматься на постоянной основе, строить и осуществлять дальние планы, соблюдать последовательность и преемственность.

«Приказы», впервые появившиеся еще при Иване III, понемногу становятся похожими на министерства и департаменты. Поначалу они были совсем маленькими (известно, что в Посольском приказе, то есть министерстве иностранных дел, в 1549 году состояло всего несколько служителей во главе с подьячим — чиновником среднего ранга). Вскоре стало ясно, что этого недостаточно, и самые важные приказы — Посольский, Дворцовый, Казенный, Разрядный, Конюшенный, Поместный — обзавелись штатом в несколько десятков человек, чего все равно было, конечно, недостаточно.

Для государственной службы требовались кадры, и это стало одной из первых забот реформаторов. Осенью 1550 года из «лучших слуг» (детей боярских и дворян) была набрана тысяча человек, которых наделили поместьями вблизи столицы. Часть из них попала в царские телохранители и придворный штат, часть — в приказы. Начало расти дьяческое сословие, пополнявшееся за счет не только мелкого дворянства, но и людей совсем простого звания — поповских сыновей и грамотных «посадских» (горожан).

Эта реформа, как и земская, оказалась лишь умеренно успешной. Она до некоторой степени упорядочила ведение государственных дел, но учрежденная система приказов была плохо разработанной. Наряду с «отраслевыми» приказами вводились территориальные, ведавшие отдельными областями, причем не всегда значительными. Были образованы самостоятельные учреждения, которые занимались делами вовсе третьестепенными, но при этом в важных ведомствах не хватало людей, а делопроизводство находилось в самом зачаточном состоянии. Неразвитость бюрократического механизма не соответствовала масштабам и потребностям жестко централизованного управления, что в конечном итоге станет одной из причин краха «второго» русского государства.

ВРЕМЯ СОБИРАТЬ КАМНИ

▶ В исторической перспективе административная реформа «Избранной рады» — прежде всего региональная — интересна как первая попытка разорвать «ордынскую» архитектуру государственного здания, заложенного Иваном III.

Самодержавный, авторитарный способ правления предполагал абсолютную неограниченность монаршей власти, которая, спускаясь вниз по вертикали, превращалась в неограниченную власть областных наместников и волостелей (управителей волостями). Такая структура, с одной стороны, повышала управляемость и мобилизационную эффективность, но имела и свои серьезные недостатки.

Во-первых, она тормозила естественное развитие регионов, поскольку всякая инициатива могла исходить лишь сверху вниз, «по указу».

Во-вторых, что гораздо больше беспокоило правительство, местные администраторы, деятельность которых контролировалась только сверху (то есть в условиях большой страны почти никак не контролировалась), неминуемо погрязали в коррупции, а это разоряло население и обедняло казну.

Существует два способа борьбы с коррупцией: через устрашение — когда уличенные во взяточничестве чиновники в острастку остальным подвергаются показательно суровым карам; и через общественный контроль — когда население получает возможность само ограничивать произвол местных властей. Второй способ, разумеется, эффективнее, и правительство Адашева попыталось его использовать. Однако идея земского самоуправления вступала в коренное противоречие с принципом «жесткой вертикали», на котором держалось всё московское государство: народ не мог контролировать исполнительную власть и сам собой управлять — это подрывало самое основу самодержавия. Вот почему «земство» не прижилось и через некоторое время опять сменилось прямым администрированием. Для борьбы с коррупцией был избран способ, более естественный для авторитарной власти: репрессивный. Начиная с эпохи Ивана Грозного, чиновничье мздоимство на Руси пытались обуздать главным образом при помощи жестоких репрессий. Таким образом можно было наказать отдельных особенно зарвавшихся или просто невезучих коррупционеров, но не искоренить само явление. Всегда находились чиновники, в ком алчность была сильнее страха, а кроме того, как известно, коррупция не сводится к прямому взяточничеству или казнокрадству: можно по-фамусовски «порадеть родному человечку», можно, по ляпкин-тяпкински, «брать борзыми щенками» и так далее.

Этот сюжет: попытки устройства низовой демократизации для контроля над коррупцией и последующие откаты назад, к жесткой «вертикальности», станут одной из констант российской государственности.

Если не получила развития система самоуправления в регионах, тем более оказался невостребованным и эксперимент с земскими соборами, которые замышлялись как привлечение народных представителей к решению или хотя бы обсуждению общегосударственных проблем. В «послеадашевские» времена Иван IV соберет земский собор только однажды — исключительно для проформы (мы увидим, в каких условиях), да и в дальнейшем о всероссийских съездах будут вспоминать, лишь когда центральной власти зачем-либо понадобится демонстрация народного единства.

Общий итог реформаторской деятельности 1550-х годов в части государственного переустройства получился скромным. Удалось до некоторой степени упорядочить сбор средств в казну и кое-как (совершенно недостаточно) организовать зачатки ведомственного управления.

Такими же половинчатыми были и нововведения в самой важной сфере тогдашней государственной жизни — военном «устроении».

В начале правления Ивана IV русская армия находилась в довольно плачевном виде. Времена победных баталий остались в далеком прошлом — последняя крупная битва была выиграна полвека назад, еще во времена государева

Стрельцы. *Гравюра XIX в.*

ВРЕМЯ СОБИРАТЬ КАМНИ

деда (в 1500 году, на реке Ведроши). За годы беспечного боярского правления расшаталась дисциплина, понизилась боеспособность. Московские представления о воинской науке и о тактике все сильнее отставали от европейских. Катастрофически не хватало обученной пехоты, которая в XVI веке стала главной ударной силой и в полевом сражении, и при осаде крепостей. Хуже всего обстояло дело с командованием — полководцы и воеводы назначались не по заслугам и способностям, а исключительно по знатности.

В начале 1550-х годов, готовясь к завоеванию Казанского царства, правительство произвело некоторую реорганизацию войска.

В полках было введено деление на сотни, командиры которых («головы») выбирались не по родовитости, а по личным качествам. Главным воеводой каждого крупного соединения по-прежнему мог стать лишь самый знатный из наличных бояр, но теперь к нему в «товарищи» (заместители) назначали пусть худородного, но опытного военачальника, который зачастую осуществлял фактическое командование.

В Москве было создано ядро регулярного пехотного войска: шесть «статей» (батальонов) воинов-стрельцов, всего 3 000 человек, единообразно вооруженных и обученных науке слаженного боя.

Конечно, и стрельцов было маловато, и двойное командование — не самый лучший способ управления войсками, но всё же боеспособность русской армии существенно повысилась. Этого уровня было достаточно для того, чтобы добиться успеха в борьбе с восточно-татарскими ханствами — «азиатским» противником, который воевал по старинке.

Восточные походы

Завоевание Казани, ближайшего восточного соседа, являлось давно назревшей необходимостью. Она диктовалась не стремлением обрести новые земли, которых у Москвы и так хватало, не жаждой добычи, которой в тех небогатых краях было не разжиться, а соображениями безопасности. Само по себе Казанское царство было не особенно сильным и политически нестабильным, но при обострении отношений оно блокировало всю волжскую торговлю и превращалось для Руси в нешуточную угрозу. За время несовершеннолетия Ивана ханство вышло из московской сферы влияния, там захватила власть крымская партия, и русское государство оказалось во враждебном полукольце: на востоке — казанцы, на юге крымцы.

В начале 1546 года в Казани вроде бы произошли выгодные для Руси перемены: местная знать прогнала хана Сафа-Гирея и попросилась под руку Мо-

МЕЖДУ АЗИЕЙ И ЕВРОПОЙ

сквы; оттуда прислали касимовского царевича Шигалея (Шах-Али), некогда уже владевшего Казанью, и тем ограничились. Но без серьезной военной поддержки Шигалей не удержался. Через несколько месяцев Сафа-Гирей его согнал с престола и расправился со сторонниками промосковской партии.

Таким образом, русско-казанские отношения находились в очередной фазе обострения, когда юный Иван, только что провозгласивший себя царем, преисполнился жаждой великих деяний. Самым очевидным и насущным из возможных свершений было покорение Казани, и в конце 1547 года государь сам повел войско на восток.

Поход был так скверно продуман, что дело даже не дошло до серьезных баталий. Из-за аномально теплой зимы часть артиллерии и много ратников провалились под волжский лед и утонули. Пришлось остановиться. Начались перебои со снабжением. Царь «со многими слезами» вернулся назад, а часть русских войск все же добралась до Казани, безо всякой пользы немного постояла под городскими стенами и тоже ушла восвояси. Первая попытка завоевать ханство закончилась крахом.

В 1549 году Сафа-Гирей умер, ханом провозгласили его двухлетнего сына, казанская власть ослабела, и царь решил, что наступил удачный момент для нового похода. На следующий год русское войско опять двинулось на Казань и на сей раз благополучно достигло татарской столицы, однако орешек оказался крепок. Штурмом взять крепость не получилось, а для осады не имелось достаточно средств. Вторая кампания Ивана (а войском снова командовал он сам) в военном отношении тоже закончилась неудачей. Но к этому времени царь уже обзавелся умными советниками, которые придумали, как выиграть войну без сражения. Они поставили на реке Свияге, всего в тридцати километрах от Казани, крепость Свияжск, ставшую не только русским форпостом, но и центром притяжения для всех недовольных Гиреями казанцев, а таких хватало. Из казанского подданства стали выходить поволжские народы (чуваши, марийцы, мордвины), в Свияжск потянулись мурзы-перебежчики.

Тогда, чувствуя шаткость своего положения, регентша Сююмбике вместе с маленьким сыном и приближенными, прихватив казну и ограбив собственную столицу, оставила Казань.

Алексей Адашев посадил на престол Шигалея, но объявил, что отныне все казанские земли, находящиеся к западу от Свияжска, принадлежат Москве. К хану была приставлена охрана из русских стрельцов.

Казалось бы, одержана полная победа, но это было не так. Татарские князья роптали из-за потери засвияжских земель, ненадежен был и сам Шигалей, вынужденный считаться с настроениями своих подданных. Адашев вновь съездил в Казань и пришел к выводу, что вместо марионеточного правителя нужно поставить туда прямого русского наместника. Шигалей покинул город — то ли

ВРЕМЯ СОБИРАТЬ КАМНИ

своей волей, то ли под конвоем приставленных к нему стрельцов, однако московский наместник, князь Семен Микулинский, войти в Казань не смог. Там началось восстание. Слуг и сторонников русского царя перебили, а на ханство позвали астраханского царевича Едигер-Магмета (Ядыгар-Мухаммеда), который явился с собственным войском. Волжские племена переметнулись на сторону более сильного; Свияжск оказался в осаде. Крымское ханство заключило с Казанью союз и стало готовиться к походу на Русь.

В Москве пришли к выводу, что существует только один способ раз и навсегда решить казанскую проблему: не сажать туда своих ставленников, что неоднократно уже делалось, а вовсе упразднить ханство, присоединив его к русскому государству.

Весной 1552 года князь Александр Шуйский-Горбатый, лучший из русских воевод и участник «Избранной рады», пошел с передовой ратью вызволять Свияжск. В июне из Москвы двинулись основные силы под командованием самого царя Ивана. Шли они не к Казани, блокированной Горбатым, а на юг — навстречу крымскому вторжению. Видя перед собой такую силу, крымцы биться не захотели и повернули назад. Тогда Иван повел свои полки степью на Казань, под стенами которой к середине августа собралась вся русская армия. Летописи сообщают, что в ней было 150 000 людей (вероятно, преувеличение) и полторы сотни осадных орудий. На сей раз Москва приготовилась к завоеванию Казани всерьез.

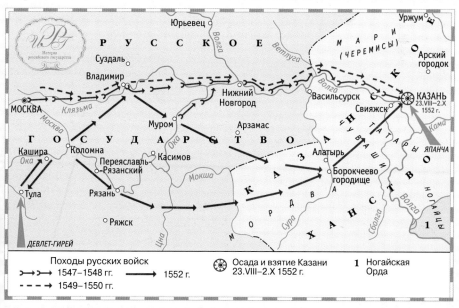

Казанские походы. *С. Павловская*

МЕЖДУ АЗИЕЙ И ЕВРОПОЙ

Первые же схватки продемонстрировали результат военной реформы. Русские бились не «кучей», как в прежние времена, а организованно. Полки вступали в бой не по собственному хотению, но в определенном порядке, следуя приказам из ставки — это казалось удивительным. Осаждающие обложили Казань со всех сторон, готовясь к обстоятельной осаде и действуя по заранее разработанному плану. Перебоев со снабжением не возникало — в Свияжске имелось достаточно припасов, а по Волге подвозили всё новые и новые.

У татар было меньше воинов (если верить летописям, раз в пять), к тому же не все они находились в крепости — конница под командованием князя Япанчи располагалась в стороне от Казани.

Тем не менее задача была очень трудной. Русские не имели опыта штурма больших крепостей — раньше их брали измором. Казанская цитадель была обнесена высокими и толстыми дубовыми стенами, окружена рвами. Сдаваться осажденные не собирались. Казанские воины хорошо понимали, что на сей раз речь идет о судьбе всего татарского народа, и бились отчаянно, до последнего.

Однако русская армия, сильно переменившаяся со времен предыдущих кампаний, действовала не только числом, но и умением.

Сначала князь Горбатый дал войску Япанчи бой в поле и одержал решительную победу. Теперь, избавившись от угрозы с тыла, русские могли беспрепятственно приступить к правильной осаде — и оказалось, что они неплохо подготовились.

Осада Казанской крепости — первый в нашей военной истории пример масштабного использования инженерно-саперной науки и потому заслуживает более подробного рассказа.

 В том, что город по всему периметру окружили сплошным тыном или земляной насыпью, ничего нового не было — так поступали еще воины Батыя, когда хотели лишить противника возможности бегства. Но московские воеводы расположили в траншеях стрелков, а на закрытых позициях пушки, и держали стены под постоянным обстрелом, не давая осажденным высунуть голову.

Напротив главных ворот построили вежу — 12-метровую трехъярусную башню, которую можно было перекатывать. Оттуда, с господствующей высоты (стены крепости были чуть ниже) вели огонь десять больших орудий и множество малых.

Решающую роль во взятии Казани сыграли «тихие сапы» — скрытные подкопы. Впервые с этим техническим новшеством русские столкнулись в 1535 году, когда литовцы подкопались под стены крепости Стародуб, гарнизон которой «того лукавства не познал». Рыть подземные галереи, рассчитывать мощность и направление взрыва было делом сложным, и занимался им какой-то немецкий «размысл, привычный градскому разорению» (военный инженер).

Подкопов было несколько. Один из них, в который заложили 11 бочек пороха, 4 сентября завалил источник питьевой воды, снабжавший город. Другая мина, более мощная,

ВРЕМЯ СОБИРАТЬ КАМНИ

30 сентября подорвала тарасы (укрепления, возведенные казанцами для дополнительной защиты). Взрыв был такой силы, что в воздух взлетели бревна и мертвые тела. Это позволило осаждающим придвинуть турусы (передвижные башни на колесах) вплотную к стенам. Начался штурм.

Бой был долгим и кровопролитным. В этот день и назавтра татары пытались отбить стены; русские проламывали бреши и засыпали рвы. Только 2 октября подготовка к решающему штурму закончилась.

Иван отправил парламентера с предложением сдаться — дальнейшее сопротивление не имело смысла, город был обречен, но казанцы ответили: «Все помрем или отсидимся». Вышло первое.

Сначала осаждающие расширили брешь посредством взрыва, потом ворвались в крепость, но очень долго, несколько часов не могли продвинуться вперед — защитники сражались героически. Когда они наконец стали отступать на улицы, приключилась новая напасть: часть русских ратников увлеклась грабежом домов. Штурм замедлился, но прибыли подкрепления. Обороняющиеся сначала засели в ханском дворце, были выбиты оттуда, стали прорываться прочь

Покорение Казани. Плененного Едигера царя казанского приводят к Ивану IV.
А. Кившенко

из города, но снова попали в окружение. Тут опять произошли короткие переговоры. Казанцы сказали, что не хотят губить своего царя и отдают его в плен, сами же предпочитают погибнуть с оружием в руках. Едигер-Магмет с семьей действительно вышли к русским, а все остальные пошли на прорыв и полегли почти до последнего человека.

Когда Иван IV торжественно въезжал в захваченный город, улицу пришлось расчищать от мертвых тел, валявшихся грудами. Летопись пишет, что в городе погибли все мужчины, в плен попали только женщины и дети.

Древний грозный враг был наконец уничтожен, но великой кровью.

Триумфатор был великодушен и щедр. Едигера он помиловал, и тот, приняв христианство, получил во владение Звенигород. Все трофеи Иван отдал своим храбрым воинам, да еще раздал даров на огромную сумму в 48 000 рублей. В честь великой победы на Красной площади был заложен собор невиданного на Руси великолепия — знаменитый Покровский храм, названный так, потому что Казань пала в день Покрова Пресвятой Богородицы.

Покровский собор на Красной площади

ВРЕМЯ СОБИРАТЬ КАМНИ

Царю было что праздновать. Отныне ничто не угрожало стране с востока, ничто не мешало движению Руси в сторону Урала и Сибири, то есть была подготовлена почва к расширению России до ее нынешних рубежей.

С городом Казанью поступили по традиционному рецепту, как в свое время с мятежным Новгородом: вывели коренных жителей на новые места, взамен разместили русских переселенцев. Учредили Казанское архиепископство, однако царь велел никого насильно не крестить и обходиться с иноверцами «ласково». Тем не менее еще несколько лет край был неспокоен, приходилось подавлять мятежи татарских родов и многочисленных племен, долго привыкавших к новой власти и новым порядкам.

Покорение Казани сделало возможным то, что раньше казалось недостижимым: взять под контроль все течение Волги до самого Каспийского моря.

На пути были кочевые ногайские орды и Астраханское ханство, но ногайцы враждовали между собой, а ханство находилось в упадке.

Осенью 1553 года после взятия Казани к Ивану явились посланцы от одного из ногайских вождей, мурзы Измаила, и предложили помощь против Астрахани. Такой возможностью было грех не воспользоваться.

Следующей весной воевода князь Юрий Пронский-Шемякин с 30 000 войска поплыл в стругах вниз по Волге. Передовой полк встретился с астраханским отрядом и нанес ему такое сокрушительное поражение, что хан Ямгурчей (Ямгурчи) отказался от сопротивления и бежал из города. В июле 1554 года Астрахань досталась русским без боя.

Сначала с Астраханью хотели поступить так же, как делали с вассальными татарскими царствами: посадили туда московского ставленника Дербыш-Алея, установили дань (1 200 рублей и 3 000 осетров в год), взяли с астраханцев обязательство впредь принимать ханов только по назначению русского царя.

Но вскоре Дербыш-Алей, пользуясь удаленностью, начал держаться независимо и, что еще хуже, завязал отношения с Крымом.

Тогда к Астрахани применили метод, опробованный в Казани. В 1556 году хватило совсем небольшого отряда, нескольких сотен воинов, чтобы с помощью ногайских союзников прогнать строптивого Дербыша, и нового хана назначать уже не стали, а присоединили область к русскому государству.

Восточные победы 1552—1556 годов стали важнейшей вехой в формировании российского государства.

Ивана IV, конечно, в первую очередь интересовали непосредственные результаты, и они были значительны: локализация татарской угрозы (теперь следовало опасаться только южного, крымского направления), присоединение волжских и приуральских народов, возможность сельскохозяйственного ис-

211

МЕЖДУ АЗИЕЙ И ЕВРОПОЙ

пользования новых замиренных земель, торговые выгоды. Однако владение волжским бассейном имело и другое, дальнее значение. Через Казань — довольно скоро — будет перекинут мостик в Сибирь, через Астрахань — еще очень нескоро — на Кавказ и в Среднюю Азию.

Начало самостоятельного правления молодого царя было поистине блистательным, но Иван вынашивал еще более величественные планы.

Движение на Запад

Логика действий Ивана IV была в точности такой же, как в свое время у его деда: начав с решения «татарской проблемы» на Востоке, царь затем обратил свой взгляд (а вернее, меч) на Запад. (Правда, в отличие от деда, царь предварительно не озаботился безопасностью южных рубежей, где таилась крымская угроза, — за это впоследствии пришлось заплатить дорогую цену.)

Нетерпение молодого Ивана, видевшего будущее страны в движении на запад, было понятно. В середине XVI века наибольшие коммерческие выгоды и самые передовые технологии Русь могла получить, только заняв сильные позиции в европейском мире. После разорения Новгорода прежние связи были разрушены, центр балтийской торговли переместился в порты соседней Ливонии. Русские не могли беспрепятственно экспортировать свою продукцию; возникали помехи с импортом необходимых западных товаров, а также с приглашением европейских мастеров.

 С 1553 года, правда, неожиданно наладился новый торговый маршрут. В далеком Лондоне составилось купеческое товарищество, отправившее три корабля исследовать северные моря — как делалось в эпоху географических открытий, более или менее наугад. Эта экспедиция, огибая Скандинавию, попала в большой шторм, и в конце концов только одно судно капитана Ричарда Ченслера добралось до неведомого залива, где встретило русских рыбаков и узнало, что эти земли и воды принадлежат какому-то королю Ivan Vasiliwich. У Ченслера на всякий случай была с собой грамота от Эдуарда VI ко всем восточным и северным владыкам, какие могут встретиться на пути. С этим документом капитан отправился в Москву, был милостиво принят и с хорошими вестями вернулся в Лондон, где немедленно составилась Московская компания, начавшая успешно торговать с Русью через Белое море.

Однако северного товарообмена, долгого, окольного и зависимого от навигационных условий, конечно, не хватало. Будущее большого государства было связано с Балтикой. К экономической необходимости прибавлялась память о том, что в давние времена часть балтийского побережья была русской — теперь

ВРЕМЯ СОБИРАТЬ КАМНИ

там властвовал недружественный Ливонский орден. От него зависело, продолжается или прекращается торговля, без которой московскому государству обходиться было невозможно.

В 1547 году, едва взяв в руки кормило власти, Иван хотел призвать из Германии всяких нужных мастеров и отрядил за ними специального посланника, который выполнил поручение, но Ливония завербованных немцев на Русь не пустила, решив, что незачем помогать опасному соседу развиваться и укрепляться.

Долгая череда боярских переворотов, приведшая к снижению внешнеполитической активности московского государства, поощряла орден к дерзости, а между тем внутреннее состояние Ливонии было довольно жалким. Области небольшой страны не ладили между собой, протестанты враждовали с католиками, светские власти — с церковными, немцы — с коренным населением. Всё это делало Ливонию легкой добычей для Москвы, войско которой после татарских походов приобрело выучку и боевой опыт.

Главным препятствием для захвата ослабевшего Ордена была не его малочисленная армия и не каменные замки, в которых не хватало гарнизонов, а то, что, вторгшись в этот стратегически важный край, Москва нарушала зыбкий баланс между основными балтийскими державами: Польшей, Швецией и Данией. Если бы какая-то из этих стран заступилась за Орден, война могла получиться слишком тяжелой.

Однако ситуация складывалась для Руси удачно.

Главный соперник, польско-литовское государство, переживало затяжной кризис. Там правил вздорный и себялюбивый Сигизмунд-Август (1548–1571), занимавшийся только личными делами, вечно ссорившийся с магнатами и транжиривший свою небогатую казну на фавориток и развлечения. К тому же король славился нерешительностью и медлительностью. Можно было надеяться, что, если военная кампания в Ливонии пройдет быстро, Польша в события вмешиваться не станет.

Датский король Кристиан III, по выражению С. Соловьева, «был старик, приближавшийся к гробу» (вскоре он действительно умер) и избегал любых военных конфликтов — с этой стороны тоже опасаться было нечего.

Несколько бо́льшее беспокойство вызывала Швеция. Король Густав I Ваза в молодости отличался энергичностью и воинственностью, но и он был уже на седьмом десятке, а его наследник принц Эрик страдал психическим расстройством. В 1554 году между Швецией и Москвой началась пограничная война, не слишком активная и не особенно масштабная, но она продемонстрировала шведам, что Русь окрепла и ссориться с ней не нужно. В 1557 году этот конфликт завершился подписанием мира на условиях, выгодных для русских. Эта победа, довольно скромная, но одержанная в борьбе с непоследней европейской страной, должна была придать Ивану еще больше уверенности в успехе затеваемого предприятия.

Теперь война с Ливонией стала неизбежной.

МЕЖДУ АЗИЕЙ И ЕВРОПОЙ

За предлогом дело не стало. Пятидесятилетнее перемирие, заключенное еще при Иване III, в 1553 году закончилось. Согласно условиям этого давнего соглашения город Дерпт обязывался выплачивать Москве дань, но уже очень много лет этого не делал, пользуясь русскими неурядицами. Царь потребовал выплатить задолженность, копившуюся десятилетиями. У Ордена таких денег не было. Таким образом, формально Ливония являлась неисправным плательщиком, с которого Москва имела право взыскать долг.

В начале 1558 года большая русская армия вторглась на орденскую территорию. Главной целью первого наступления был морской порт Нарва, взятый в мае князем Петром Шуйским. Город был ключом к самостоятельной балтийской торговле и, сделавшись русским, стал давать Москве до 70 тысяч рублей годовой прибыли.

В июне после долгой упорной осады Шуйский взял крепость Нейгауз и отпустил защитников в знак уважения к их храбрости.

В этот период русские вообще вели себя рыцарственно — совсем не так, как впоследствии, когда война дошла до крайнего ожесточения. Иван IV собирался присоединить ливонский край к своей державе и надеялся расположить его жителей великодушием. Нужно было показать ливонцам, что власти русского царя можно не бояться.

Эта тактика себя оправдывала. В июле князю Шуйскому на почетную капитуляцию сдался важный город Дерпт (современный Тарту). Всех, кто хотел уйти, задерживать не стали; в занятом городе поддерживался идеальный порядок, специальные патрули хватали пьяных и дебоширов, чтобы те не чинили жителям никаких обид.

К осени Москве покорились два десятка городов и крепостей. Оставив в них гарнизоны, русские завершили кампанию. Основные силы армии отошли к границе, на зимние квартиры.

В январе 1559 года Готхард Кетлер, ландмейстер Ордена, предпринял единственную попытку активного сопротивления: воспользовавшись уходом русских войск, отбил замокРинген (современный Рынгу), но потерял при штурме так много людей, что был вынужден отказаться от дальнейшего наступления.

Немедленно, не дожидаясь весны, в Ливонию вновь вошла московская армия и, не встречая серьезного противодействия, целый месяц разоряла всю ливонскую землю, по образному (а может быть, и не образному) выражению летописца, «не щадя младенцев во чреве матерей». Это, вероятно, должно было показать ливонцам, что если они не хотят по-хорошему, то будет по-плохому.

В течение второй военной кампании вся восточная и почти вся южная Ливония были оккупированы. Последним оплотом, где собрались все боеспособные отряды Ордена, была мощная крепость Феллин (Вильянди), но летом следующего 1560 года после осады сдалась и она. Разгром Ливонского Ордена завершился.

Но это не означало конца войны.

ВРЕМЯ СОБИРАТЬ КАМНИ

С самого начала боевых действий, не надеясь отбиться от многократно превосходящего противника, ливонцы искали покровителей, которые согласились бы взять их под свою защиту. Они готовы были отдаться кому угодно, только не русскому царю (хотя в те годы никто еще не мог предугадать, что вскоре он станет Грозным).

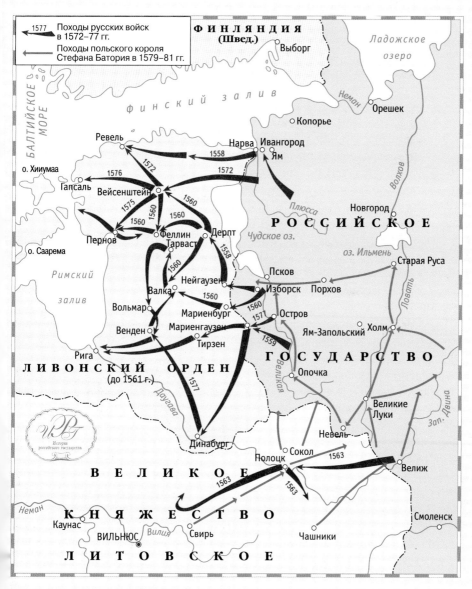

Ливонская война (начальный период). *С. Павловская*

МЕЖДУ АЗИЕЙ И ЕВРОПОЙ

Раздел Ливонии. С. Павловская

Сначала ничего не получалось. Ни сейм Германской империи, ни Швеция, ни Дания, ни Польша не желали ввязываться из-за Ливонии в большую войну. Тогда части разгромленной страны стали спасаться по отдельности.

Дания согласилась принять в подданство остров Эзель (Сааремаа). Швеция заявила претензии на Эстляндию. Лифляндия попросилась в состав Литвы, с которой она соседствовала, а ландмейстер Кетлер стал вассалом Польши в качестве герцога Курляндского.

Из-за далекого Эзеля ссориться с Данией русские не собирались, Швеции после недавней войны тоже можно было временно не остерегаться, к тому же две скандинавские страны находились во враждебных отношениях и готовились к войне друг с другом, но вот вооруженного конфликта с польско-литовским государством было не избежать.

Отказаться от столь лакомого куска, как Лифляндия с Курляндией, Сигизмунд-Август не мог, но и воевать с Москвой ему не хотелось. Поэтому он отправил в Москву посольство, надеясь договориться о компромиссе. Если бы Иван IV проявил сдержанность, Ливонская война на этом и закончилась бы. Русь получила бы и выход к морю, и большие ливонские территории — притом, в общем, недорогой ценой.

Но Иван знал, что Польша слаба, и войны с ней не боялся. Наоборот, он рассчитывал еще дальше продвинуться на запад за счет литовских владений.

Так русско-ливонская война переросла в русско-польскую, и на начальном этапе казалось, что царь принял верное решение.

В 1561 году русские отбили наступление литовцев на Ливонию, нанеся им поражение под Перновым (современный Пярну), потом захватили южноливонскую крепость Тарваст. Следующий год прошел в мелких стычках — Иван готовился к большому походу.

В самом начале 1563 года царь повел войско прямо на Литву, намереваясь захватить ключевой город Полоцк.

Детали полоцкого похода нам известны в подробностях. Даже, что прежде бывало нечасто, сохранились точные данные о численности московского войска. Они лишний раз подтверждают, что сведения о стопятидесятитысячной армии, которую Иван якобы привел в 1552 году под Казань, сильно преувеличены.

На Полоцк царь отправил все свои наличные силы, которые за десять с лишним лет должны были увеличиться, и набралось 18 105 человек дворянского ополчения,

ВРЕМЯ СОБИРАТЬ КАМНИ

7219 стрельцов и казаков, шесть тысяч «своих» татар да еще «боевые холопы» — минимум по одному у каждого дворянина, а у некоторых и больше, то есть предположительно еще 20—30 тысяч воинов. Таким образом, получается, что в русской армии было порядка 50—60 тысяч человек. Для европейской войны XVI века это была огромная сила. Известно, что из-за невиданного многолюдства и нехватки опыта в перемещении таких масс войска на дорогах постоянно возникала неразбериха и образовывались длинные заторы, так что войско шло очень медленно, а иногда вовсе застревало, и восстанавливать движение приходилось самому Ивану.

Наконец, уже в феврале подошли к городу. Поставили пушки, открыли канонаду. Когда разрушили внешнюю стену, гарнизон отступил в цитадель. Защитники храбро держались, надеясь на подмогу, но у Сигизмунда-Августа не было возможности собрать столько сил, чтобы сразиться с русским войском. 15 февраля крепость капитулировала. Царь обошелся с полочанами по-разному. Поляков с почетом отпустил; литовцев ограбил и захватил в плен; евреев велел утопить в Двине (с точки зрения набожного Ивана, они были «Христовы погубители», и он нигде не давал им пощады).

Взятию Полоцка государь придавал не меньшее значение, чем покорению Казани. Он вернулся в Москву с такой же торжественностью и пышностью, как из восточного похода.

В самом деле, победа была впечатляющей. От Полоцка оставалось всего несколько переходов до литовской столицы.

Это был момент наивысшего успеха русского оружия. У Ивана опять появилась возможность завершить войну на самых выгодных условиях — и царь снова ею не воспользовался. Он выдвинул требования, согласиться на которые для Сигизмунда-Августа было совершенно невозможно: уступить области, куда русские войска даже и не входили, в том числе Киев.

Сделалось окончательно ясно, что война будет долгой, на истощение. Ее дальнейший ход для Руси окажется неблагоприятен, и причиной тому станут не столько действия польской стороны, сколько события в Москве, где в это время происходили большие перемены.

Время разбрасывать камни

Резкий поворот

Конец «Избранной рады»

Политический режим на Руси изменился несколько раньше, в 1560 году, когда Иван пережил личное горе — лишился любимой жены Анастасии.

С этого момента время «Избранной рады» заканчивается. Ее вожди утрачивают доступ к монарху; менее заметные члены кружка тоже теряют свое влияние.

Охлаждение наступило уже давно, и смерть царицы, видимо, стала лишь последним толчком. Анастасии и ее родне, боярскому роду Захарьиных, не могла нравиться чрезмерная зависимость Ивана от Адашева и Сильвестра, и теперь охваченный скорбью царь припомнил былым фаворитам нелюбовь к покойной. В письме Курбскому он с горечью вспоминает какую-то их ссору с тяжело больной царицей «единаго ради мала слова непотребна».

Доверие государя к ближайшим советникам поколебалось еще в 1553 году, когда вскоре после Казанского похода Иван тяжело болел и предводители «Избранной рады» не захотели присягать маленькому наследнику. Видимо, они руководствовались соображениями государственного блага или же боялись, что власть достанется враждебной партии Захарьиных, но Ивану подобное поведение должно было показаться предательством.

Еще один конфликт возник перед Ливонской войной, которую Алексей Адашев считал преждевременной. Он настаивал на том, что сначала, следуя примеру Ивана III, нужно решить крымскую проблему, чтобы Гиреи не нанесли удар с тыла. Дальнейшие события докажут резонность этих опасений, однако удачное начало балтийской кампании должно было убедить царя в его умственном превосходстве над Адашевым.

ВРЕМЯ РАЗБРАСЫВАТЬ КАМНИ

Главная же причина, по которой царь порвал с «радой», заключалась в том, что ему надоело слушать сильвестровские поучения о нравственности и политические рекомендации вездесущего Адашева. «Если мы предлагали даже что-либо хорошее, им это было неугодно, а их даже негодные, даже плохие и скверные советы считались хорошими, — пишет Иван князю Курбскому (это перевод на современный язык). — Так было и во внешних делах, и во внутренних, и даже в мельчайших и самых незначительных, вплоть до пищи и сна, нам ни в чем не давали воли, все свершалось согласно их желанию, на нас же смотрели, как на младенцев».

Вскоре после болезни и спора из-за наследника, во время благодарственного паломничества по святым обителям, царь навестил старца Вассиана, бывшего коломенского епископа, а еще ранее — соратника Василия III. Во время беседы государь спросил чернеца, как ему следует править, и Вассиан ответил: «Аще хощеш самодержцем быти, ни держи собе советника ни единаго мудрейшего собя». Это самый худший наказ, какой только можно дать правителю, но Ивану, обиженному на «Избранную раду», идея очень понравилась. Он поцеловал монаху руку и сказал, что и родной отец не дал бы ему лучшего совета.

Конечно, вокруг монарха хватало и льстецов, которые год за годом шептали, что давно пора избавиться от опеки помощников и править «самодержавно». Уязвляли самолюбие Ивана и нарочно передаваемые ему слухи, что «любяще их [Адашева и Сильвестра] все твое воинство и народ, нежели тобя самого».

И вот в 1560 году, после громких побед и многочисленных свершений, Иван решил, что с него довольно. Он, истинно великий государь и помазанник Божий, отныне будет править по собственному разумению.

Анастасия скончалась 7 августа, а в конце того же месяца Алексея Адашева вдруг отправили из Москвы командовать гарнизоном только что захваченной крепости Феллин. Это была опала, поначалу почетная, но адашевские враги и завистники немедленно осмелели.

Некто Осип Полев, доселе ничем себя не проявивший и назначенный Адашеву в помощники, вдруг объявил, что не согласен быть «вторым воеводой», ибо по местническому разряду его род выше. И Адашева сняли с невысокой должности, отправили служить в Юрьев, под начало князю Хилкову, который стал всячески притеснять и унижать недавнего главу правительства.

Тем временем в Москве — в отсутствие Адашева — затеяли над ним суд. Не помогло даже заступничество митрополита Макария, просившего вызвать подсудимого в столицу, чтобы он мог дать ответ на обвинения. Боярская дума утвердила длинный список адашевских провинностей, после чего опальный фаворит был взят под стражу. Через два месяца он умер, не выдержав обрушившихся на него несчастий. Может быть, оно и к лучшему. Страшно представить, какая участь ждала бы Адашева, доживи он до Опричнины. С годами злоба Ивана Грозного против былого любимца не прошла, а только усилилась. В переписке с Курбским царь называет покойного «собакой», а родственники Адашева, включая женщин и детей, впоследствии были преданы казни.

От Сильвестра монарх избавился проще. Вернее сказать, священник сам избавил царя от своего присутствия. Когда все ходатайства за Адашева остались тщетными, Сильвестр объявил, что удаляется в Кириллово-Белозерский монастырь. Иван многолетнего наставника не удерживал — несомненно, царь был рад такому исходу. Сильвестр уехал, взяв с собой собранную большую библиотеку. О последних годах жизни «доброго гения» молодого Ивана IV ничего не известно. Впоследствии государь отзывался о Сильвестре крайне негативно, но, кажется, его не трогал. Во всяком случае, Курбскому он пишет, что «попу Селивестру ничего зла не сотворих» и что хочет судиться с ним «в будущем веце [загробном мире], пред Агнцем Божиим». Кажется, это единственный случай, когда Иван Грозный не расправился с тем, на кого держал зло.

В дальнейшие годы царь всячески старался истребить даже память о ранних своих соратниках, чтобы ни с кем не делиться славой былых триумфов — тем более что новых побед уже не будет.

Рациональное в безумном

Овдовев и освободившись от опостылевших советников, Иван зажил совсем не так, как прежде, — современникам даже показалось, что царя подменили. Едва похоронив любимую жену, он объявил, что намерен жениться вновь, стал предаваться безудержному веселью, буйным гульбищам, пьянству и всякого рода потехам — будто наверстывал годы, проведенные под благонравным надзором Сильвестра. Все, кого приглашали на царские пиры, тоже должны были напиваться до беспамятства, а проявлявших сдержанность обвиняли в неуважении к государевой особе и сильвестровско-адашевском «обычае».

220

Никто, конечно, Ивана не подменял — просто теперь проступили те черты характера, которые доселе подавлялись.

Самодержавное государство устроено таким образом, что метаморфозы в личном поведении властителя неминуемо влекут за собой перемены в образе жизни всей страны.

И Русь очень быстро стала другой.

Во внутренней политике Ивана IV трудно отделить государственно необходимое от вздорного, объективное от субъективного. Некоторые авторы вообще отрицают какую бы то ни было целесообразность в действиях последних двадцати лет правления грозного царя, видя одно лишь безумие или следствие личностной деградации. Но это не так или не совсем так.

ВРЕМЯ РАЗБРАСЫВАТЬ КАМНИ

Безумства и преступления Ивана Грозного настолько красочны, что заслоняют смысловое содержание зигзагов его политики. Однако во всех этих злодействах просматривается определенная логика и последовательность.

Попробуем же отделить рациональное от иррационального, государственный интерес от личной патологии.

Жестокие репрессии, которые царь обрушил — в первую очередь — на высшее сословие, объяснялись вполне очевидной целью: укреплением системы самодержавия. Если формулировать совсем коротко, Грозный попытался довести принцип самодержавия до крайнего предела. Можно сказать, что в царствие Ивана IV самодержавия стало слишком много.

Царь добивался от подданных даже не верности, а нерассуждающей веры — как в Господа. Он, возможно, и в самом деле воображал себя ветхозаветным Богом, который испытывает подданных, словно Иова многострадального: не заропщут ли, не отрекутся ли? Вот почему Иван так болезненно воспринимал любые упреки и сомнения в его правоте. Ему требовалось не просто повиновение, но полная безропотность. Главный смысл самых кровавых деяний Грозного, видимо, состоял в том, чтобы показать: воля царя, даже если она непонятна и чудовищна, стоит выше любых обычаев, законов и доводов разума. Царь лучше знает, что можно и что нельзя. Он общается напрямую с Богом и ответственен только перед Ним.

В начале 1560-х годов на пути царя к абсолютной власти стояли два препятствия: аристократия и церковь. Первая была сильна богатством, «стариной»

Иван IV становится Грозным. *Кадр из фильма С. Эйзенштейна (1945)*

МЕЖДУ АЗИЕЙ И ЕВРОПОЙ

(то есть традиционно признаваемыми правами) и участием в государственном управлении; вторая — моральным авторитетом.

Боярские заговоры и цареубийственные умыслы, по-видимому, существовали лишь в параноидальном воображении Грозного (либо нарочно придумывались в оправдание жестокостей), однако нельзя сказать, чтоб «боярская угроза» была совсем уж химерой. Высшая знать сохраняла могущество и влияние, ее связывали давние, наследственные связи с населением обширных вотчинных владений. Еще существеннее то, что в отсутствие разработанного административно-бюрократического механизма бояре по-прежнему составляли костяк государственного управления. Иван IV отлично помнил, как во времена его детства аристократические кланы захватили всю полноту власти.

Таким образом, проблема существовала объективно — с ней сталкивалось всякое государство позднего Средневековья, вступая на путь централизации: монархия должна была подавить сопротивление старой знати. Страны, которые с этой работой не справились (например, Германская империя), так и не стали единым государством; если же дело не было доведено до конца (например, в польско-литовском королевстве), государство получалось непрочным.

Однако методы, посредством которых Грозный попробовал достичь этой объективно необходимой цели, были определены фактором вполне субъективным — особенностями личности монарха. В конце концов из всех возможных способов ослабления оппозиции он остановился на том, который больше всего соответствовал его жестокой и нетерпеливой натуре: терроре. И парадокс заключался в том, что чем меньше Иван встречал реального противодействия, тем жестче становились репрессии.

Первоначально царь, случалось, проявлял мягкость, даже сталкиваясь с истинными актами государственной измены.

В 1554 году произошел инцидент с князем Семеном Ростовским, который отказался присягать младенцу Дмитрию во время болезни Ивана, а потом испугался и решил сбежать в Литву. По дороге его схватили и доставили обратно в Москву. Князь признался, что доносил литовскому послу о думских делах и переписывался с королем, а в оправдание ссылался на свое «убожество и малоумство» (видимо, в самом деле был не очень умен). Для острастки изменника приговорили к смертной казни, но затем по ходатайству митрополита Макария помиловали, ограничившись ссылкой. Русскому послу, отправлявшемуся в Литву, была дана инструкция: «А станут говорить: с князем Семеном хотели отъехать многие бояре и дворяне? Отвечать: к такому дураку добрый кто пристанет? С ним хотели отъехать только родственники его, такие же дураки».

В 1562 году за такую же вину другого несостоявшегося, но уличенного перебежчика князя Ивана Бельского тоже не казнили, а лишь подвергли позору и опале: выщипали все волосы из бороды и на три месяца посадили в тюрьму.

ВРЕМЯ РАЗБРАСЫВАТЬ КАМНИ

Но потом наказанием не то что за измену, а за одно лишь подозрение стала смертная казнь, причем всё более и более жестокая. Знатные люди год за годом жили в мучительном страхе, не зная, на кого обрушится царский гнев. «За что» — уже не спрашивали. Главное правило большого террора — карать не за реальные преступления, а произвольно, чтобы никто не чувствовал себя в безопасности. Невиновных у Ивана Грозного не было и быть не могло. Его тотальное самодержавие держалось на столь же тотальном страхе.

Усмирение знати

Возникает вопрос: почему могущественные, спесивые, окруженные многочисленной родней и челядью аристократы не пытались убить тирана или хотя бы составить заговор? Самые смелые из них, уже перед плахой, иногда бросали ему в лицо несколько горьких слов — и это весь протест. В декабре 1564 года Иван пошел на очень рискованный шаг — уехал из Москвы, объявив, что отрекается от престола (об этом в следующей главе), но боярам и в голову не пришло воспользоваться удобным моментом. Это доказывает, что никакой аристократической оппозиции на самом деле не существовало.

Почему же?

Во-первых, для людей той эпохи и боярского воспитания убийство законного государя, венчанного на царство самим Богом, представлялось чем-то совершенно невообразимым.

Во-вторых, репрессии нарастали постепенно, парализуя мужество. Как сказано в драме Алексея Толстого «Смерть Ивана Грозного»: «Но глубоко в сердца врастила корни привычка безусловного покорства и долгий трепет имени его».

В-третьих, после каждой волны казней наступало затишье, когда Иван каялся и переставал проливать кровь. Всем, должно быть, хотелось верить, что кошмар уже не повторится.

Ну а кроме того — и это, вероятно, важнее всего — репрессии следовали определенной схеме, разобщавшей боярство, и без того вечно ссорившееся между собой из-за «мест», должностей и государевых милостей.

В то время высшая аристократия делилась на две группы: так называемых «княжат», то есть потомков владетельных родов, Рюриковичей или Гедиминовичей, и «просто бояр» (термин совершенно условный, поскольку для местнической иерархии наличие титула особенного значения не имело). Бóльшую угрозу для царя, конечно, представляли «княжата», среди которых были и государевы родственники, теоретически могущие претендовать на престол.

Поэтому на первом этапе Иван сделал опору на «просто бояр», приблизив родственников покойной Анастасии — Захарьиных. Этот род и связанные с ним люди, самыми толковыми из которых были хранитель печати (то есть, по совре-

МЕЖДУ АЗИЕЙ И ЕВРОПОЙ

менному, глава канцелярии и внешнеполитического ведомства) Иван Висковатый и дьяк Казенного приказа (министр финансов) Никита Фуников, возглавили первое правительство после роспуска «Избранной рады».

На отпрысков лучших княжеских родов обрушились гонения.

Прежде всего под ударом оказался «первый принц крови» князь Владимир Андреевич Старицкий, двоюродный брат Ивана. Сам он по слабоволию опасности не представлял, но его мать, княгиня Евфросинья, была женщиной энергичной, властолюбивой, и вокруг нее вечно группировались недовольные. Когда Иван в 1553 году заболел и все думали, что он уже не поднимется, многие бояре были готовы присягнуть не законному наследнику, а Владимиру Старицкому. Иван этого не забыл.

Двоюродного брата он трогать не стал, но заменил всю его свиту на своих людей, то есть фактически поместил Старицкого под гласный надзор, а тетку Евфросинью велел насильно постричь в монахини и сослал в дальнюю обитель.

Бояре ожидают выхода царя. *А. Рябушкин*

ВРЕМЯ РАЗБРАСЫВАТЬ КАМНИ

В это же время были преданы опале князья Воротынские и бывший член «рады» князь Дмитрий Курлятев-Оболенский с сыном за «великие изменные дела», непонятно какие.

При опале, а иногда и просто безо всякой причины, у бывших удельных князей отбирали родовые вотчины, давая взамен поместья в других областях, для населения которых новые хозяева были чужаками. При этом обмен никогда не бывал равноценным.

Кровь пока лилась редко. Во всяком случае, публичных казней, кажется, не было. Князь Курлятев в ссылке, правда, как-то очень уж быстро умер, и Курбский впоследствии утверждал, что узника убили по приказу царя, но подтверждений этому нет.

После гонений на «княжат» настала очередь нетитулованного боярства. Правление Захарьиных кончилось. Иван перенес опору на других людей — тех самых, которые скоро будут создавать Опричнину. Главным царским любимцем в это время стал воевода Алексей Басманов, про которого говорили, что это он подбил Ивана IV перейти от бескровных репрессий к кровавым.

Удар был нанесен по родственной Захарьиным боярской семье Шереметевых. Иван Васильевич Шереметев по прозвищу Большой считался одним из столпов московского боярства, был многолетним членом думы и полководцем. И вот с этим именитым и заслуженным вельможей Басманов затеял тяжбу, выиграть которую он мог, разумеется, лишь при прямой поддержке царя. Так и случилось. Шереметева-Большого с позором посадили на цепь, а его брата Никиту удавили в темнице — опять по-тихому.

В дальнейшем Иван IV все время использовал один и тот же прием: обрушивая свой гнев на одну группу знати или служилой бюрократии, он непременно возвышал какую-то другую, а затем расправлялся и с нею.

Как уже было сказано, никакой политической оппозиции в кругах знати так и не возникло. Высокородные князья и спесивые бояре покорно сносили все кары и глумления. Единственным способом протеста было бегство за границу, к царским врагам — чаще всего в Литву, иногда в Крым.

Еще в самом начале репрессий против Владимира Старицкого и его приближенных, перед Полоцким походом, один из наперсников князя, некий Хлызнев-Колычев ушел к литовцам, сообщив им о готовящемся нападении, что, правда, город не спасло. Затем перебежчики потянулись один за другим. Они уходили не как в давние времена, с семьями, слугами и обозами, а бежали поодиночке, спасаясь от расправы. И король, и хан охотно принимали московских беглецов.

 Самым известным из «политэмигрантов» стал князь Андрей Михайлович Курбский (1528–1583). Он являлся не столь уж крупной фигурой, занимая в войске видные, но далеко не первые должности — на пике карьеры был вторым воеводой сторожевого полка. Своей посмертной славой Курбский обязан сохранившейся переписке с Иваном

МЕЖДУ АЗИЕЙ И ЕВРОПОЙ

Грозным — чуть ли не самому главному документу эпохи, бесценному источнику исторических сведений.

Князь бежал в Литву из Юрьева в 1564 году, опасаясь ареста. После этого семья и родственники Курбского были истреблены, вотчины конфискованы. Перебежчик был милостиво принят королем, получил обширные поместья и в дальнейшем воевал против бывших соотечественников на польской стороне, ничем особенным, впрочем, не отличившись. Вскоре после отъезда Курбский отправил Ивану IV письмо, полное упреков и обвинений. Царь неожиданно ответил — притом очень многословно и эмоционально. Курбский написал еще раз, но послание, кажется, не дошло, и переписка надолго прервалась. Много лет спустя, в 1577 году, во время краткосрочных успехов в Ливонии, Грозный вдруг снова послал изменнику длинную эпистолу — оказывается, царь не забыл насмешек Курбского и, наконец одержав несколько побед, захотел покичиться ими перед врагом. В 1579 году, когда стало ясно, что Москва войну проигрывает, князь отправил Грозному третье письмо, полное издевательств, но оно осталось уже без ответа — в это время царю было не до полемики.

Главная ценность этого литературного памятника, конечно, заключается в том, что он раскрывает личность правителя Руси, позволяет потомкам услышать его живой голос. Но очень интересны и обличения Курбского — они дают представление о взглядах тогдашней русской аристократии. Признавая великие свершения первых лет царствования, князь обвиняет царя в черной неблагодарности к тем, кто сделал его великим, не забыв перечислить свои собственные ратные заслуги. Царь то оправдывает свою суро-

Посол от князя Курбского у Ивана Грозного. *В. Шварц.*
(Отчаянного посла, Василия Шибанова, разумеется, предали лютой казни)

ВРЕМЯ РАЗБРАСЫВАТЬ КАМНИ

вость происками и коварством внутренних врагов, то ссылается на свою богоизбранность, ставящую его выше людского суда. Оба корреспондента не слышат и не хотят слышать друг друга.

В целом из писем Ивана складывается ощущение, что государь, со всех сторон окруженный льстецами, даже рад собеседнику, который разговаривает с ним жестко и без подобострастия, на равных.

Этой эпистолярной перепалкой из безопасного далека княжеско-боярское сопротивление деспоту, кажется, и ограничилось.

Усмирение церкви

На этом фоне гораздо мужественней и достойнее вели себя руководители православной церкви. Грозный подвергал их не менее жестоким преследованиям, в которых опять-таки прослеживается сознательная цель.

В XVI веке многие европейские страны, вставшие на путь централизации и укрепления монархии, стали ареной религиозных войн и конфликтов, причиной которых было противостояние светской и духовной властей. На Руси общественное влияние церковных институтов стояло очень высоко еще с татарских времен, когда митрополиты держались независимо, позволяли себе спорить с великими князьями, а иногда и правили страной. Со времен Ивана III политическая роль церкви стала уменьшаться, но ее авторитет был по-прежнему высок, а в том государстве, которое создавал Грозный, могла существовать лишь одна сакральность — царской власти. В утрированном самодержавии (можно назвать государство Ивана IV и так) церковь не смела занимать позицию, хоть в чем-то отличную от монаршей. Иерархи православной церкви должны были превратиться в таких же безгласных рабов, как остальные подданные, — иначе вся система власти дала бы сбой.

Пока жил Макарий, всеми почитаемый, олицетворявший собой высокий престиж церкви, Иван поделать ничего не мог, но 31 декабря 1563 года старый владыка скончался. Теперь руки у царя были развязаны. Он поместил на освободившийся митрополичий престол близкого человека — кремлевского монаха и своего личного духовника отца Афанасия, обладавшего кротким, покладистым нравом. Царю в его новой ипостаси требовался не митрополит-наставник, каким был покойный Макарий, а митрополит-исполнитель.

Однако с Афанасием возникла неожиданная проблема. При агнецком смирении он оказался *слишком христианином*, а в эпоху, когда главным инструментом внутренней политики становились казни, это было очень некстати. Митрополит не вмешивался в дела управления, но позволял себе «печаловаться», то есть заступаться за невинно осужденных, а это выглядело как критика церковью государевых поступков. Конфликт перешел в острую стадию, когда Афанасий не принял Опричнину. В следующем году слишком оторванного от реальности старца под предлогом слабого здоровья то ли попросили уйти, то ли, что еще вероятнее, он сам сложил сан — и с облегчением удалился от мира.

Тогда Иван призвал деятеля не келейного, а практического — архиепископа Германа, прославившегося миссионерской деятельностью в недавно присоединенном Казанском крае. Герман приехал в Москву, но уже через два дня лишился белого клобука — после того как посмел уговаривать государя отказаться от Опричнины. Год спустя, во время очередной вакханалии казней и убийств, Герман внезапно умер. Ходили слухи, что ему по приказу царя отомстили опричники, но доказательства насильственной смерти появились лишь в XX веке во время эксгумации останков старца: оказалось, что его голова была отрублена двумя ударами сабли или топора. Иван действительно не забыл и не простил.

Еще меньше Грозному повезло со следующим владыкой, соловецким настоятелем Филиппом, происходившим из боярского рода Колычевых.

После неудачи с Германом царь решил поставить новому кандидату жесткое условие: не покушаться на Опричнину. Вызванный в Москву соловецкий архимандрит сначала на это не соглашался, но в конце концов уступил. Это происходило летом 1566 года, когда казни временно прекратились и Филипп, вероятно, надеялся, что кровопролития больше не будет. Он пообещал «не вступаться», то есть не вмешиваться в опричные и в домашние дела государя, взамен выхлопотав помилование для немалого количества осужденных.

Года полтора царь и митрополит сосуществовали в относительном согласии. Казней всё это время не было.

Но в начале 1568 года, вернувшись из неудачного ливонского похода, раздосадованный Иван стал искать виноватых, обвинять ближних бояр в измене, и началась долгая полоса казней, длившаяся несколько месяцев. В поминальном «Синодике» Грозного потом будет подсчитано, что с марта по июль было «отделано» 369 человек, в число которых попали многие видные государственные деятели и бояре.

Митрополит увещевал царя и слал ему укоризненные письма: «О царю, свете, сиречь православна вседержавный наш государь, умилися, разори, государь, многолетное свое к миру негодование, призри милостивно, помилуй нас, своих безответных овец». Грозный презрительно называл эти петиции «филькиными грамотами» (вот с каких пор существует в русском языке эта идиома, означающая нечто безграмотное, не имеющее ценности). В конце концов Филипп устроил настоящую акцию протеста — съехал из кремлевских палат в монастырь на Никольской улице.

ВРЕМЯ РАЗБРАСЫВАТЬ КАМНИ

Происходило то самое, чего так опасался царь: церковная власть восстала против самодержавия. Это, пожалуй, одна из самых красивых страниц в истории русского православия.

Возможности сторон, конечно, были неравны. Против молитвы и проповеди — грубая сила и государственное насилие.

Желая запугать митрополита, опричники перебили его слуг. Затем подбросили во двор мешок, в котором лежала отрубленная голова окольничего Ивана Колычева, племянника владыки. Разумеется, нашлись и покладистые иерархи, которые согласились участвовать в наскоро созванном церковном суде над упрямым Филиппом. Тот хотел было добровольно отказаться от звания, но ему не позволили. Дело зашло слишком далеко. Чрезмерно нравственного оппозиционера следовало унизить и предать поруганию, чтобы растоптать его авторитет в глазах народа и доставить удовольствие государю.

8 ноября 1568 года, когда Филипп вел службу в Успенском соборе, туда ворвались опричники, содрали с пастыря клобук и одеяние, выволокли наружу, кинули в дровни и, избивая метлами, словно выметая мусор, повезли прочь из Москвы. Заточенный в один из тверских монастырей, Колычев был убит год

Митрополит Филипп и Малюта Скуратов. *Н. Неврев*

спустя. По преданию, его собственными руками задушил Малюта Скуратов, царский любимец и главный опричный душегуб.

Следующий митрополит Кирилл царю ни в чем не перечил, лишь изредка осмеливаясь робко попросить для кого-то пощады.

Потом церковь возглавил владыка Антоний, которого называли «тишайшим и смиреннейшим». Этот жил в вечном страхе за свою жизнь — и не зря. Известно, что в 1575 году Грозный на него за что-то осерчал и велел бросать через ограду митрополичьего подворья отрубленные головы казненных.

Ничем не проявил себя и последний митрополит этого царствования Дионисий.

Грозный добился того, чего хотел: вслед за знатью перед самодержавной властью склонилась и церковь. Две древние опоры московского государства были подорваны и низведены до рептильного состояния.

Какую же опору решил возвести Иван IV взамен прежних?

Государство в государстве

Зачем Ивану Грозному понадобилась Опричнина?

Над этим вопросом бьется не одно поколение историков. Опричная эпопея, представлявшаяся современникам непостижимой карой Божьей, и сегодня, с расстояния почти в полтысячелетия, выглядит весьма диковинно. В. Ключевский писал: «Учреждение это всегда казалось очень странным как тем, кто страдал от него, так и тем, кто его исследовал».

Однако, как мы уже выяснили, репрессивная внутренняя политика Ивана IV преследовала вполне практическую цель усиления самодержавной власти и ослабления элит, которые могли этому процессу помешать. Одним из этапов борьбы стала Опричнина, за эксцессами которой проступает несомненная расчетливость. Это была попытка противопоставить аристократической системе государственного управления новую, более надежную, более удобную и безопасную для самодержца.

Особенности характера Ивана IV придавали этим административным преобразованиям крайне непоследовательный и хаотичный оттенок. Царь то очертя голову кидался перестраивать весь государственный механизм, то начинал ломать построенное и вносить какие-то коррективы либо вовсе сооружать взамен что-то другое. Наступления сменялись отступлениями, взрывы лихорадоч-

ВРЕМЯ РАЗБРАСЫВАТЬ КАМНИ

ной активности — периодами апатии. Жертвы и издержки были огромны, результаты — ничтожны или даже разрушительны. Последнее двадцатилетие царствования напоминает чередование судорожных вдохов и вялых выдохов.

Непосредственные причины, вызвавшие зимой 1564–1565 годов «глубокий государственный переворот» (как небезосновательно называет учреждение Опричнины С. Платонов), по-видимому, состояли в следующем.

Во-первых, в Ливонии после долгой полосы сплошных побед произошла катастрофа, а бремя военных расходов начало сказываться на жизни народа; нужно было на кого-то свалить вину за неудачи и тяготы. Царь обвинил в измене двух родовитых воевод, князя Репнина и князя Кашина, которых убили прямо на месте, безо всякого следствия. Это были первые сполохи грозы, которая вскоре обрушится на бояр.

Второй причиной была финансовая необходимость. Война требовала всё больших расходов, добыть которые обычными методами уже не получалось. Идея разделения державы на две части, «земскую» и «опричную», в этом смысле была, можно сказать, новаторской. Раньше никакому государю не приходило в голову превратить бóльшую часть собственной страны в объект беззаконного грабежа, который будет осуществлять меньшая часть государства. При этом почти вся расходная часть бюджета ляжет на первую половину, а второй достанутся только доходы.

В-третьих, нельзя недооценивать личностные изменения, происходившие с Иваном. Судя по всему, в это время он перенес тяжелую нервную болезнь. Его подозрительность и мнительность стремительно прогрессировали. Недовольство боярским правительством и трудные отношения с церковной верхушкой побуждали царя к радикальным мерам.

И здесь — это четвертая причина — важную роль сыграли новые фавориты монарха: прежде всего отец и сын Басмановы, а также князь Афанасий Вяземский, непременный участник всех царских утех. Как мы помним, Иван имел склонность безоговорочно доверять тем, кому в данный момент благоволил. Теперешние любимцы, увы, сильно отличались от Сильвестра и Адашева.

231

 Алексей Данилович Басманов был храбрым и удачливым воеводой, который отличился при взятии Казани и в боях с крымцами, а затем и в начале Ливонской войны. Он, единственный из новых друзей царя, состоял в Боярской думе, хоть и далеко не на первых ролях. Это был человек лихой, разгульный, склонный ко всякого рода бесчинствам.

Про его сына Федора у Карамзина говорится: «прекрасный лицом, гнусный душою». Ходили слухи, что младший Басманов состоит у распутного царя в любовниках.

В «монашеском ордене», участниками которого стали наиболее доверенные опричники, Алексей и Федор входили в число старших «чернецов». Оба были непременными участниками всех увеселений и казней Грозного.

Афанасий Вяземский поднялся из помощников старшего Басманова. Происходивший из древнего княжеского рода, он, кажется, особенно свирепствовал в расправах со знатными людьми, чтобы царь не заподозрил его в сочувствии. Вяземский был единственным придворным, из рук которого смертельно боявшийся отравы Иван соглашался брать лекарства. Пользуясь своим положением (он был главным поставщиком царского двора), князь Афанасий скопил огромные богатства.

Как это обычно бывает после запуска машины террора, весь обслуживающий персонал этой мясорубки со временем в нее же и попал.

Участь всех без исключения инициаторов Опричнины была ужасной. Со временем маниакальная подозрительность тирана обратилась против тех, кто ее поощрял.

Через пять лет после начала Опричнины Басмановы были брошены в темницу. Иван пообещал помиловать того из них, кто убьет другого, и Федор умертвил собственного отца. Это, впрочем, не спасло ему жизнь.

Конец Вяземского был не менее страшен. Альберт Шлихтинг рассказывает: «Тиран приказал отвести князя Афанасия на место, где обычно бьют должников, и повелел бить его палками по целым дням подряд, вымогая от него ежедневно 1000 или 500 или 300 серебреников. И во время этого непрерывного избиения тело его начало вздуваться желваками». Таким образом казнокрада заставляли вернуть всё, что он налихоимствовал. Но несчастного продолжали истязать и после того, как он отдал последнее. «Не имея более чего дать алчному тирану, несчастный со страху начал клеветать на всех наиболее богатых граждан, вымышляя, что те ему должны определенные суммы денег», — пишет далее Шлихтинг. Так пострадало еще множество ни в чем не повинных людей, прежде чем Вяземский умер от истязаний.

Новые временщики, занимавшие невысокое место в придворной иерархии, были кровно заинтересованы в том, чтобы разжигать в царе подозрительность и враждебность по отношению к Боярской думе. Видимо, это они убедили Ивана создать нечто вроде лейб-гвардии, которая сумеет защитить государя от любых злоумышленников. В условиях скверно идущей войны и внутренней нестабильности самой надежной тактикой казалось пресловутое «превращение страны в военный лагерь», то есть установление жесткой диктатуры, основанной на насилии и терроре.

Боярская дума и тем более митрополия поддержать такое губительное для них начинание, конечно, не могли, поэтому Иван IV применил средство неординарное и даже небывалое.

Государь бросает государство

3 декабря 1564 года Иван IV велел собрать из церквей главные святыни, уложил в сундуки казну и со всей семьей, в сопровождении нескольких сотен дворян, вдруг уехал из столицы. Перед этим в Успенском соборе он попрощался с митрополитом и боярами, попросив не поминать его злом, но больше ничего объяснять не стал. Своим приближенным он сказал, что не хоче

ВРЕМЯ РАЗБРАСЫВАТЬ КАМНИ

арствовать в условиях, когда все его не любят и желают извести. Перед отъез-
ом Иван снял с себя государево облачение и сложил скипетр.

Перебравшись со всем огромным обозом сначала в недальнее Коломенское,
арь затем переместился в Тайнинское, оттуда в Троице-Сергиевскую лавру и
аконец остановился в Александровской слободе (120 км от Москвы) — казалось,
то он охвачен нервной лихорадкой и не может долго оставаться на одном месте.

Из слободы, после целого месяца молчания, Иван сообщил митрополиту
фанасию, что со скорбью («от великие жалости сердца») оставляет трон, ибо
е может больше терпеть «измены и убытки», которые чинят «боярские, вое-
одские и все приказные люди», а покарать виновных не имеет возможности,
оскольку их покрывают Дума и церковь. Одновременно было отправлено воз-
зание к москвичам, где говорилось, «чтобы они себе никоторого сумнения не
ержали»: царь гневается не на простой народ, а на бояр, которые его притесня-
т. Таким образом, бояре объявлялись не только врагами государя, но и «врага-
и народа» (этот пропагандистский прием, обычный при диктатуре, Иван впо-
ледствии будет использовать вновь и вновь).

Знать и церковники, оставшиеся в Москве, от такого послания пришли в
астерянность. Фактически это был шантаж: без самодержца, без казны госу-
арство функционировать не могло.

О том, чтобы создать независимое правительство, похоже, никто не думал.
динственным выходом из сложившейся ситуации казалась безоговорочная ка-
итуляция перед волей монарха.

В Александровскую слободу отправилась делегация, которую не сразу до-
устили к царю. Бояре и архиереи униженно просили Ивана вернуться и пра-
ить как ему заблагорассудится — то есть предоставляли самодержцу чрезвы-
айные полномочия. Лишь на таких условиях царь согласился отменить свое
тречение.

Когда он вернулся после двухмесячного отсутствия, это был совсем другой
еловек, в том числе и внешне. «Прибыл он в день Сретения Господня этого же
ода в Москву, и с таким извращенным и быстрым изменением своего прежнего
блика, что многие не могли узнать его. Большое изменение, между прочим,
несло то, что у него не сохранилось совершенно волос на голове и в бороде», —
ообщают очевидцы Таубе и Крузе.

233

▶ Эта впечатляющая деталь свидетельствует, что во время «отречения» Иван перенес тяжелый приступ нервной болезни. Медицине известны случаи, когда в результате очень
сильного стресса происходит тотальная психогенная алопеция — полное выпадение
волос (даже бровей и ресниц) вследствие так называемого синдрома «каски неврасте-
ника», приводящей к спазму мышц черепа и нарушениям микроциркуляции крови.
Должно быть, царь очень боялся, что бояре и митрополит окажутся неуступчивы.

МЕЖДУ АЗИЕЙ И ЕВРОПОЙ

Первым делом, для острастки, Иван велел предать смерти целый ряд видных бояр, сплошь из числа «княжат». С этого момента он становится по-настоящему грозным.

Затем думе и наскоро собранному церковному собору была объявлена реформа государства.

Отныне оно делилось на две части. Основная, Земщина, передавалась в управление Боярской думе и должна была жить «по старине». Номинальными руководителями Земщины назначались князь Иван Мстиславский и князь Иван Бельский (оба не Рюриковичи, а Гедиминовичи — должно быть, во избежание претензий на престол); фактическим главой этого неполномочного правительства стал боярин Иван Челяднин-Федоров. Неполномочным земское правительство было из-за того, что царь оставлял за собой право по собственному произволу менять любое его решение и «опалять» любых его деятелей.

«Опричь» (т.е. кроме) территории, подведомственной думе, выделялись несколько областей, которые нарекались Опричниной и переводились в личное

Царь вернулся… И. Сакуров

ВРЕМЯ РАЗБРАСЫВАТЬ КАМНИ

владение государя. В эту категорию попали самые богатые земли и города, в том числе некоторые кварталы Москвы, а также соляные промыслы — важнейший источник пополнения казны. (Со временем опричная часть Руси будет все время увеличиваться, а земская сокращаться).

Помимо того что Опричнина и так получалась гораздо более доходной, царь повелел забрать из земской казны 100 000 рублей на обустройство своего «удела», а в дальнейшем постоянно пополнял опричный бюджет за счет имущества казненных и опальных, что несомненно служило дополнительным стимулом для репрессий.

Во втором государстве была собственная Боярская дума, которую формально возглавил брат новой царицы Марии Темрюковны кабардинец князь Михаил Черкасский, но на первых ролях в правительстве были Басмановы и Афанасий Вяземский. Дублировалась и вся система приказов, главным из которых, однако, был не Хлебный или Казенный, а так называемый Пыточный двор — что и естественно, поскольку Опричнина замышлялась прежде всего как механизм террора. Пыточным двором руководил не опричный боярин и не дьяк, а сам Иван Грозный. Именно там для принятия решений часто собиралось опричное правительство.

 Резиденции Ивана IV во второй половине его царствования заслуживают отдельного рассказа, ибо многое объясняют про личностную эволюцию самодержца.

Жить в Кремле, среди боярских подворий, монарх, по-видимому, боялся, к тому же его стеснял установленный исстари придворный церемониал. Поэтому сначала царь велел построить дворец-крепость напротив Кремля (на пересечении нынешних Моховой и Большой Никитской). Однако жить в ненадежной Москве государю было все равно неуютно, а возможно, он не хотел, чтобы горожане были свидетелями его бесчинств, поэтому главным местопребыванием Грозного вскоре сделалась Александровская слобода. Русскому послу, который в 1566 году отправился в Литву, было велено разъяснить, что царь переселился из Москвы «для своего Государского прохладу».

«Прохлад» заключался в том, что вдали от столицы, в изоляции, Иван мог жить так, как ему нравится: тешиться кровавыми забавами и всякими не уместными для помазанника утехами. Никто кроме опричников этого не видел.

Александровский замок был окружен высоким валом и глубоким рвом; все подходы за три версты охранялись караулами; без «памяти» (пропуска) никого не впускали и не выпускали. Шлихтинг пишет: «Всякий раз как тиран приглашает кого-нибудь явиться к нему в Александровский дворец, тот идет как на страшный суд, оттуда ведь никто не возвращается. А если кому выпадет такое счастье выбраться оттуда живым, то тиран посылает опричников устроить засаду по пути, ограбить возвращающихся и отпустить их домой голыми». Тот же автор рассказывает, что слобода насквозь пропахла запахом мертвечины — всегдашние обитатели к нему, должно быть, привыкли или же начитанный в римской истории Иван, подобно императору Вителлию, считал, что труп врага всегда благоуханен.

МЕЖДУ АЗИЕЙ И ЕВРОПОЙ

Через некоторое время Ивану стало страшно уже и в слободе. Он задумал основать новую опричную столицу совсем далеко от Москвы — близ Вологды. Там начали строить мощную каменную крепость, возводить, взамен Успенского, новый главный государственный собор. Вологда была избрана для того, чтобы в случае опасности доплыть речным путем до Белого моря, а оттуда сбежать в Англию.

С той же целью — быть поближе к аварийному выходу — затеяли строить еще одну укрепленную резиденцию в Новгороде, на Торговой стороне.

Обе «приморские» стройки остались незавершенными, потому что из-за непрекращающихся войн и разорения страны вконец истощилась государственная казна.

Масштабная реформа по созданию «государства в государстве» была бы невозможна без большого кадрового резерва — и это первое, чем озаботились царь с его фаворитами еще до отъезда Ивана из Москвы.

В конце 1564 года было принято решение набрать особых людей, которые будут всем обязаны государю и станут его надежными слугами, новой опорой престола.

В столицу было вызвано множество провинциальных дворян. Каждого расспрашивал Алексей Басманов: с кем кандидат состоит в родстве, с кем дружествует, да с кем водится жена. В состав опричного корпуса не попадали те, кто был хоть как-то связан с боярством.

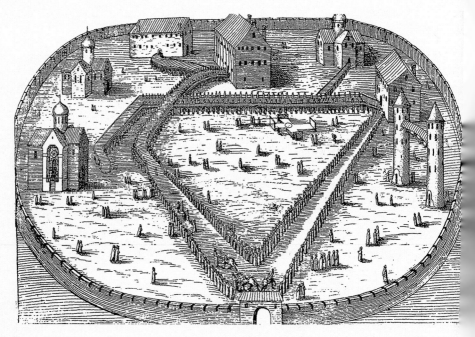

Александровская слобода. *Гравюра XVI в.*

ВРЕМЯ РАЗБРАСЫВАТЬ КАМНИ

Поначалу отобрали тысячу человек. Раздали им поместья на «опричной» территории, выселив оттуда прежних владельцев. Опричники (так стали называть доверенных царевых слуг) делились по старшинству на четыре разряда, причем самый младший получал немалый надел в 25—30 гектаров пахотной земли.

Члены царской «лейб-гвардии» давали присягу беспощадно искоренять государевых врагов и не иметь никаких контактов с «земскими», словно те были жителями какой-то вражеской страны. Штаден пишет, что опричника, посмевшего вступить в беседу с подданным «земщины», убивали — так сильно Грозный боялся измены.

У опричников была специальная экипировка, придуманная, чтобы внушать ужас: зловещая черная одежда, у седла — метла и изображение песьей головы в знак того, что царевы слуги выметают измену и по-собачьи рвут зубами царских зложелателей.

В последующие годы опричный контингент сильно увеличился, в конце концов разросшись до шести тысяч человек. Самые доверенные гвардейцы, примерно три сотни, попали в «монашеское братство», учрежденное в Александровской слободе. Эта привилегия при всей своей престижности была обременительна, поскольку во время приступов благочестия царь сам молился ночи напролет и понуждал к тому же всю «братию». В опричной столице попеременно то лили кровь и пьянствовали, то предавались посту и ревностно молились.

Волны террора

Насилия, грабежи и убийства происходили на протяжении всей второй половины правления Грозного, но было несколько периодов, когда под влиянием неких особенных обстоятельств репрессии многократно усиливались.

Первая череда казней, как уже говорилось, случилась сразу после возвращения Ивана в столицу в феврале 1565 года. Царь расправился с теми, кого по тем или иным причинам подозревал в нелояльности или на кого таил обиду. (Самой знаменитой жертвой был казанский герой, знаменитый полководец Александр Шуйский-Горбатый, которого приговорили к смерти вместе с 17-летним сыном. Пять дней спустя царь, с присущим ему ханжеством, послал в монастырь 200 рублей на поминовение князя и княжича.)

Эта кровь была несомненно пролита для того, чтобы с самого начала Опричнины вселить в знать подобающий ужас и продемонстрировать, что неприкосновенных не будет.

Убийство Челяднина-Федорова. Н. Неврев. (Глумясь, Иван посадил боярина на трон в царском облачении и зарезал собственной рукой)

Следующая полоса казней, на сей раз растянувшаяся на долгие месяцы, приходится на 1568 год, когда дела в Ливонии приняли скверный оборот. Царю опять нужно было залить возможное недовольство кровью, да и, вероятно, просто хотелось сорвать злость на беззащитных по принципу «бей своих, чтоб чужие боялись». Теперь основной мишенью стало старое московское боярство.

Глава земского правительства Иван Челяднин-Федоров был схвачен по абсурдному обвинению в том, что он якобы хотел занять царский престол, и убит вместе с многочисленными родственниками, соратниками, приближенными и даже холопами.

Вторая волна террора была не только продолжительнее, но и много кровавее первой. Казни стали более жестокими и изощренными, что должно было усиливать ужас. Гваньини рассказывает, что царь издевательски усадил Челяднина на трон, о котором боярин якобы мечтал, и лично зарезал старика. Полководца князя Петра Щенятева, по рассказу Курбского, поджаривали на сковороде. Государственного казначея Тютина вместе со всей семьей, включая младенцев, разрубили на части.

Многих просто убивали на улицах без суда, и трупы подолгу валялись на земле — никто не смел их хоронить. Опричники жгли, грабили, убивали, насиловали во многих областях Земщины — всех подряд.

Жестокие бесчинства начались ранней весной и закончились только осенью

ВРЕМЯ РАЗБРАСЫВАТЬ КАМНИ

В следующем 1569 году развернулось обширное «дело Старицкого». Иван наконец решил покончить со своим кузеном. Предполагают, что к братоубийству его подтолкнуло известие из Швеции, где знать свергла с трона сумасшедшего Эрика XIV и провозгласила королем его брата.

Безвольного и безобидного Владимира Андреевича обвинили в попытке отравления царской семьи. Пытали повара, который, конечно, сознался во всем, чего от него хотели. Самого Старицкого заставили выпить кубок с ядом, его инокиню-мать удушили угарным газом, но с людьми нецарской крови церемониться не стали. Если жертвы первой волны террора исчислялись десятками, а второй — сотнями, то теперь счет пошел на тысячи.

В 1570—1571 годах, после Новгородского погрома, о котором будет рассказано ниже, опричные зверства достигли своего апогея. Началось с неизбежной при всяком большом терроре «чистки чистильщиков»: царь учинил расправу над опричной верхушкой, обвинив ее в том, что это она-де побудила его разорить собственную страну. Именно тогда сложили голову Басмановы, Афанасий Вяземский и многие другие опричники.

Но этим дело не ограничилось. Заодно царь с отвратительной жестокостью казнил и руководителей земского правительства: печатника Ивана Висковатого, казначея Фуникова и многих других дьяков.

 Эту группу осужденных, насчитывавшую не менее 300 человек, должны были казнить на Поганой луже (не совсем понятно, что это за место — возможно, нынешняя Театральная площадь). Приготовления к экзекуции выглядели так страшно, что зрители начали разбегаться, и их пришлось уговаривать вернуться. Возможно, из-за этого, желая продемонстрировать великодушие, царь помиловал 180 приговоренных. Но остальных ждали всевозможные муки. О страшном конце Висковатого и Фуникова я уже рассказывал, но в этот день царь придумал еще одну омерзительную забаву: заставил выступить земских бояр в роли палачей и собственными руками убивать своих недавних товарищей.

Потом еще три дня тела казненных валялись на площади.

239

Последний по времени всплеск массовых репрессий был в 1575 году. Грозный готовился к новому эксперименту — назначению «ненастоящего» царя Симеона Бекбулатовича — и решил провести очередную «чистку» в ближнем кругу, который сформировался после падения Басмановых и Вяземского. Тогда погибли видные опричники — глава Сыскного приказа Василий Умный-Колычев и князь Борис Тулупов, причем последний вместе со всем родом; заодно лишились жизни несколько крупных церковных деятелей — это государь так выражал свое недовольство митрополиту Антонию. «Казнил царь на Москве, у Пречистой, на площади в Кремле многих бояр, архимандрита чудовского, протопопа и всяких чинов людей много», — без особых эмоций сообщает летопись. К этому времени обычными казнями на Руси удивить кого-либо было уже трудно.

Времена были суровые, жестокости хватало повсюду, в том числе и в Европе. Современниками Ивана IV были и «Кровая Мария» Английская, сотнями сжигавшая на кострах протестантов, и безумный Эрик Шведский, истреблявший собственное дворянство, и устроившая Варфоломеевскую ночь Екатерина Медичи, поэтому иностранных свидетелей поражала не столько жестокость Грозного (хоть она и намного превосходила европейскую), сколько ее всеохватность, всенаправленность. Казалось, русский царь задался целью расправиться со всей страной.

Русь словно замерла от ужаса. Шлихтинг пишет: «При дворе тирана не безопасно заговорить с кем-нибудь. Скажет ли кто-нибудь громко или тихо, буркнет что-нибудь, посмеется или поморщится, станет веселым или печальным, сейчас же возникает обвинение, что ты заодно с его врагами или замышляешь против него что-либо преступное». Но атмосфера страха царствовала не только наверху. По словам В. Ключевского, «многомиллионная страна забыла меру терпения и чувство боли, застыв в оцепенении от страха перед какой-нибудь шеститысячной толпой озорников, гнездившихся в лесной берлоге Александровской слободы».

Опричники вели себя в «земщине», как на завоеванной территории, с которой можно сделать что угодно, и не несли никакой ответственности за свои бесчинства. Хуже того — царь поощрял эти злодеяния. Насилие стало государственной политикой.

Таубе и Крузе рассказывают: «Опричник хватает земца за шею, ведет его в суд, хотя он его никогда раньше не видел и не говорил с ним, жалуется, что тот позорил его и вообще Опричнину; и хотя великий князь знает, что это не произошло, истца провозглашают верным человеком, и он получает все имения ответчика и последнего бьют, водя по всем улицам, а затем обезглавливают или бросают в тюрьму на пожизненное заключение… С земцами или населением совершают они постоянно еще одну обманную проделку. Опричники, проезжая по улицам или мимо богатых купцов, бросают кольца, шапки и т. п. в лавки или дома, берут приставов и являются без всякого повода неожиданно в эти дома и лавки, находят брошенные вещи и требуют столько-то тысяч. Эту сумму ответчик должен был заплатить без всяких отговорок или оправданий; иначе с ним поступали ужасным образом».

Ливонским очевидцам вторит фон Штаден: «Любой из опричных мог, например, обвинить любого из земских в том, что этот должен ему будто бы некую сумму денег. И хотя бы до того опричник совсем не знал и не видал обвиняемого им земского, земский все же должен был уплатить опричнику, иначе его еже-дневно били публично на торгу кнутом или батогами до тех пор, пока не запла

ВРЕМЯ РАЗБРАСЫВАТЬ КАМНИ

тит. И тут никому не было пощады: ни духовному, ни мирянину. Опричники устраивали с земскими такие штуки, чтобы получить от них деньги или добро, что и описать невозможно».

▶ Уж Штадену ли было этого не знать — он и сам состоял в Опричнине и проделывал точно такие же «штуки». Мелкая сошка, опричник самого последнего, четвертого разряда, этот немецкий авантюрист был редкостным мерзавцем. Он с удовольствием повествует, как во главе небольшого отряда разбойничал в «земских» владениях: «...Наверху меня встретила княгиня, хотевшая броситься мне в ноги. Но, испугавшись моего грозного вида, она бросилась назад в палаты. Я же всадил ей топор в спину, и она упала на порог. А я перешагнул через труп и познакомился с их девичьей... Затем мы проехали всю ночь и подошли к большому незащищенному посаду. Здесь я не обижал никого. Я отдыхал... Когда я выехал с великим князем, у меня была одна лошадь, вернулся же я с сорока девятью, из них двадцать две были запряжены в сани, полные всякого добра».

Московский застенок времён Опричнины. *А. Васнецов*

241

Как всегда бывает при государственном терроре, поощрялось доносительство. Очень многие наживались на клевете и всякого рода поклепах. Суды не утруждали себя разбирательствами и были скоры на расправу. Шлихтинг описывает Москву следующим образом: «Почти на каждой улице можно видеть трех, четырех, а иногда даже больше рассеченных людей и город весьма обильно наполнен трупами».

Но даже на этом зловещем фоне выделяется совсем уж чудовищный и нелепый эпизод «Новгородского похода», который можно считать пиком самоистребительной деятельности Ивана Грозного.

Война с собственной страной

Эту кровавую эпопею нельзя даже назвать карательной экспедицией — карать было некого и не за что.

Трагедии предшествовали два инцидента, пробудившие в царе очередной приступ болезненной подозрительности.

В начале 1569 года пала Изборская крепость. Литовцы взяли ее хитростью, ловко воспользовавшись ужасом, который внушали земцам опричники. К стенам приблизились всадники в черных кафтанах и грозно потребовали отворить ворота. Земский воевода и не подумал перечить. Неприступная твердыня была захвачена без сопротивления, и царь вообразил, что причиной тому измена. Поскольку Изборск находился близ Пскова, объектом государева гнева стали псковитяне.

А летом того же года поступил донос на новгородского архиепископа Пимена. К Ивану явился человек, сказавший, что в Софийском соборе за иконой спрятано изменническое письмо к польскому королю, подписанное самим владыкой и видными новгородцами. И хоть идея была абсурдной (зачем прятать письмо за иконой вместо того, чтобы отправить его адресату?), царь велел учинить розыск, и грамота действительно отыскалась в указанном месте. Нет никаких сомнений, что это была фальшивка.

Но царь засобирался карать псковских и новгородских «изменников».

В декабре опричное войско тронулось в поход, кровавые подробности которого известны по разным источникам, в первую очередь — по поминальному «Синодику» самого Ивана Грозного.

Грабить и убивать начали сразу же, едва отойдя от Москвы. Если против Новгорода и Пскова существовали хоть какие-то, пускай ложные обвинения, то за какие вины была разорена и залита кровью Тверская земля, понять невозможно. Таубе и Крузе сообщают, что там было убито 9 000 человек и втрое больше умерли, лишенные крова и пищи. Вероятно, ливонские авторы завысили число жертв, но в любом случае их было очень много. Известно, что в одном небольшом Торжке опричники умертвили несколько сотен горожан.

ВРЕМЯ РАЗБРАСЫВАТЬ КАМНИ

Поначалу экспедицией руководил новый царский любимец Малюта Скуратов (под этим прозвищем вошел в историю Григорий Лукьянович Бельский), выделявшийся своей жестокостью даже среди опричников.

▶ Это был худородный звенигородский дворянин, сделавший стремительную карьеру в Александровской слободе. Он выбился из рядовых опричников в сотники, отличившись своими палаческими талантами и нерассуждающей, собачьей преданностью царю. Ему поручались самые «деликатные» миссии: заставить Владимира Старицкого выпить яд, задушить в келье опального митрополита Филиппа.

В новгородском походе Малюта проявлял невероятное рвение, не щадя никого на своем пути. Но тут его поджидала неприятность. Во время погрома в Торжке палач решил перебить содержавшихся там пленных. Ливонских немцев и литовцев (500 человек) «отделали» без каких-либо осложнений, но пленные татары без сопротивления не дались. Они достали припрятанные ножи и (мы читаем об этом с глубоким удовлетворением) выпустили Малюте кишки, порезав также немало других опричников. Пришлось вызывать подмогу из стрельцов, которые перестреляли храбрецов из-за ограды, не решившись сунуться внутрь. Но и несчастье пошло Скуратову на пользу. Царь велел своему личному врачу-немцу вылечить раненого. Малюта попал в число ближайших соратников Грозного и скоро приобрел огромное влияние. Он получил звание думного дворянина, выгодно пристроил своих дочерей: одна вышла замуж за царского двоюродного брата князя Ивана Глинского, другая — за князя Дмитрия Шуйского, третья — за Бориса Годунова (и впослед-

Опричники в Новгороде. *М. Авилов*

ствии стала царицей). Скуратов потакал параноидальной подозрительности Ивана, повсюду выискивая врагов, изменников и колдунов.

Момент наивысшего взлета Малюты приходится на конец 1571 года, когда временщик, назначенный распорядителем на смотринах очередной царской невесты, подсунул государю Марфу Собакину, возможно, приходившуюся Скуратову родственницей. Запуганные лекари объявили Марфу идеальной кандидатурой, но девушка оказалась нездоровой и едва дожила до свадьбы. После этого положение фаворита несколько пошатнулось. В 1572 году Иван отправил его на войну, где при штурме замка Пайде Скуратов был убит. В отместку царь велел заживо зажарить всех взятых в плен защитников — покойному Малюте такие поминки наверняка пришлись бы по нраву.

---

2 января 1570 года передовые отряды опричников подошли к Новгороду и заблокировали все выходы из города — зловещая мера.

Когда прибыл государь, новгородское духовенство вышло к нему с образами и хоругвями, но торжественной встречи не получилось. Царь обрушился на архиепископа Пимена с бранью, а затем велел взять его под стражу. Владыку подвергли глумлению: сорвали клобук, усадили на кобылу задом наперед, повесили на шею гусли и объявили скоморохом. (Впоследствии Пимен был доставлен в Москву и там казнен).

Потом началось дознание, на котором допрашивали всех подряд, применяя жесточайшие пытки. Начались массовые казни горожан. Их рубили и топили в прорубях, не щадя даже младенцев. В «Синодике» записано, что были умерщвлены 1505 человек, но иностранные авторы называют совсем иные данные — от пятнадцати до шестидесяти тысяч. Последняя цифра несомненно преувеличена, но и официальная «статистика» взята с потолка, поскольку вряд ли было возможно сосчитать все жертвы. Больше всего людей погибло даже не от рук опричников, а от холода. Стояли сильные морозы, и разбегавшимся от погрома горожанам укрыться было негде, а ведь побоище продолжалось три или четыре недели. К тому же вскоре начался страшный голод, поскольку опричники уничтожили домашний скот и все запасы продовольствия.

Теперь Грозный занялся делом, которое, возможно, объясняет всю фантастическую затею с нашествием на собственные владения. Царь начал ездить по новгородским храмам и монастырям, где опричники ставили священников и монахов «на правеж», то есть били палками, требуя выдачи церковных денег. Так были обобраны до нитки 27 обителей. Грабители захватили и сокровища Софийского дома — архиепископского управления. Торговые склады в городе тоже подверглись разграблению.

Это наводит на мысль, что Грозный устроил весь «Новгородский поход» для экстренного пополнения пустой государевой казны, а сдача Изборска и подброшенная грамота были не более чем предлогом. «Внеопричную» территорию царь считал чужой, поэтому имущество новгородских купцов и новгородской церкви он рассматривал как объект наживы. Однако характер самодержца был таков, что, войдя

ВРЕМЯ РАЗБРАСЫВАТЬ КАМНИ

в исступление, он уже не мог ограничиться одним грабежом и не остановился, пока не насытился кровью и разрушением. Штаден рассказывает, что опричники зачем-то разломали все высокие дома и испоганили всё красивое: ворота, лестницы, оконные наличники. Товары, которые не могли увезти с собой, сожгли. Из 6 000 дворов в Новгороде уцелело не более тысячи. С этого момента прежний великий город окончательно приходит в запустение и больше уже не поднимется.

Покарав Новгород, царь пошел к Пскову, на который гневался еще сильнее. Тамошние жители приготовились к смерти.

Лучшим людям города было велено собраться. Летопись говорит, что они стояли перед государем, будто мертвецы. Но Иван внезапно обратился к ним с милостивыми словами и города не тронул, казнив лишь печерского игумена Корнилия и некоего старца Вассиана Муромцева (кажется, по подозрению в связи с изменником Курбским) да несколько десятков местных дворян — сущий пустяк после новгородского избиения.

> Неожиданное милосердие душегуба так поразило современников, что немедленно возникла легенда, которую с разным количеством подробностей, в том числе явно сказочных, передают почти все источники.
>
> Будто бы, когда псковитяне встречали царя, один юродивый по имени Никола поднес Ивану вместо хлеба-соли кусок сырого мяса. Удивившись, государь сказал, что он христианин и мясного в пост не ест. Тогда блаженный якобы ответил: ты хуже делаешь, ты человеческое мясо ешь. И посулил царю множество несчастий, если он станет разорять Псков. Вскоре после этого у Грозного околел любимый конь. Иван, уже начавший было лить кровь, вспомнил о пророчестве и испугался.

Может быть, эта история и правдива — Иван Васильевич был суеверен. Однако, скорее всего, он просто уже пресытился казнями и торопился вернуться в столицу. В Пскове он оставался недолго, деловито ограбил местных богачей и церкви, не побрезговав снять колокола с крестами, и отбыл в Москву.

По возвращении Грозный, кажется, пожалел, что сгоряча разорил весь северо-запад собственной страны, и, как уже было рассказано, обвинил в подстрекательстве опричных предводителей — Басмановых, Вяземского и других. Погубители тверичей и новгородцев сами отправились на плаху и в застенок.

После Опричнины

Истребление опричной верхушки в 1570 году еще не стало концом Опричнины — там просто сменились предводители. Но вскоре у Ивана IV появилась серьезная причина усомниться в эффективности придуманной им системы «государства в государстве».

МЕЖДУ АЗИЕЙ И ЕВРОПОЙ

Это произошло после драматических событий 1571 года, когда Русь чуть не завоевали крымцы (об этом — в следующей главе). В ходе сражений выяснилось, что «земские» войска и полководцы бьются намного лучше опричников, которые, оказывается, годны лишь бесчинствовать над безоружными.

Как обычно, царь свалил вину не на систему, а на отдельных лиц. Новый глава опричной думы князь Михаил Черкасский (брат покойной Темрюковны) сел на кол; казни подверглись и другие деятели царской «гвардии».

В 1572 году Грозный упразднил Опричнину и вообще запретил вспоминать это слово (как будто народ по приказу мог забыть те страшные годы).

Оказалось, что охранный корпус, выведенный за рамки закона и наделенный особыми полномочиями, не способен стать опорой государства. Выражаясь современным языком, спецслужба не может заменить собой всю государственную машину, а управление посредством голого террора приводит к злоупотреблениям и развалу.

Вероятно, Ивану удалось бы изменить социальную базу самодержавия, попробуй он опереться на всё дворянское сословие в целом, но царь этого не сделал, да и не мог сделать, поскольку значительная часть дворян, в особенности провинциальных, была тесно связана с крупными вотчинниками — боярами и князьями.

В результате опричной «реформы» царь так и не создал новой опоры престола, а лишь расшатал и истерзал прежнюю, не лишив ее, однако, всей силы. Аристократия, запуганная и ослабевшая, все равно оставалась единственной хоть как-то функционировавшей административной инфраструктурой государства. До окончательного заката боярства было далеко; знати еще предстояло взять реванш.

Разочаровавшись в Опричнине, царь не окончательно отказался от деления Руси на две части — «свою» и «чужую», просто «государева» половина теперь стала называться «дворовой», то есть принадлежащей царскому двору.

В 1575 году Грозный проделал еще один небывалый трюк: снял с себя государево звание и передал его касимовскому хану Саин-Булату, которого года за два перед тем окрестили и нарекли Симеоном Бекбулатовичем.

Новая затея выглядела совершенным юродством. Грозный держался при потешном «государе» с шутовской приниженностью, скромно сидел среди бояр «бил челом», называл себя «Иванцом Васильевым». Но воцарению Симеон предшествовала очередная оргия кровавых казней, так что у подданных не возникало никаких сомнений, кто в стране хозяин.

ВРЕМЯ РАЗБРАСЫВАТЬ КАМНИ

Симеон Бекбулатович. И. Сакуров

МЕЖДУ АЗИЕЙ И ЕВРОПОЙ

Странный маскарад длился менее года. Затем, якобы вняв мольбам подданных и будучи недоволен Симеоновым произволом, Грозный соизволил вернуться на престол, спровадив низложенного «монарха» из Москвы в Тверь.

«Произвол», который учинил Симеон Бекбулатович, заключался в том, что он приказал уничтожить все документы, на основании которых церковь владела землями. Вновь став царем, Иван выдал монастырям и епархиям новые грамоты, но они сильно отличались от прежних. Существует версия, что была осуществлена огромная жульническая афера, в которой временный «государь» исполнял роль прикрытия. Суть махинации излагает англичанин Флетчер: «К концу года заставил он нового государя отобрать все грамоты, жалованные епископиям и монастырям, коими последние пользовались уже несколько столетий. Все они были уничтожены. После того как бы недовольный таким поступком и дурным правлением нового государя, он взял опять скипетр и, будто бы в угодность церкви и духовенству, дозволил возобновить грамоты, которые роздал уже от себя, удерживая и присоединяя к казне столько земель, сколько ему самому было угодно. Этим способом он отнял у епископий и монастырей (кроме земель, присоединенных им к казне) несметное число денег: у одних 40, у других 50, у иных 100 тысяч рублей, что было сделано им с целью не только умножить свою казну, но также отстранить дурное мнение об его жестоком правлении, показав пример еще худшего в руках другого царя».

Такая замаскированная экспроприация могла понадобиться царю, потому что он готовился к военной кампании, призванной переменить ход бесконечной Ливонской войны, а денег кроме как у церкви взять было негде.

В последние годы «царская» половина страны чаще именовалась «уделом», и правила ею своя «удельная» дума, в которой вели дела новые фавориты: Нагие (родственники новой царицы), Богдан Бельский — племянник покойного Малюты и зять того же Малюты — Борис Годунов, то есть сплошь люди, не связанные со старой знатью, которую больной и одолеваемый страхами царь к себе не подпускал.

Казни в этот период не прекратились, но перестали быть массовыми и случались эпизодически.

Внешние и внутренние дела страны обстояли скверно. Царь недужил, дряхлел, стал всерьез подумывать о том, чтобы бросить свой «удел» и, забрав казну, эмигрировать в Англию.

Нечаянное убийство наследника престола, произошедшее в 1581 году, фактически означало, что древней династии наступает конец. Долгое и бурное царствование, когда-то блистательно начинавшееся, завершалось полным крахом.

ВРЕМЯ РАЗБРАСЫВАТЬ КАМНИ

Крымская проблема

Внутренние потрясения, которые истощали страну с начала Опричнины, сопровождались военными несчастьями, и худшее из них нагрянуло с юга.

Период междоусобицы, на время обезопасивший беспокойного южного соседа, завершился еще в начале 1550-х годов, когда верх взял Девлет-Гирей, двоюродный брат турецкого султана Сулеймана Великолепного. Новый хан правил твердой рукой и сумел привести в покорность татарских князей, однако первые его попытки поживиться за счет Руси были малоудачны.

В 1552 году, во время Казанского похода, он подошел было к русским рубежам, но не решился вступить в генеральное сражение с большим московским войском и бросил своего волжского союзника на произвол судьбы.

В 1555 и 1556 годах русские сами нападали на Крым, видимо, демонстрируя силу — чтобы Девлет-Гирей не вздумал вмешиваться в астраханские дела. Он и не вмешался.

Тихо вели себя крымцы и в первые годы Ливонской войны — пока Русь была сильна и одерживала победы. Мурзы и простые воины охотно ходили в походы, только если рассчитывали на легкую добычу, а тут надежды на нее не было.

Отношения оставались враждебными, но случались лишь эпизодические грабительские набеги (без этой подпитки бедный собственными ресурсами Крым существовать не мог).

В 1564 году, после первой серьезной ливонской неудачи русских, Девлет-Гирей предпринял уже серьезное вторжение в южные области, дойдя до самой Рязани, однако получил крепкий отпор и увидел, что Русь по-прежнему сильна.

Следующая попытка агрессии произошла только пять лет спустя и опять оказалась неудачной. Целью совместного крымско-турецкого похода была Астрахань, на которую пошла большая армия. Намерения у союзников были основательные. Они собирались даже прорыть канал между Доном и Волгой, чтобы турецкие корабли в будущем могли через Астрахань доходить до Каспия. Однако кампания была плохо организована и закончилась конфузией — турецкая артиллерия не сумела преодолеть обширные степные пространства.

Весной 1570 года, получая все новые и новые известия о русском неустройстве, Девлет-Гирей разграбил южные окраины, не встретив почти никакого сопротивления — царь был занят, в Москве шла очередная волна казней. Осенью крымцы пришли вновь, и на сей раз Грозный пошел на них сам, с большой армией, но орду не встретил — она ушла, не приняв боя.

Подозрительный Иван вообразил, что никакого нашествия не было и что его придумали очередные изменники с вредительскими целями. В гневе царь велел перекроить всю караульно-сторожевую службу южного рубежа.

МЕЖДУ АЗИЕЙ И ЕВРОПОЙ

Эта система оповещения, складывавшаяся десятилетиями, была разумно устроена и эффективна. Ненужная реорганизация привела ее в беспорядок. К тому же порубежные воеводы стали бояться кары за ложную тревогу. Сложилась ситуация, похожая на ту, что существовала на западной границе СССР накануне 22 июня 1941 года, когда демонтировали старую линию обороны, не дооборудовав новую, и строго карали за «провокационные» донесения о германской угрозе.

Кроме того, в Крым, спасаясь от репрессий, нахлынули перебежчики, в том числе из Опричнины, где царь проводил большую «чистку». Эти люди сообщили хану, что граница открыта. Некий сын боярский Кудеяр Тишенков пообещал, что проведет орду кружным путем прямо к Москве.

Весной 1571 года Девлет-Гирей повел на север огромное войско (если верить летописи, 120 тысяч воинов). Царь вышел встречать врага к Серпухову, но тут выяснилось, что татары предприняли тайный фланговый маневр и могут отрезать русское войско от Москвы. Испугавшись, грозный государь удалился сначала к себе в Александровскую слободу, потом еще дальше от столицы, и крымцы беспрепятственно подошли к Москве. Земские воеводы попытались отбиться, но после того как был смертельно ранен главнокомандующий князь Иван Бельский, организованное сопротивление прекратилось. Никто не помешал татарам окружить город и грабить его предместья.

Взять крепостные стены без артиллерии Девлет-Гирей не мог, да и не собирался. Он довольствовался тем, что не спеша и обстоятельно разорил окрестности. В посадах начались пожары. Сильный ветер перекинул огонь в Китай-город и Кремль, где взорвались пороховые склады. В панике и давке погибло множество теснившихся внутри горожан. Спасаясь от пламени, люди бросались в Москву-реку, которая «мертвых не пронесла».

Видя, что город весь выгорел, крымцы ушли в степь, уводя в рабство, как пишут, 150 тысяч пленных. Огромная, густо населенная столица обратилась в сплошное пепелище. Много лет спустя, в 1589 году, Флетчер увидит такую картину: «Число домов, как сказывали мне, во всем городе по исчислению, сделанному по царскому повелению (незадолго до сожжения его крымцами), простиралось до 41 500. Со времени осады города татарами и произведенного ими пожара (что случилось в 1571 году) земля во многих местах остается пустой, тогда как прежде она была заселена и застроена, в особенности же на южной стороне города … Таким образом, теперь Москва не много более Лондона».

Поражение было не только сокрушительным, но и унизительным — ведь царь даже не дал врагу сражения. Князь Курбский издевательски назвал Ивана «бегуном и хранякой [трусом] перед басурманским волком».

Хан отправил к Грозному гонца с оскорбительными словами и потребовал отдать Казань и Астрахань. Иван на Астрахань соглашался, на Казань — нет, и Девлет-Гирей объявил, что на следующий год придет уже не за добычей, а за «венцом и главой» русского царя. Окрыленный легкой победой, хан, кажется, в самом деле вообразил, что может завоевать всю Русь. «Города и уезды Русской

ВРЕМЯ РАЗБРАСЫВАТЬ КАМНИ

земли все уже были расписаны и разделены между мурзами, бывшими при крымском царе, какой кто должен держать, — сообщает Штаден. — При крымском царе было несколько знатных турок, которые должны были наблюдать за этим: они были посланы турецким султаном по желанию крымского царя. Крымский царь похвалялся перед турецким султаном, что он возьмет всю Русскую землю в течение года, великого князя пленником уведет в Крым и своими мурзами займет Русскую землю».

Летом 1572 года Девлет-Гирей привел войско, о численности которого летопись опять рассказывает небылицы, однако оно и в самом деле было очень велико — должно быть, сорок, а то и пятьдесят тысяч воинов. Известно, что в нашествии участвовали ногайцы, адыгейцы и даже контингент турецких янычар.

Теперь хан обошелся без обходных маневров. Он уверенно шел прямо на Москву, перед которой собрались все наличные русские полки: 12 000 дворянской поместной конницы, 3 800 казаков, 2 000 стрельцов и какое-то число никем не посчитанных ополченцев. Иван Грозный держался вдали от боевых действий, в своей Александровской слободе.

Примечательно, что в момент смертельной для страны опасности русским войском командовал земский полководец князь Михаил Воротынский, при котором вторым воеводой состоял опричник князь Дмитрий Хворостинин.

На реке Пахре, у села Молоди, всего в 50 километрах от Москвы, произошло одно из самых упорных сражений русской истории.

 Битва состояла из двух этапов. На первом из них, 30–31 июля, атаковали крымцы. Они пытались взять «гуляй-город», в котором укрылись русские, отступившие перед лобовой атакой.

Подробное описание этого передвижного оборонительного сооружения, часто использовавшегося московскими воинами той эпохи, оставил Джильс Флетчер: «Эта походная или подвижная крепость так устроена, что (смотря по надобности) может быть растянута в длину на одну, две, три, четыре, пять, шесть или семь миль, на сколько понадобится. Она заключается в двойной деревянной стене, защищающей солдат с обеих сторон, как с тылу, так и спереди, с пространством около трех ярдов между той и другой стеной, где они могут не только помещаться, но также имеют довольно места, чтоб заряжать свои огнестрельные орудия и производить из них пальбу, равно как и действовать всяким другим оружием. Стены крепости смыкаются на обоих концах и снабжены с каждой стороны отверстиями, в которые выставляется дуло ружья или какое-либо другое оружие... Ставят ее очень скоро, не нуждаясь притом ни в плотнике, ни в каком-либо инструменте, ибо отдельные доски так сделаны, чтобы прилаживать их одну к другой».

Под огнем пушек и пищалей «гуляй-города» полегло множество татарских всадников, но и потери московской рати тоже были велики.

Целый день Девлет-Гирей готовился к новому штурму, который состоялся 2 августа. Понимая, что в конном строю укрепление не взять, татары слезли с коней и бились пешими. Сеча была жестокой и длилась много часов. Оборону в «гуляй-городе» держал Хворостинин, а Воротынский вывел часть войска оврагами и нанес удар в тыл крымцам, что

МЕЖДУ АЗИЕЙ И ЕВРОПОЙ

и решило исход боя. В сече погибли двое сыновей Девлет-Гирея, ногайский хан и множество мурз. Ночью Девлет ушел с остатками армии. Русские преследовали врага. Отступление превратилось в бегство, бегство — в избиение, так что в Крым вернулась только малая часть татарского войска.

Дальнейшая судьба победителя при Молодях князя Воротынского была трагична. Царю не могло понравиться, что вся слава досталась «земцу». Курбский рассказывает, что менее чем через год князя схватили по обвинению в колдовском умысле на государя и что Иван собственноручно драл обвиняемому бороду и жег его угольями. От этих пыток Михаил Воротынский скончался.

В 1572 году судьба Руси висела на волоске. Истощение сил нации привело к тому, что разбойничье ханство, мелкий вассал Турецкой империи, собралось не просто обложить Русь данью, а завоевать ее. Несмотря на то что нападение не было неожиданным, огромное государство даже не сумело обеспечить себе численного преимущества в сражении. Благодаря стойкости русских воинов удалось отбиться, но сама ситуация свидетельствовала о том, что за годы Опричнины страна очень ослабела.

В последующие годы Девлет-Гирей уже не пытался покорить Русь, очевидно, поняв, что эта задача ему не по зубам, но грабительские набеги не прекращались. Чем хуже у Москвы шли дела в Ливонской войне, тем наглее вели себя степные хищники. Особенно разорительными были нападения 1580 и 1581 годов, когда обстановка на западе стала совсем скверной.

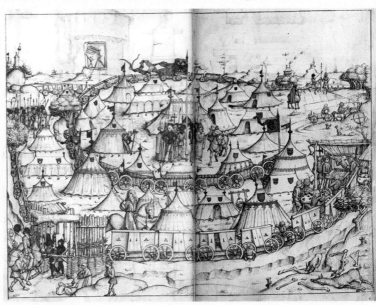

Вагенбург — европейский аналог русского «гуляй-города»

ВРЕМЯ РАЗБРАСЫВАТЬ КАМНИ

Война на западе

Победы закончились

Легко справившись со слабым Орденом, Русь оказалась в состоянии конфликта с другими претендентами на ливонское наследство: Польшей и Швецией. Ивану IV эти противники не казались опасными, поскольку оба королевства пребывали в незавидном состоянии. К тому же со Швецией, которая в это время втянулась в затяжную войну с Данией, можно было и подождать.

Иван решил начать с Польши, к ней у Москвы имелся старинный счет. Царь по-прежнему являлся «государем всея Руси» лишь по названию, поскольку значительная часть бывших русских земель все еще принадлежала Великому княжеству Литовскому. Очень возможно, что уверенный в своей силе Иван был даже рад предлогу начать с соседом-врагом войну, надеясь на скорую победу.

Взятие Полоцка (1563) подтвердило радужные ожидания; казалось, мечты о воссоединении Руси в древних «киевских» пределах скоро осуществятся. Но в начале следующего 1564 года ход войны переменился.

После неудачных переговоров с королевскими послами, от которых царь требовал невозможного (например, отдать Киев), московская армия в январе возобновила наступление, двигаясь на Литву двумя колоннами — от Полоцка и от Смоленска.

Литовский гетман Николай Радзивилл был вынужден действовать быстро, чтобы не дать противнику соединиться. 26 января он атаковал полоцкий корпус князя Петра Шуйского у местечка Чашники на реке Ула. Судя по цифрам литовских потерь, которые приведены в сохранившемся письме Радзивилла (всего двадцать убитых), настоящего сражения даже не произошло — русские были застигнуты врасплох на марше, их погубили беспечность и недооценка противника. Разгром был ошеломляющим. Князь Шуйский и еще несколько воевод погибли при отступлении, другие военачальники угодили в плен.

Второй русской рати, шедшей из Смоленска, пришлось поспешно отступить. Кампания была проиграна, едва начавшись.

Опять начались переговоры. Даже еще и теперь было не поздно заключить мир на выгодных условиях: король соглашался зафиксировать фактическое положение дел, при котором и порт Нарва, и Дерпт, и большой кусок Ливонии остались бы у Москвы.

Но Ивану хотелось воевать дальше. Предвидя, что это может вызвать в стране недовольство, он «укрепил дисциплину», установив с 1565 года опричную диктатуру, а для имитации всенародной поддержки созвал в 1566 году земский собор — как при «Избранной раде», да только времена теперь были совсем иные, страшные. Когда царь спросил у народных представителей, воевать ему дальше или нет, те, конечно, дали ответ, который от них требовался: «Стоять крепко».

Однако воевать обеим сторонам было нечем и не на что. Еще несколько лет попеременно велись то переговоры, то вялые боевые действия, и в конце концов в 1570 году Русь и польско-литовское государство заключили трехлетнее перемирие, оставшись каждый при своем.

Война со Швецией

Иван пошел на временное замирение с Польшей, потому что стал готовиться к войне со Швецией, должно быть, показавшейся ему более легким противником.

Во времена короля Густава, добившегося независимости от Дании, шведское королевство стало играть важную роль в Балтийском регионе, однако Эрик XIV (1560–1568), во многом похожий на Ивана IV, привел свою страну к упадку.

▶ Это был человек незаурядный и яркий, подававший большие надежды, но психически неуравновешенный, и с годами его состояние становилось все более болезненным Если безумства Ивана всегда преследовали какую-то, пускай ошибочную, но изначально практическую цель, то Эрик при обострениях недуга вел себя совершенно неадекватно. В 1567 году, во время очередного приступа, он убежал в леса и скитался там в одиночестве, а когда один из приближенных нашел беглеца, король его убил. При этом Эрик правил железной рукой, расправляясь с оппозиционерами почти так же безжалостно, как его русский современник. Родного брата Юхана, герцога финляндского, король заточил в тюрьму и собирался предать смерти, однако, опять впав в помрачение рассудка, вообразил себя Юханом и дал приказ об освобождении узника. Это короля и погубило. Уставшая от Эриковых выходок знать в 1569 году взбунтовалась и посадила на престол Юхана.

Трудно сказать, какие соображения сыграли бо́льшую роль в рискованном решении Грозного затеять войну с новым противником, не победив старого, — политические или личные. С одной стороны, царь видел, что Швеция ослаблена; с другой — был возмущен свержением законного монарха, с которым произошло то самое, чего Иван всегда боялся. Кроме того, у него имелась и частная причина ненавидеть нового короля. Десятью годами ранее Юхан женился на польской принцессе Екатерине Ягеллон, к которой тогда сватался овдовевший Иван. Я уже рассказывал, что он никак не желал смириться с этой обидой продолжал упорно добиваться руки уже замужней женщины, под конец потребовав ее даже у самого Юхана, которому царь писал оскорбительные письма Это вряд ли улучшило русско-шведские отношения.

ВРЕМЯ РАЗБРАСЫВАТЬ КАМНИ

Эрик XIV. *Стефен ван дер Мейлен*

Однако не следует считать, что Иван IV действовал необдуманно, в запальчивости. Во-первых, шведское войско было занято войной с Данией, а кроме того у Грозного возник интересный стратегический план, который при успехе мог бы изменить всю ситуацию на Балтике.

Ливонцы упорно не желали состоять в московском подданстве, поскольку русские были для них чужими по вере и культуре, поэтому Иван решил использовать на западе прием, который его предки успешно применяли на востоке: назначить инородцам инородного же царька, целиком зависящего от Москвы. Царь решил сделать Ливонию новым «касимовским ханством». Эту мысль ему подали двое ливонских дворян, Иоганн Таубе и Элерт Крузе. Сначала они предложили на роль марионеточного короля бывшего орденского ландмейстера Иоганна фон Фюрстенберга, находившегося в русском плену, но тот был стар и вскоре умер. Отправили предложение последнему ландмейстеру Готхарду Кетлеру, тоже уже бывшему и превратившемуся в герцога Курляндского, — Кетлер ненавидел русских и ответил отказом. Тогда возникла кандидатура еще более перспективная — брат датского короля принц Магнус.

МЕЖДУ АЗИЕЙ И ЕВРОПОЙ

▶ Магнус (род. в 1540 г.) владел островом Эзель, перешедшим к Дании от Ордена. Местная знать к чужаку относилась неприязненно, отношения с братом, Фредериком Датским, у принца тоже были неважными, и предложение Москвы оказалось кстати. Должно быть, Магнус рассудил, что лучше быть вассалом любезного Ивана и владеть целым королевством, чем служить враждебному брату и оставаться жалким герцогом Эзельским.

Летом 1570 года датчанина торжественно приняли в Москве, он присягнул Ивану IV на верность, получил титул короля ливонского и должен был обвенчаться с «принцессой» Евфимией, дочерью недавно убитого Владимира Старицкого. Девушка, правда, внезапно скончалась, но дело скоро поправили — у Евфимии имелась младшая сестра Мария, которую по достижении тринадцати лет выдали за «короля».

При всем своем истовом православии Иван не стал понуждать Магнуса к перемене конфессии, отлично понимая, что это отвратит ливонцев от нового монарха. В этом царь тоже последовал примеру прежних московских государей, не заставлявших татарских царевичей отказываться от Ислама.

Сразу же после визита в Москву новоиспеченный король повел войско на шведский Ревель. Почти вся армия состояла из русских воинов, собственный отряд Магнуса был невелик.

Простояли у стен крепости всю зиму, но взять ее не смогли, потому что шведы подвозили морем припасы и подкрепления.

Тем временем Юхан III поспешно, на невыгодных для себя условиях, заключил мир с Данией и смог повернуть против Магнуса и русских все свои силы. Быстрой, победоносной войны опять не получилось.

Магнус Ливонский. *Печать*

Боясь русского царя, на обычаи которого он нагляделся во время московской поездки, Магнус бросил войско и скрылся к себе на Эзель. Но Иван, когда нужно, умел быть сдержанным. Он успокоил вассала, со шведами заключил перемирие и стал готовиться к новому наступлению.

Оно началось в 1572 году взятием крепости Пайда (где пал Малюта Скуратов) и в дальнейшем тоже состояло главным образом из осады многочисленных ливонских замков. Некоторые из них сдавались добровольно, признавая власть Магнуса. Самым бол

ВРЕМЯ РАЗБРАСЫВАТЬ КАМНИ

шим приобретением для русских стал морской город Пернов (Пярну), занятый в 1575 году.

Затем опять последовало перемирие — Ивану нужно было найти средства для продолжения войны (тогда-то в Москве, кажется, и произошла конфискация церковного имущества, ответственность за которую возложили на декоративного Симеона Бекбулатовича).

На собранные деньги царь снарядил новую армию — это было последнее масштабное военное усилие Москвы в Ливонской войне, и далось оно очень нелегко. Трудности были не только с казной, но и с сильно истощившимися людскими ресурсами. Дворяне обнищали, многие не могли экипироваться в поход, другие предпочли вовсе не явиться по призыву или дезертировать. Известны цифры: в кампании 1577 года участвовали 7 279 детей боярских, 7 905 стрельцов и казаков, 4 227 татар. Всего, вместе с боевыми холопами, набралось вряд ли более 30 000 воинов. В кампании принимал участие король Магнус, но у него войск было совсем мало.

В начале 1577 года русская рать вторглась на шведскую территорию и подошла к Ревелю, однако взять город не хватило сил. Иван Шереметев-Меньшой, руководивший осадой, был смертельно ранен шведским ядром. Пришлось отступить.

Тогда русские отряды разделились, двигаясь в разных направлениях, и заняли много крепостей, самой значительной из которых был Венден (современный латвийский Цесис). Здесь между царем и ливонским королем произошел конфликт. Иван, видимо, пребывавший в раздражении из-за незначительности военных успехов, разозлился на Магнуса за то, что тот забрал себе слишком много замков. Марионеточный монарх был схвачен, помещен под стражу и пять дней трепетал в ожидании казни. Затем царь, остыв, отпустил арестованного, но Магнус решил, что с него хватит. Вскоре после этого инцидента он порвал с Москвой и в дальнейшем участвовал в войне на стороне Польши. Так бездарно — из-за вспыльчивости Грозного — закончился эксперимент с учреждением в Ливонии русского протектората.

В это же время Иван совершил еще одну тяжелую ошибку, имевшую роковые последствия. Не добившись победы над шведами, он решил занять южную Ливонию, оккупированную поляками. Там стояли слабые гарнизоны, не способные оказать сопротивление, и в военном отношении дело оказалось нетрудным.

Однако в результате этого демарша возобновился русско-польский конфликт, и теперь Москве пришлось иметь дело с двумя противниками. Царь совершил невозможное: заставил вечно враждовавших друг с другом Польшу и Швецию объединиться.

Осенью 1578 года союзное польско-шведское войско под Венденом нанесло русским тяжелое поражение, после чего наступательные действия Грозного окончательно прекратились.

В дальнейшем приходилось только обороняться.

257

МЕЖДУ АЗИЕЙ И ЕВРОПОЙ

Польша усиливается

Пока Русь изнуряла себя Опричниной, борьбой с Крымским ханством и шведскими походами, в соседнем польско-литовском государстве произошла очень опасная для Москвы метаморфоза — оно стало государством не только по названию, но и фактически.

До сих пор Польша и Литва были объединены лишь монархом, во всем остальном, включая финансовые и военные дела, сохраняя полную автономность. В войнах с Русью участвовало главным образом великое княжество Литовское, Польша же — в очень малой степени.

Но летом 1569 года состоялось историческое событие: обе части королевства соединились, образовав Речь Посполитую (буквально «Общее Дело») — своего рода аристократическую республику, суверен которой избирался польской и литовской шляхтой, лишаясь права передавать корону по наследству. Отныне государство вело единую внешнюю политику и командовало вооруженными силами

Люблинская уния. Я. Матейко

ВРЕМЯ РАЗБРАСЫВАТЬ КАМНИ

как Короны (собственно Польши), так и Великого Княжества (то есть Литвы). Это последнее обстоятельство было особенно важно для военных действий в Ливонии, которая отныне объявлялась совместным владением Унии.

Последствия этого акта, не сулившего Москве ничего хорошего, проявились не сразу, поскольку еще несколько лет в Речи Посполитой фактически не было монарха.

Сигизмунд Август, слабовольный и рано состарившийся, в 1572 году умер. С ним пресеклась династия Ягеллонов, но по новой конституции короля все равно следовало избирать.

Начались склоки и интриги, столкновения интересов и борьба политических фракций. Двумя основными претендентами считались брат французского короля Генрих Анжуйский и эрцгерцог Эрнст Габсбург, сын германского императора Максимилиана. В этой ситуации неожиданно возникла и кандидатура русского короля, каким мог бы стать царевич Федор, младший сын Ивана Грозного. Авторы этой на первый взгляд странной идеи, литовские дворяне, надеялись таким способом прекратить разорительную войну и вернуть в состав Литвы утраченные Смоленск с Псковом.

В Москву отправились послы. Однако Иван заявил, что хочет быть польским королем сам, притом на своих условиях: с правом наследования, да еще заберет в состав Руси всю Ливонию и Киев. Подобная позиция лишала переговоры всякого смысла, и затея не получила дальнейшего развития.

В 1573 году королем стал Генрих Анжуйский, но выбор оказался неудачным. Как только освободился французский престол (бездетный Карл IX умер в мае 1574 года), Генрих сбежал из Польши в Париж, бросив свою краковскую резиденцию.

Опять началась эпопея с выборами нового короля, растянувшаяся на полтора года. Соперничали две партии: германского императора и трансильванского князя Стефана Батория. Первого в основном поддерживали магнаты, второго — средняя и мелкая шляхта.

У Ивана Грозного, как двумя годами ранее, тоже нашлись сторонники, и на этот раз царь был покладистее, даже соглашался на выборность. Однако похоже, что кандидатуру русского царя все же рассматривали не всерьез, а использовали для отвлекающего маневра или для раскола в литовском лагере. Во всяком случае, на решающем этапе выборов об Иване все забыли. Одна часть сейма провозгласила королем Максимилиана, другая — Батория. Антиавстрийская партия, которую возглавлял выдающийся политический деятель Ян Замойский (1542–1605) оказалась решительнее и активнее. Весной 1576 года Стефан Баторий стал польским королем, а через несколько месяцев, преодолев сопротивление литовской шляхты, и великим князем.

У объединенного польско-литовского государства наконец появился сильный правитель.

259

МЕЖДУ АЗИЕЙ И ЕВРОПОЙ

▶ Стефан Баторий (Батори Иштван) родился в 1533 году в знатной, но не венценосной венгерской семье. Польские паны признали его королем лишь после того, как претендент сочетался браком со старой девой Анной Ягеллонкой, сестрой покойного Сигизмунда Августа. Надменному и обиженному тем, что его обошли на выборах, Ивану Грозному этого показалось недостаточно. Он держался с новым польским монархом презрительно, считая его себе не ровней и даже отказывался называть «братом», чего требовал дипломатический этикет.

В юности Баторий много путешествовал по Европе, даже поучился в Падуанском университете, то есть был для солдата человеком образованным. Молодость Батория прошла в сражениях. Военную карьеру он начинал в войсках германского императора Фердинанда I и бился с турками. Попал к ним в плен и, когда император отказался заплатить выкуп, перешел на другую сторону — под знамена османского вассала, трансильванского князя. В конце концов Баторий стал государем этого восточно-венгерского княжества. Он был искусным дипломатом, опытным администратором и выдающимся полководцем.

Стефан Баторий. *В. Стефанович*

ВРЕМЯ РАЗБРАСЫВАТЬ КАМНИ

Накануне выборов Стефан пообещал будущим подданным, что вернет все земли, захваченные у Литвы, и для этой цели приведет из Трансильвании свое закаленное в боях войско.

В первое время королю было не до войны с Москвой, требовалось укрепиться на престоле и решать более насущные политические задачи. Баторий начал с того, что осадил и взял торговый город Гданьск, отложившийся от польской короны. Благодаря этой победе поддержка короля среди шляхетства возросла, и в начале 1578 года на Варшавском сейме он заручился согласием панов на русский поход. Как раз перед тем Иван Грозный предпринял наступление против Речи Посполитой, оккупировав южную Ливонию. Царь полагал, что этой демонстрацией он побудит Батория наконец заключить прочный мир на выгодных для Руси условиях. Грозный снисходительно писал польскому королю, чтобы тот «досаду отложил и с нами нежитья не хотел, занеже то не при тебе делалось» — то есть Баторию не должно быть дела до проблем, возникших при его предшественниках.

Расчет Ивана был ошибочен. Вторжение русских войск лишь усилило в Польше партию войны и оказалось на руку Баторию.

Новая война с Польшей

Соотношение сил перед последним этапом долгого противостояния складывалось совсем не в пользу Москвы. Казна Ивана IV была пуста, войско немногочисленно, все лучшие военачальники казнены. Фон Штаден, хорошо знавший ситуацию изнутри, в 1578 году писал: «Великий князь не может теперь устоять в открытом поле ни перед кем из государей, и как только он убеждается, что войско польского короля сильнее его войска, он приказывает тотчас же выжечь все на несколько миль пути, дабы королевское войско не могло получить ни провианта, ни фуража. То же делается и против войска шведского короля… Я твердо знаю, что кровопролитие будет излишне: войско великого князя не в состоянии более выдержать битву в открытом поле».

Кроме того, русские войска продолжали воевать по старинке, главной ударной силой у них оставалась дворянская конница, не обученная согласованным действиям.

Баторий же был полководцем новой европейской школы. Он использовал вымуштрованную наемную пехоту, немецкую и венгерскую, искусно маневрировал закованной в доспехи регулярной кавалерией и содержал в идеальном порядке артиллерию. Рейтарами командовал ливонец Георг фон Фаренсбах, до того служивший в русской армии и отлично изучивший все ее сильные и слабые стороны.

К лету 1579 года Баторий был готов к большой войне, в которой проявил не только полководческие, но стратегические таланты.

МЕЖДУ АЗИЕЙ И ЕВРОПОЙ

Первая кампания была направлена против Полоцка, уже шестнадцать лет находившегося в русских руках.

Польша давно не собирала такого войска — больше сорока тысяч воинов, почти треть которых были профессиональными солдатами. Царь недооценивал силу противника. Ивану докладывали, что у Батория людей немного и на войну они идут неохотно — должно быть, произошла история, обычная для страны, которой управляет страх: лазутчики боялись сообщать неприятные известия.

В результате Грозный повернул главные силы не против поляков, а против шведов, которые в это же время напали на важную для торговли Нарву. Сказывались пагубные последствия войны на два фронта.

Нарву от шведов спасли, зато Полоцк остался без поддержки.

В начале августа Баторий приступил к правильной осаде. Стены крепости были высокие, но не каменные, а бревенчатые. Поляки обстреливали город и укрепления калеными ядрами, надеясь вызвать пожар. Какое-то время спасали затяжные дожди, но, когда они закончились, Полоцк запылал. В последний день лета, несмотря на стойкое сопротивление, пехота Батория захватила все опорные пункты, и гарнизону пришлось капитулировать. Андрей Курбский, находившийся в польской армии, отправил своему врагу злорадное письмо, в котором назвал потерю Полоцка «срамотой срамотнейшей».

Затем поляки взяли еще несколько крепостей, не только полностью освободив литовскую территорию, потерянную в начале войны, но и опустошив близлежащие русские области.

На следующее лето Баторий мобилизовал еще более крупные силы — до пятидесяти тысяч воинов, приведя из Трансильвании дополнительные силы и обучив новую пехоту. Место сбора было выбрано так, чтобы русские ждали наступления на Смоленск, главный пункт всей русской пограничной обороны.

Но вместо этого, обманув противника, король нанес удар по крепости Великие Луки, не особенно мощной, но по своему расположению являвшейся ключом как к Ливонии, так и к внутрирусским областям.

В данном случае успех кампании был обеспечен самим стратегическим расчетом. Полки без труда заняли несколько крепостей, а за ними и город, взятый 5 сентября 1580 года. Затем пали Холм, Старая Русса и новгородская крепость Корела.

Военные успехи Батория, а более всего его обстоятельность и последовательность устрашили Грозного. Следовало ожидать, что третья кампания будет нацелена непосредственно на Русь и приведет к катастрофе.

Царь заговорил с королем уже по-другому. В Польшу один за другим помчались московские послы, прося мира и соглашаясь на всё большие уступки: сначала Иван отдавал часть Ливонии, потом уже всю Ливонию, прося оставить ему

ВРЕМЯ РАЗБРАСЫВАТЬ КАМНИ

одну лишь Нарву. Грозный даже шел на особенно болезненную для него жертву — поступался своим царским титулом: «А если государь ваш не велел нашего государя царем писать, то и государь наш для покоя христианского не велит себя царем писать; все равно, как его ни напиши, во всех землях ведают, какой он государь». Однако Баторий, уверенный в своем превосходстве, не был склонен к компромиссам. Он требовал отдать и Нарву, да еще выплатить огромную контрибуцию в 400 тысяч золотых. Пойти на такие условия было невозможно. Оставалось только готовиться к отражению нашествия.

Последний этап Ливонской войны. *С. Павловская*

МЕЖДУ АЗИЕЙ И ЕВРОПОЙ

Его цель на сей раз была очевидна: Псков, исконно русский город, никогда не бывавший литовским. Взяв эту твердыню, Баторий не только отрезал бы Русь от Ливонии, но и одержал бы полную, окончательную победу в войне. Положение русского государства было воистину отчаянным.

Для псковского похода Баторий взял ссуду у нескольких иностранных государств и вновь вывел в поле без малого пятидесятитысячную армию. Перед выступлением он отправил Грозному оскорбительное письмо, вызывая царя на поединок и обвиняя в трусости.

Москве снаряжать войско было не на что и не из кого. Фактически Псков был брошен на произвол судьбы.

Правда, стены были каменные, крепкие, гарнизон силен (около 20 тысяч человек), а воеводы, двое князей Шуйских, Иван Петрович и Василий Федорович, полны решимости биться до последнего.

В конце августа, предварительно взяв крепость Остров, король подошел к Пскову и обложил его. Периметр обороны составлял около 10 километров, так что защищать его было непросто.

Стефан Баторий под Псковом. *Я. Матейко*

ВРЕМЯ РАЗБРАСЫВАТЬ КАМНИ

Тратить время на долгую осаду Баторий не собирался. Он действовал быстро и решительно. 1 сентября начались фортификационные работы, продлившиеся неделю. 7 сентября с насыпей была произведена мощная бомбардировка, проделавшая в стене проломы. На следующий день начался штурм.

Поляки ворвались в бреши и захватили две башни, но дальше продвинуться не смогли. Жестокий бой длился шесть часов, после чего защитникам удалось выбить поляков из одной башни и взорвать вторую. Приступ был отбит. Поляки потеряли до пяти тысяч солдат.

Тогда Баторий приступил к инженерной осаде. Но против подкопов русские рыли встречные подкопы, на артиллерийскую пальбу отвечали пушечным огнем. В городе то и дело возникали пожары, но их тушили.

2 ноября, после пятидневной канонады, поляки затеяли новый штурм, однако проявили меньше рвения, чем в прошлый раз, и под шквальным огнем попятились, даже не достигнув проломов.

Но Баторий не отступил и после второй неудачи — слишком дорого обошелся ему этот поход, слишком большие на него возлагались надежды. Поляки решили перезимовать под псковскими стенами и взять город измором.

К этому периоду войны относится удивительный эпизод с обороной Печерского монастыря, находившегося в 60 километрах от Пскова. Стараниями многолетнего игумена Корнилия, который, предвидя военные напасти, еще в 1568 году «содела около монастыря ограду камену велику», обитель превратилась в довольно сильную крепость. (Это тот самый Корнилий, которого Иван Грозный во время псковского грабежа 1570 года велел предать смерти.) В монастыре стоял гарнизон в триста стрельцов.

Баторий не захотел терпеть у себя в тылу эту занозу, тем более что стрельцы не сидели тихо, а делали вылазки против польских отрядов. В монастырь отправился отряд немецко-венгерской пехоты, который встретил неожиданно сильное сопротивление со стороны вооружившихся монахов и был вынужден в беспорядке отступить.

Тогда король послал уже нешуточное войско под командованием венгерского военачальника Яноша Борнемиссы, с сильной артиллерией. После обстрела осаждающие дважды ходили на приступ, но взять обители не смогли. «Но промыслитель Господь наш Иисус Христос не презрел молений Матери своей и святого Николы чудотворца за ослабевших людей, тогда и женам немедля дал храбрость, и малым детям, одни заряжали пищали и подавали их мужчинам, другие оружием со стен спихивали, иные же воду кипятили с нечистотами и лили ее за стену на воинов, лезущих по лестницам на крепостную стену. Так что и эти были побеждены и повержены. И тем и другим [немцам и венграм] не было числа, а остальные убежали, посрамленные», — говорится в «Повести о Псково-Печерском монастыре», и можно было бы счесть этот рассказ обычным для такого жанра преувеличением, но в записях ксендза Станислава Пиотровского, участника псковской осады, тоже сообщается об удивительном монастыре: «Борнемисса с венграми и Фаренсбек [Георг фон Фаренсбах] с немцами не могут никак совладать с Печерским монастырем; было два штурма и оба несчастны. Пробьют пролом в стене,

МЕЖДУ АЗИЕЙ И ЕВРОПОЙ

пойдут на приступ, а там дальше и ни с места. Это удивляет всех: одни говорят, что это святое место, другие — что заколдованное, но во всяком случае подвиги монахов достойны уважения и удивления...» И ниже еще одно упоминание: «Венгерцы с Борнемиссой и немцы с Фаренсбеком не в состоянии справиться с Печерским монастырем. Печерцы удивительно стойко держатся, и разнеслась молва, что русские или чародействуют, или это место действительно святое, потому что едва подошли к пробитому в стене пролому, как стали все как вкопанные и далее идти не смели, а между тем русские стреляли в них, как в снопы».

Поляки осаждали монастырь больше двух месяцев, но так его и не взяли.

В кампании, которая казалась для русских заранее проигранной, наметился поворот. В самые тяжкие моменты отечественной истории иногда случались подобные чудеса — когда героизм и стойкость сравнительно небольшого количества людей исправляли вроде бы безнадежную ситуацию. Защитники Пскова и Печерской обители спасли Русь от неминуемого поражения.

Дальнейшее стояние под стенами Пскова хоть и сопровождалось стычками, но главным образом превратилось в состязание — у кого раньше иссякнет продовольствие. Псковитяне страдали от голода, но деваться им было некуда, а вот наемники и шляхтичи польского короля роптали и волновались, не желая терпеть лишения. К тому же на помощь русским пришла родная природа (тоже обычное в нашей истории явление): зима началась раньше обычного и была морозной.

Через некоторое время у Батория возникла еще одна проблема. При всех прекрасных боевых качествах профессиональная пехота имела один важный дефект: наемники сражались, только пока им платили, а из-за затянувшейся осады деньги у короля закончились.

В начале нового 1582 года Баторий был вынужден отказаться от осады и отступить.

Ресурсы Речи Посполитой иссякли, надежд на быструю победу не осталось. Обе стороны были истощены, а это означало, что долгая война подходит к концу.

Окончание Ливонской войны

Иван Грозный уже давно хотел мира — ему ведь приходилось еще и обороняться от шведов, которые вели себя всё активнее.

В 1580 году полководец Понс (Понтус) Делагарди занял русскую Карелию, а затем повернул оттуда в Ливонию, где в сентябре 1581 года взял драгоценную Нарву, единственный русский порт на Балтике. Вслед за тем пришлось оставить всю восточную Ливонию, но шведы не остановились на границе — они захватили исконные русские крепости Иван-город, Ям, Копорье.

ВРЕМЯ РАЗБРАСЫВАТЬ КАМНИ

В таких условиях Швеция становилась для Москвы опаснее Польши, и Грозный решил «помиряся с литовским с Стефаном королем, стати на Свейского».

Посредником в польско-русских переговорах стал папский легат Антонио Поссевино, впоследствии оставивший очень интересные записки о Московии. Римский понтифик был заинтересован в этом замирении — ему хотелось, чтобы Польша и Русь воевали не между собой, а с Турцией, главным врагом христианства.

Вопреки обычной практике договорились быстро. Переговоры начались в декабре 1581 года, а в январе 1582-го уже было подписано перемирие на десять лет.

Иван IV отказался от всяких претензий на Ливонию, уступая ее Польше, а Баторий вернул оккупированные русские территории, исключая Полоцк, — то есть Грозный был вынужден отказаться от своего главного завоевания в Литве.

Еще оставалась надежда, что теперь, избавившись от польской угрозы, удастся отбить назад Нарву.

Сразу же после заключения мира, в феврале, герой крымской войны 1572 года князь Дмитрий Хворостинин дал шведам бой у деревни Лямицы, близ крепости Ям, и даже одержал победу, но сил идти на Нарву не хватило.

Не решалась в одиночку воевать с русскими и Швеция. Осенью 1582 года Делагарди подступился к крепости Орешек, расположенной на острове посреди Невы, но справиться с ней не сумел.

На этом фронте боевые действия тоже прекратились из-за обоюдного истощения сил. В августе 1583 года подписали перемирие: каждой стороне досталось то, чем она на тот момент владела. Это означало, что и Нарва, и Иван-город, и Ям, и Копорье, и земли в Карелии достались Шведам. У Москвы остался только узенький коридор к Финскому заливу — символический выход к Балтике, не имевший ни торгового, ни стратегического значения.

Таким образом, главное предприятие царствования Ивана IV — Ливонская война, длившаяся четверть века, стоившая огромных людских жертв и приведшая Русь к полному разорению — на ливонском и литовском направлениях не дала ничего, а на шведском завершилась потерей русских земель.

Через полгода после конца войны Иван Грозный умер.

Иван Грозный: итоги правления

Первое столетие после восстановления национальной независимости в истории России — период роста и экспансии. Русский народ умножался, вступали в действие законы социальной и экономической эволюции, движения к единству.

Пока государство выполняло свою основную функцию: централизовать и организовывать усилия нации — страна росла, богатела и усиливалась. Процарствуй Иван IV на двадцать лет меньше, и его правление вошло бы в российскую историю как одна из самых выдающихся ее страниц.

Однако, начиная с 1560-х годов, вследствие некоторых объективных и субъективных причин (несоответствие архаичной боярской системы управления принципу самодержавия плюс личностные особенности правителя), стали проявляться «побочные эффекты» того государства, которое создал дед Ивана IV. Ордынское по своей сути, оно, по определению В. Ключевского, сочетало в себе три главные черты: военизированность, неправовой характер и неопределенность государственного порядка, то есть слабость управленческого механизма.

Реформа, которую попытался осуществить Грозный, должна была, по его представлению, сделать государство более эффективным. Для этого монарх попробовал заменить неповоротливую и устаревшую боярскую «инфраструктуру» прямым управлением через аппарат насилия, то есть ввести вместо аристократического строя «арестократический», держащийся на страхе наказания. Это был первый, но далеко не последний в российской истории эксперимент по учреждению тотальной власти спецслужб, к числу которых, безусловно, можно отнести Опричный корпус.

Подобная мера иногда, в период тяжелой войны и максимального напряжения национальных сил, бывала действенной, но лишь на коротком временном отрезке. Решить масштабные «гражданские» проблемы она не способна и всегда тормозит развитие страны, поскольку жесткое управление «сверху» не бывает гибким и парализует всякую низовую инициативность, от которой в конечном итоге и зависит рост страны. Если же «наверху» неблагополучно, последствия «арестократического» управления становятся катастрофическими.

ИВАН ГРОЗНЫЙ: ИТОГИ ПРАВЛЕНИЯ

В ситуации вседозволенности и фактической бесконтрольности процветали казнокрадство и всяческие злоупотребления, примеры которых приводит опричник фон Штаден.

 Дьяк Василий Степанов, глава Поместного приказа, ведавшего распределением основного государственного богатства — поместий, требовал выплаты ему в карман половины стоимости, «а кто не имел что дать, тот ничего не получал».

Дьяк Шапкин из Разбойного приказа приторговывал освобождением от уголовных наказаний и вымогательствовал с помощью сфабрикованных обвинений.

Разрядный приказ, ведавший среди прочего мобилизацией, продавал освобождение от военной службы.

Челобитный приказ, одно из обычных при «аристократии» и совершенно бесполезных, проформенных ведомств для «соблюдения справедливости», тоже кормился от своей сферы деятельности. Штаден пишет, что уже подписанное решение там можно было получить на руки лишь за взятку.

Даже обычные сторожа, поставленные перед «приказной избой», брали с посетителей плату за вход, а у кого не было денег, должны были униженно молить о допуске внутрь «Христа ради».

Ценой большой крови и ужасающих репрессий Иван Грозный поколебал аристократическую структуру, но не дал ей сколько-нибудь адекватной замены, что привело к ослаблению и разорению государства.

Помимо огромных тягот, которыми сопровождалась бесконечная война, страну опустошала грабительская внутренняя политика Грозного. В Земщине вводились всё новые и новые подати, поборы, экстренные конфискации (каковыми можно считать опричные экспедиции). Флетчер приводит любимую присказку Ивана IV, который говорил, что «народ сходен с его бородой: чем чаще стричь ее, тем гуще она будет расти, или с овцами, которых необходимо стричь по крайней мере один раз в год, чтоб не дать им совершенно обрасти шерстью». В результате такой беспрестанной стрижки к 1580-м годам страна пришла в полный упадок и разруху. Легат Поссевино рассказывает: «Иногда на пути в 300 миль в его владениях не осталось уже ни одного жителя, хотя села и существуют, но они пусты… Что касается царской столицы, которой, как я говорил, является Москва, я сообщаю следующее: в настоящее время в ней не насчитывается и 30 тысяч населения, считая детей обоего пола… Сохранились следы более обширной территории в окружности, так что там, где было 8 или, может быть, 9 миль, теперь насчитывается уже едва 5 миль». Численность столичного населения к концу Иванова царствования сократилась втрое (сказались и последствия крымского нашествия); обезлюдели и многие другие города. Пашни стояли невозделанными, даже помещичьи поля обрабатывать было некому, отчего обнищало и дворянство.

МЕЖДУ АЗИЕЙ И ЕВРОПОЙ

Кажется, именно при Иване Грозном в российской жизни укоренилось одно очень цепкое зло: государственное спаивание народа. Как раз с начала XVI века русские знакомятся с новым алкогольным продуктом под названием «водка», пришедшим из Литвы.

Точно неизвестно, кто и когда додумался изымать у населения деньги через казённую торговлю крепкими спиртными напитками, однако Сигизмунд фон Герберштейн сообщает, что при отце Грозного «черни» разрешалось выпивать только по праздникам, в обычные же дни «горожане и ремесленники бывают у обедни, а после нее возвращаются к работе, думая, что честнее заниматься трудом, чем попусту терять достаток и время в пьянстве, игре и подобных вещах». Альберт Кампензе (1540-е) подтверждает эти сведения: «Мужчины вообще рослы, сильны и привычны ко всем трудам и переменам воздушным; но очень склонны к пьянству. Эта народная слабость принудила Государя запретить навсегда, под опасением строжайшего взыскания, употребление вина, пива и другого рода хмельных напитков, исключая одних только праздничных дней. Повеление сие, несмотря на всю тягость оного, исполняется Московитянами, как и все прочие, с необычайною покорностью». Литовский дипломат Михалон Литвин (1550) удивляется тому, что в Московии нигде нет кабаков: «Посему, если у какого-либо главы семьи найдут лишь каплю вина, то весь его дом разоряют, имущество изымают, семью и его соседей по деревне избивают, а его самого обрекают на пожизненное заключе-

Государев кабак. (Литография более позднего времени, но выглядел он, вероятно, точно так же)

ИВАН ГРОЗНЫЙ: ИТОГИ ПРАВЛЕНИЯ

ние». Однако уже Ричард Ченслер, житель не особенно трезвой Англии, в 1553 году пишет про Русь, что нигде в мире не видел такого пьянства, то есть, вероятно, казенная виноторговля была введена в самом начале 1550-х годов. В 1557 году англичанин Энтони Джексон передает слухи «о мужчинах и женщинах, пропивающих своих детей и все свое добро в царских кабаках. В каждом хорошем городе есть кабак, называемый Корчмой (Corsemay), который Царь иногда отдает в аренду, иногда же жалует на год или на два какому-нибудь боярину или дворянину, в вознаграждение за его службу».

Джильс Флетчер в конце столетия приводит цифры, дающие представление о доходах от винной монополии: «В каждом большом городе устроен кабак или питейный дом, где продается водка (называемая здесь «русским вином»), мед, пиво и проч. С них царь получает оброк, простирающийся на значительную сумму: одни платят 800, другие 900, третьи 1 000, а некоторые 2 000 или 3 000 рублей в год... Вы нередко увидите людей, которые пропили с себя все и ходят голые (их называют «нагими»). Пока они сидят в кабаке, никто и ни под каким предлогом не смеет вызвать их оттуда, потому что этим можно помешать приращению царского дохода».

В дальнейшем рассказы о пьянстве «московитян» становятся у иностранных путешественников общим местом.

Как мы уже знаем, все огромные жертвы, расходы и потери, принесенные во имя экспансии на запад, оказались тщетны. Ни закончить объединение русских земель, ни обзавестись собственной балтийской торговлей Ивану IV не удалось.

Однако справедливости ради нужно сказать, что при общей катастрофичности этого долгого царствования, не все его итоги были негативными.

Присоединение Поволжья и Приуралья открыло будущим поколениям простор для расширения страны. Собственно говоря, первый шаг к освоению Сибири, без которой современная Россия необразима, был сделан при Иване IV, хоть помимо его воли и даже в нарушение прямого царского приказа. (О движении в сторону Сибири будет рассказано в следующей главе.)

При Грозном по южному рубежу страны выросли новые города-крепости, построенные для защиты от крымцев: Болхов, Орел, Лихвин, Ливны и многие другие. Вокруг этих городов на плодородных землях разместились крестьяне-переселенцы, закладывая основу будущего хлебного богатства России. Точно так же стало расти население и развиваться сельское хозяйство Среднего Поволжья — в областях, где раньше хозяйничали шайки речных грабителей.

Неожиданный комплимент Ивану IV делает в 1578 году его ненавистник фон Штаден: «Хотя всемогущий бог и наказал Русскую землю так тяжко и жестоко, что никто и описать не сумеет, все же нынешний великий князь достиг того, что по всей Русской земле, по всей его державе — одна вера, один вес, одна мера!» Важность реформы по унификации и стандартизации мер (а также, добавим, денежной системы) для развития государства была огромна.

МЕЖДУ АЗИЕЙ И ЕВРОПОЙ

Нельзя не упомянуть и еще об одном изменении, быть может, из всех самом важном.

Кажется, именно в страшные годы правления Ивана Грозного у русских начинает формироваться понятие отчизны и патриотизма. Раньше, во времена раздробленности, эта идея была просто непонятна. Хранили верность своему князю, а не Руси. Теперь же, с появлением единого национального государства, у людей стало возникать чувство принадлежности к чему-то более крупному и долговечному, чем интересы нынешнего властителя.

В этом смысле Андрей Курбский был не «изменником родины», каким его рисуют позднейшие авторы, а вельможей прежней эпохи, когда служили не родине, но сюзерену. Иное дело — герои псковской обороны Шуйские. Их род сильно пострадал от царя, они имели все основания ненавидеть тирана — точно так же, как псковитяне, в 1570 году ограбленные опричниками, или печерские монахи, чей игумен пал жертвой террора. Но обида на царя не помешала этим людям выполнить долг. Скоро, во времена Смуты, понятие «государь» обесценится, да и государства не останется, так что хранить верность станет вроде бы некому и нечему, однако вдруг обнаружится, что взамен появилось чувство отчизны, и его достаточно, чтобы объединить страну и спасти ее.

ВРЕМЯ БОРИСА ГОДУНОВА (1584-1605)

Как уже было объяснено во вступительной главе к данному тому, последний период истории «второго» русского государства, связанный с именем Бориса Годунова, отличается от предыдущих тем, что бóльшую часть времени (1584–1598) номинальным властителем был другой человек — царь Федор Первый. Монарх был психически нездоров или, что называется, не от мира сего и в дела управления не вмешивался, оставляя их на попечение Годунова. Современник князь Иван Катырев-Ростовский пишет, что Федор Иванович жил «ни о чем попечения не имея, токмо о душевном спасении», за что и получил прозвание Блаженного, а впоследствии был канонизирован церковью.

Поэтому данный раздел построен иначе, чем остальные. Сначала всё же придстся рассказать о личности «титульного» государя — не потому что она была яркой (личности, собственно, почти не было), а потому что при самодержавной системе отсутствие личности тоже сказывается на судьбе страны. Московскую династию создавали потомки Ивана Калиты, по большей части люди сильные, деятельные, оборотистые. Иван Грозный, предшественник Федора, был не просто самодержцем, а «гиперсамодержцем» — и вот ему на смену пришел монарх, вовсе отказавшийся от власти. По выражению Пушкина, этот царь «на все глядел очами Годунова, всему внимал ушами Годунова» — и всё же являлся царем.

Что же касается Бориса, то его характер и подробности частной жизни приобретают историческую важность лишь с того момента, когда этот политический деятель достиг вершины власти. Поэтому рассказ о Годунове начнется с описания его извилистого пути наверх, и лишь после этого мы попробуем воссоздать портрет живого человека, которому в силу природных дарований и удачного стечения обстоятельств довелось два десятилетия управлять «вторым» русским государством.

На царе Борисе оно и закончилось.

Федор Первый: царь-несамодержец

Умертвив в истерическом припадке старшего сына, Иван IV обрек династию на исчезновение. Правда, у царя оставалось еще двое сыновей: 26-летний Федор и полуторагодовалый Дмитрий, однако первый считался слабоумным и неспособным к управлению, а статус младенца, рожденного то ли в шестом, то ли в седьмом, то ли в восьмом браке (я уже писал, что сосчитать жен Грозного непросто), выглядел весьма сомнительно. Во всяком случае, у Ивана Васильевича, кажется, не было даже поползновений назначить Дмитрия наследником в обход Федора. Впрочем, Грозный относился к разряду монархов, которые не особенно заботились о том, что будет после них, — по выражению Людовика XV, «хоть потоп».

Что же представлял собой новый русский самодержец, которому после отца досталась разоренная, измученная, больная страна?

Федор Иванович родился 11 мая 1557 года и был сыном Анастасии Романовой. В три года он лишился матери, его детство и отрочество пришлись на самые страшные годы опричного террора. Болезненность и черты вырождения были вообще свойственны потомству Василия III. Тот же Катырев-Ростовский пишет, что Федор «благоюродив бысть от чрева матери своея», а кровавые ужасы и дикие забавы Александровской слободы, несомненно, изуродовали бы психику и здорового ребенка. Фактов явного помешательства и неадекватного поведения царевича, а впоследствии царя никто из хроникеров и мемуаристов не приводит, хотя многие иностранцы сообщают о его слабоумии как о чем-то общеизвестном. Шведский король Юхан даже в тронной речи объявил, что русский царь полоумен и что «русские на своем языке называют его durak». Римский посланник Поссевино называет царя «почти идиотом», английский посол Флетчер — «простым и слабоумным», а польский посол Сапега докладывает своему королю: «Рассудка у него мало, или, как другие говорят и как я сам заметил, вовсе нет. Когда он во время моего представления сидел на престоле во всех царских украшениях, то, смотря на скипетр и державу, все смеялся».

ФЕДОР ПЕРВЫЙ: ЦАРЬ-НЕСАМОДЕРЖЕЦ

Возможно, Федор Иванович страдал какой-то формой аутизма, но, скорее всего, его личность просто не получила развития — это могло быть своего рода психической самозащитой против отцовского деспотизма и кошмаров окружающей реальности. Перед глазами у царевича был пример старшего брата: активный и волевой Иван Иванович должен был соучаствовать в кровавых игрищах родителя, иногда осмеливался ему перечить — и мы знаем, к чему привела эта твердость характера. Безопаснее было вовсе отказаться от характера.

Федор был медлителен в движениях и речах, в его облике и поведении не ощущалось ничего царского. «Теперешний царь, относительно своей наружности, росту малого, приземист и толстоват, телосложения слабого и склонен к водяной, — рассказывает Флетчер. — Нос у него ястребиный, поступь нетвер-

Царь Федор Иванович. *Реконструкция М. Герасимова*

МЕЖДУ АЗИЕЙ И ЕВРОПОЙ

дая от некоторой расслабленности в членах; он тяжел и недеятелен, но всегда улыбается, так что почти смеется».

С ранних лет царевич находил утешение и прибежище только в религии. Он отличался глубокой и истовой набожностью, часами простаивал на церковных службах, подолгу молился, любил сам звонить в колокола и интересовался только духовными беседами (доказательство, что идиотом он все-таки не был). Эта чрезмерная богомольность раздражала даже святошу Ивана Васильевича, который обзывал юношу «пономарским сыном».

Федор был слаб не только умом, но и физически. Тщедушное тело не выдерживало тяжести парадного царского облачения; для непропорционально маленькой головы была велика шапка Мономаха. Во время коронации молодой царь был вынужден, не дождавшись конца долгой церемонии, снять венец и передать его первому боярину князю Мстиславскому, а золотую державу (царское «яблоко») сунул Годунову, что, конечно, потрясло суеверную публику и было воспринято ею как символический отказ от реальной власти.

> Став самодержцем и избавившись от отцовского гнета, Федор Первый стал жить так, как ему нравилось.
>
> Вставал царь до рассвета, чтобы помолиться святым, которые поминались в этот день. Затем посылал к государыне спросить, хорошо ли почивала. Через некоторое время являлся к ней сам, и они вместе отправлялись стоять заутреню. Потом разговаривал с придворными, которым особенно благоволил. К девяти пора было на обедню, которая продолжалась не меньше двух часов, а там уже подходило время обеда, после чего государь долго спал. Потом — если не пост — наступало время развлечений. Пробудившись далеко за полдень, Федор Иванович не спеша парился в бане или тешился зрелищем кулачного боя, который в те времена считался утехой несвирепой. После суетного следовало помолиться, и царь отстаивал вечерню. Далее уединялся с царицей — до неспешного ужина, за которым веселился шутовскими представлениями и медвежьими травлями.
>
> Еженедельно царская чета обязательно отправлялась в неутомительные паломничества по ближним монастырям. Ну а всех, кто по пути пытался подступиться с государственными делами, «самодержец» отсылал к боярам (впоследствии — к одному Годунову).

Однако при всем своем безволии, при всей ласковости и покладистости Федор Первый иногда проявлял непреклонность, что приводило к серьезным государственным последствиям. Эти приступы упрямства случались, когда кто-то пытался покуситься на частную жизнь монарха, точнее — на его отношения с супругой, которую Федор очень любил.

Иван IV считал, что может по своему усмотрению устраивать матримониальную судьбу детей. Старшего сына он по собственной прихоти разводил дважды, и тот был вынужден повиноваться. Однако, когда Грозный решил разлучить вроде бы безвольного Федора с Ириной, которая никак не давала пото́м

ФЕДОР ПЕРВЫЙ: ЦАРЬ-НЕСАМОДЕРЖЕЦ

ства, то столкнулся с непреклонным сопротивлением — и отступился. Единственный суровый поступок Федора за время его царствования — опала, которую он обрушил на бояр и митрополита, когда те тоже попытались развести государя с женой. (На этом важном эпизоде придворной борьбы за власть мы еще остановимся).

Ирина Федоровна Годунова, родная сестра Бориса, не стремилась к власти — наоборот, всячески от нее отстранялась, — но при этом сыграла важную роль в русской истории. Она была на пять или шесть лет младше Бориса и приходилась ровесницей Федору. Как и брат, выросла при дворе, на попечении у дяди Дмитрия Ивановича Годунова, который в период наибольшего фавора, в 1580 году, пристроил племянницу в невесты к младшему царевичу. Брак, впрочем, был сомнительной выгоды, поскольку болезненный Федор не имел при

Царица Ирина Годунова. *Реконструкция С. Никитина*

МЕЖДУ АЗИЕЙ И ЕВРОПОЙ

дворе совсем никакого значения. Скорее эта женитьба сулила большие неприятности в будущем. При восшествии на престол новый царь (а им должен был стать Иван Иванович) обычно безжалостно расправлялся с ближайшими родственниками, и слабоумие вряд ли спасло бы брата — как не спасло оно столь же безобидного Владимира Старицкого.

Однако судьба сложилась так, что Ирина стала царицей — и не «теремной», то есть обреченной сидеть взаперти, а самой настоящей. Поскольку Федор был непредставителен и на официальных церемониях вел себя странно либо вовсе от них уклонялся, Ирине приходилось и заседать в Боярской думе, и принимать чужеземных послов, а в 1589 году, во время беспрецедентного события, визита константинопольского патриарха, она даже обратилась к высокому гостю с приветственной речью — такого в Москве не случалось со времен Елены Глинской и не повторится еще целый век, вплоть до правительницы Софьи Алексеевны.

В первый, «нецарский» период правления Борис Годунов держался за счет дружбы и родства с царицей, которая во всем слушалась его советов. В то время боярин вряд помышлял о том, чтобы самому занять престол, и связывал надежды на будущее с регентством при наследнике, рождения которого ждали долго и тщетно.

Дело в том, что Федор Иванович был хоть и немощен, но, как тогда говорили, не «бесчаден». Царица часто бывала беременна, однако дети появлялись на свет мертвыми. (Исследование останков Ирины, проведенное в советское время, обнаружило патологию в строении таза, затруднявшую деторождение.)

Английский коммерсант и дипломат Джером Горсей рассказывает историю, которая подтверждает, что в то время Годунов был очень заинтересован в продолжении династии. «Лорд-правитель», как называет Бориса англичанин, поручил ему проконсультироваться в Лондоне с кембриджскими и оксфордскими медиками «касательно некоторых затруднительных дел царицы Ирины». Королева Елизавета отправила кораблем опытного доктора, который был «своим разумом в дохторстве лутче и иных баб». Однако иностранный лекарь не мог быть допущен к телу царицы, поэтому с ним отрядили опытную акушерку, но и этой предосторожности оказалось недостаточно. Мысль о том, что иноземка и еретичка будет помогать родам государыни, вызвала такой ужас при дворе, что англичанку не пустили дальше Вологды, продержали там целый год и в конце концов отправили восвояси.

В 1592 году Ирина все же произвела на свет живого младенца — правда девочку. Сложившаяся система власти не предполагала женское самодержавие однако появилась надежда на спасение династии. Всем был памятен недавний пример Стефана Батория, который формально был мужем королевы, представительницы Ягеллонского дома. Поэтому для маленькой царевны Феодосии на

ФЕДОР ПЕРВЫЙ: ЦАРЬ-НЕСАМОДЕРЖЕЦ

чали немедленно искать будущего жениха, о чем завели переговоры с самым авторитетным в Европе двором — императорским. Венского посла просили прислать в Москву какого-нибудь маленького принца, чтобы заранее обучить его русскому языку и обычаям. Однако девочка родилась слабой и умерла, не достигнув полутора лет.

Федор пережил своего единственного ребенка на чстыре года. Он часто хворал, а 7 января 1598 года, проболев несколько дней, скончался.

Смертельная болезнь последнего государя из династии московских Рюриковичей вызвала переполох при дворе. Всем было не до церемоний — начиналась нешуточная борьба за власть, поэтому Федор умирал почти в одиночестве. Перед кончиной его даже не постригли в схиму. Вскрытие саркофага показало, что государь всея Руси был погребен в каком-то затрапезном кафтане, с простенькой, совсем не царской мирницей (сосудом для миро) в изголовье.

Борис Годунов: путь наверх

Происхождение будущего царя было столь скромным, что мы не знаем ни даты, ни даже точного года его рождения — в одних источниках предполагают 1551 год, в других 1552-й.

Род Годуновых вел свое происхождение от мурзы Чета, который якобы перешел на московскую службу еще при Калите. Если полумифический мурза и существовал на самом деле, особенно гордиться таким происхождением не приходилось, к тому же Годуновы были одной из младших ветвей Четова потомства.

В первой половине XVI века это были просто костромские вотчинники средней руки, провинциальные дворяне. Про Федора Ивановича, отца Бориса, известно лишь, что он имел прозвище «Кривой» (вероятно, был одноглаз) и владел поместьем совместно с братом Дмитрием. Когда в 1550 году по инициативе Адашева на Руси составлялся список «тысячи лучших слуг», братья Годуновы не удостоились в него попасть.

Федор рано умер, и его дети — Борис и Ирина — воспитывались у Дмитрия Ивановича.

Карьера рода Годуновых началась по случайности.

Первой ступенькой стало учреждение в 1565 году Опричнины, куда была отрезана Костромская земля, в результате чего многие ее дворяне попали в число опричников — среди них Дмитрий Годунов.

Последующие события и фантастическая судьба Бориса затмили фигуру его дяди, а между тем это был человек незаурядный; без него племянница не стала бы царицей, а племянник — царем. В те времена человек был ничто без поддержки родственников. Возвышались и терпели крах не отдельные люди, а целые роды. Семейство Годуновых было многочисленно и деятельно, они всегда выступали заедино и крепко держались друг друга. Достигнув высшей власти Борис раздаст ключевые должности своим родичам — и они станут верной его опорой.

Долгое время главой рода Годуновых был Дмитрий Иванович, небыстро, но верно поднимавшийся по опричной должностной лестнице. После смерти цар ского постельничего, он занял этот не слишком видный пост, ценный своей

БОРИС ГОДУНОВ: ПУТЬ НАВЕРХ

близостью к государю. Постельничий занимался домашним обиходом царя: гардеробом, хозяйством, развлечениями. Важнее было то, что этот чин также обеспечивал «ночную» безопасность монарха, то есть ведал охраной внутренних покоев. При растущей параноидальности Ивана IV эта вроде бы невеликая функция стала большим государственным делом. Через некоторое время Дмитрий Годунов оказался во главе большого и влиятельного ведомства, а когда породнился с Малютой Скуратовым-Бельским, женив племянника Бориса на дочери фактического главаря опричников, все царские «спецслужбы» оказались в руках одного семейного клана. Примерно в это время в Опричнине происходит смена верхушки: после злосчастной Новгородской экспедиции царь расправляется с прежними любимцами Басмановыми, Вяземским и прочими. Скуратовы-Бельские и Годуновы становятся ближайшими подручными Ивана IV. Они устраивают брак царевича Ивана Ивановича на девице из рода Сабуровых, годуновских родственников, а самому царю подсовывают в жены Марфу Собакину, предположительную родственницу Малюты.

Нет сомнений, что Дмитрий Годунов был человеком поразительной гибкости и выживаемости. Он сумел продержаться на своей могущественной, но — при подозрительности Грозного — очень опасной должности до самого конца, избежав казни и опалы. Всё более ценным помощником для него становился племянник, обладавший еще более впечатляющим талантом царедворца. К концу царствования Ивана IV первое место среди Годуновых стало принадлежать молодому Борису.

Начинал он с низших придворных должностей — в 1570 году упоминается среди царских оруженосцев, хранителем государева саадака (лука со стрелами).

Борис несомненно носил черный кафтан опричника, но удивительным образом сумел не запятнать себя участием в казнях и пытках. Должно быть, вокруг Грозного хватало охотников отличиться в кровавых расправах, а Борис сумел добиться расположения капризного царя какими-то иными способами.

Марфа Собакина царицей так и не стала, Евдокию Сабурову скоро развели с царевичем Иваном, всемогущий Малюта погиб — а Борис оставался при царе и поднимался по карьерной лестнице всё выше. Во второй половине 1570-х годов он состоял в чине кравчего, то есть следил за государевым столом, а это означало высшую степень доверия, поскольку Грозный очень боялся отравы.

После того как сестра стала царской невесткой, Борис, еще не достигший тридцати лет, был сделан боярином, поднявшись на высшую ступень придворной иерархии. Это произошло в 1581 году.

Впрочем, в государстве насчитывалось несколько десятков бояр, и Борис Годунов среди них был самым младшим и неродовитым. Но за последние три года правления Грозного он сумел попасть в число первых сановников государства, так что по смерти царя оказался одним из опекунов при недееспособном

МЕЖДУ АЗИЕЙ И ЕВРОПОЙ

Федоре. Согласно распространенной версии, царь проникся к Борису горячей симпатией в благодарность за то, что молодой боярин пытался заслонить собой царевича Ивана, когда Грозный 19 ноября 1581 г. в приступе бешенства бил сына посохом. Тогда досталось и Годунову, которого государь «лютыми ранами уязви», так что Борис потом долго болел. Сломленный горем и раскаянием царь не забыл этой самоотверженности.

Так или иначе, когда грозный самодержец скоропостижно скончался, Борис Федорович Годунов, молодой еще человек, выскочка, отпрыск незнатного рода, недавний опричник, благодаря свойству с новым царем и неспособности этого царя к самостоятельному правлению, оказался в числе нескольких вельмож, вступивших в борьбу за верховную власть.

Личность Бориса вызывала огромный интерес и у современников, и у историков, и у деятелей искусства. Все оценивали Годунова по-разному. Одни превозносили до небес, другие хулили последними словами, но никто не оспаривал очевидного: он вознесся не только за счет феноменальной удачливости, но и благодаря своим личным качествам.

О них теперь и поговорим, поскольку, начиная с 1584 года, достоинства и недостатки этого человека становятся очень важны.

Два Годунова

Большинство авторов, писавших об Иване IV, тоже делили его словно бы надвое: на «хорошего царя» вплоть до начала 1560-х годов и «плохого царя» второй половины правления. Но читать про Годунова еще интереснее — в зависимости от источника получаются два непохожих и даже контрастирующих персонажа: черный злодей и светлый ангел. Многочисленные попытки историков вывести нечто промежуточное обычно заканчиваются тем, что Бориса всё же размещают по ту или по эту сторону Добра и Зла, причем оценка определяется совершенно конкретным критерием, о котором мы подробно поговорим. Мне тоже придется сделать выбор между двумя этими партиями, «годуновской» и «антигодуновской», но сначала нужно изложить обе точки зрения.

«Зять палача и сам в душе палач»

Так называет Бориса Годунова пушкинский персонаж Василий Шуйский, напоминая собеседнику о том, что претендент на трон вышел из опричников и был зятем душегуба Малюты Скуратова.

Самый сильный аргумент в пользу версии об изначальном злодействе Годунова, конечно, заключается в его головокружительной карьере «из грязи в князи», из безвестности во всероссийские самодержцы. В истории есть два способа подобного восхождения: либо через военные триумфы («наполеоновский путь»), либо через дворцовые интриги («византийский путь»), причем второй невозможен без коварства, вероломства и физического устранения «живых препятствий».

Годуновские недоброжелатели говорят: если в летописях и воспоминаниях о зверствах «кромешников» (мрачный каламбур эпохи, обыгрывавший синонимы «опричь» и «кроме») не встречается имя Бориса, это вовсе не значит, что он не участвовал в убийствах и казнях. Известно, что Грозный связывал обязательной кровавой порукой всех своих приближенных — просто хитрый и дальновидный Годунов не лез в «первые ученики». Это весьма вероятное предположение, особенно с учетом того, что юный опричник уже состоял при особе государя в 1570–1571 годах, когда шла самая массовая и жестокая волна репрессий.

Подобное участие или соучастие в преступлениях еще можно счесть подневольным, однако в последующие годы многие, кто оказывался на пути Бориса к власти или создавал для этой власти угрозу, как-то очень кстати «приказывали долго жить», и часто это происходило при сомнительных обстоятельствах.

Список политических убийств, которые приписывались Годунову современниками и потомками, длинен.

Во-первых, многим показалась подозрительной смерть Ивана Грозного. Поговаривали, что в последние дни царь охладел к своему любимцу и у того над головой сгущались тучи. Симптомы скоропостижной кончины государя наводили на мысль о яде. Во всяком случае, эта смерть была Годунову чрезвычайно выгодна: как шурин нового царя он сразу стал одним из важнейших лиц государства.

Начинается борьба за верховенство, в которой Борису противостоят сильные соперники. О том, как происходила эта непростая и небескровная схватка, будет рассказано чуть позднее, но главный из царских «опекунов» Никита Романов почти сразу тяжело заболел и затем умер — враги говорили, что его опоил зельем Борис, втершийся к боярину в доверие.

Непримиримые годуновские оппоненты Шуйские, Иван Петрович и Андрей Иванович, став жертвами искусной придворной интриги, были не казнены, а всего лишь посажены в заточение, однако оба очень быстро — кстати для Бориса — скончались. Ходили упорные (и правдоподобные) слухи, что первого удушили угарным газом, а второго удавили.

Слева — мудрый правитель. Справа — несомненный злодей

ДВА ГОДУНОВА

Если верно, что Годунов задолго до смерти бездетного Федора начал примериваться к царскому венцу, то сначала нужно было расчистить дорогу к трону, избавившись от возможных претендентов. Таковых было двое, и оба — дети.

В Риге жила Мария Старицкая, дочь злосчастного Владимира Старицкого и правнучка Ивана III, вдова незадолго перед тем умершего ливонского короля Магнуса. С точки зрения престолонаследия опасность представляла не столько Мария Владимировна, сколько ее маленькая дочь Евдокия, в жилах которой текла кровь русских и датских государей. Мать и дочь жили в Риге, на попечении польского короля, и, если бы в Москве произошел династический кризис, вполне могли быть использованы Речью Посполитой для предъявления претензий на престол.

▶ В 1585 году Годунов провел хитроумную операцию по устранению этой опасности. Узнав, что скупые поляки держат знатную полугостью-полупленницу на ничтожном жаловании в 1 000 талеров, Борис подослал к Марии своего агента Горсея, следовавшего через Ригу в Англию. Мы знаем подробности этой истории от самого Горсея, вспоминающего свое соучастие с явным раскаянием.

Англичанину было поручено уговорить королеву вернуться на родину, где Годунов сулил Марии высокое положение и богатые вотчины. «Царь Федор Иванович, ваш брат, узнал, в какой нужде живете вы и ваша дочь, он просит вас вернуться в свою родную страну и занять там достойное положение в соответствии с вашим царским происхождением, а также князь-правитель Борис Федорович изъявляет свою готовность служить вам и ручается в том же…», — сказал королеве Горсей. Та сначала отказывалась, говоря: «Я знаю обычаи Московии, у меня мало надежды, что со мною будут обращаться иначе, чем они обращаются с вдовами-королевами, закрывая их в адовы монастыри, этому я предпочту лучше смерть». Однако Горсей уверил ее, что ныне при дворе другие обычаи, дал Марии много золота и объяснил, как будет устроен побег.

Организовали эстафету из сменных лошадей, и, прежде чем поляки хватились, королева с дочерью уже были на русской территории.

Приняли Марию в Москве с почетом и действительно наделили вотчинами, однако года через два, когда Годунов уже сосредоточил в своих руках всю полноту власти, произошло именно то, чего Мария боялась. Ее разлучили с дочерью и постригли в монахини. Вскоре после этого восьмилетняя Евдокия внезапно умерла. Нечего и говорить, что злые языки винили в этой смерти Годунова.

Разумеется, еще большим препятствием для великих планов Годунова являлся маленький царевич Дмитрий. При жизни старшего брата он мог считаться наследником сомнительным, полубастардом, но по смерти Федора, безусловно, стал бы самым очевидным претендентом на трон.

С точки зрения истории государства не так уж и важно, убит был Дмитрий или погиб в результате несчастного случая, но для понимания личности Годунова это имеет огромное значение. Вот он — упомянутый выше роковой критерий, по которому разные авторы, в зависимости от ответа, считали Бориса злодеем или благонамеренным правителем, опередившим свое время.

Все остальные обвинения в убийствах имеют вид не более чем подозрений, но «углицкое дело» изучено с небывалой для XVI века обстоятельностью. И всё же главный вопрос — зарезан царевич или зарезался — остается нерешенным. Адепты каждой из точек зрения приводят убедительные доводы.

Начнем с обстоятельств дела — с фактов.

Сразу по воцарении Федора Первого младенца Дмитрия вместе с его родней по материнской линии сослали в город Углич, находившийся в стороне от столицы и всё же недальний, удобный для надзора. Прошло несколько лет. У царя с царицей всё рождались мертвые дети, а мальчик тем временем подрастал, и о нем начинали рассказывать тревожное. «Русские подтверждают, — сообщает

Мария Старицкая. *Портрет неизвестного датского художника. XVI в.*

ДВА ГОДУНОВА

Флетчер, — что он точно сын царя Ивана Васильевича, тем, что в молодых летах в нем начинают обнаруживаться все качества отца. Он (говорят) находит удовольствие в том, чтобы смотреть, как убивают овец и вообще домашний скот, видеть перерезанное горло, когда течет из него кровь (тогда как дети обыкновенно боятся этого), и бить палкой гусей и кур до тех пор, пока они не издохнут». Прошел слух, что зимой царевич вылепил несколько снеговиков, назвал одного Годуновым, других — годуновскими соратниками, стал бить палкой, как бы отрубая руки и головы, а сам приговаривал: «Вот как будет, когда я стану царствовать!»

Всё это, конечно, должно было тревожить правителя. Опасность представлял не столько маленький Дмитрий, сколько его окружение — честолюбивые, алчные и неумные Нагие: вдовствующая царица Мария, ее отец и братья, воспитывавшие мальчика в соответствующем духе.

Незадолго до трагедии присмотр за углицким двором был усилен. В качестве управляющего из Москвы прибыл дьяк Михаил Битяговский, верный человек Годунова. Битяговского сопровождали родственники и слуги. Между Нагими и контролером, естественно, сразу начались трения и ссоры.

В этой обстановке 15 мая 1591 года случилась непонятная история. Восьмилетний Дмитрий играл с другими мальчишками в ножички и вдруг оказался на земле с перерезанным горлом. Ударил набат, над телом собралась толпа. Нагие объявили, что царевича убили люди ненавистного Битяговского. Возмущенные угличане учинили расправу над дьяком и его людьми, причем одного из них, объявленного непосредственным убийцей (сына Дмитриевой «мамки»), растерзали прямо на глазах у обезумевшей от горя царицы, по ее приказу.

Четыре дня спустя началось следствие, которое возглавил князь Василий Иванович Шуйский, человек изворотливый и честолюбивый — Годунов знал, кому поручить такое дело.

Следствие объявило, что царевич ударил себя ножиком сам, когда корчился в припадке падучей болезни (у Дмитрия действительно была эпилепсия). Расправу с Битяговским и его людьми квалифицировали как преступный мятеж. Вдовствующую царицу насильно постригли в монахини, ее родственников посадили по темницам, уличенных в кровопролитии горожан сослали в недавно присоединенную Сибирь.

Совершенно очевидно, что следствие было политически мотивировано и тенденциозно, поэтому современники и тем более потомки к комиссии Шуйского отнеслись безо всякого доверия, да и сам князь Василий Иванович, как мы видим, впоследствии, когда конъюнктура переменилась, заговорил совсем иначе.

Историческая версия, обвиняющая Годунова в убийстве, выглядит следующим образом (ее стройно суммирует С. Соловьев).

МЕЖДУ АЗИЕЙ И ЕВРОПОЙ

▶ Сначала Дмитрия пытались отравить, но его родственники были настороже, и из этой затеи ничего не вышло. Тогда Годунову предложили воспользоваться услугами ловкого и на всё готового Битяговского, который был отряжен в Углич с единственной целью — устранить царевича. Какое-то время годуновские эмиссары выжидали и наконец выбрали момент, когда около Дмитрия из взрослых находились только женщины, причем одна из них, мамка (служанка) Волохова, участвовала в заговоре. Ее сын Осип и ударил царевича ножом, а сын и племянник Битяговского завершили дело. Кормилица пыталась спасти ребенка, но ее, осыпая ударами, отшвырнули в сторону.

Может быть, именно так всё и произошло, хоть и не очень понятно, каким образом могли быть установлены эти подробности.

В любом случае, смерть Дмитрия Углицкого выглядела таинственной и подозрительной. Массовое сознание, вообще любящее всякую конспирологию,

Смерть царевича Дмитрия Б. *Чориков*

ДВА ГОДУНОВА

после этого события чрезвычайно оживилось, и с этих пор, какая беда ни случись, молва начинала винить в произошедшем правителя.

Через год после гибели Дмитрия на пути Годунова к престолу внезапно возникло новое препятствие — у Федора родилась дочь Феодосия. Когда девочка умерла, на подозрении, конечно, оказался Борис.

Неудивительно, что и смерть совсем еще не старого, сорокалетнего Федора приписали правителю, которому-де не терпелось самому надеть царский венец. «Борис же с помощью уловок и ухищрений был причиной смерти великого государя своего Федора Ивановича и ребенка его, которого имел с женою своею — с сестрой того же Бориса», — говорится как о чем-то общеизвестном в «Дневнике Марии Мнишек» (так называются записки польского шляхтича, состоявшего в свите Марии Мнишек).

Были в адрес Бориса обвинения и явно фантастические: что он будто бы опоил каким-то «волшебным питьем» никому не нужного Симеона Бекбулатовича, марионеточного государя послеопричненских времен, и старик от этого ослеп. Умерла в монастыре Ирина, любимая сестра Бориса, — люди сочли, что и ее зачем-то погубил Годунов.

Пушкинский Борис горько сетует:

> Кто ни умрет, я всех убийца тайный:
> Я ускорил Феодора кончину,
> Я отравил свою сестру царицу,
> Монахиню смиренную… всё я!

Ответить на это можно одно: если Борис действительно приказал убить маленького царевича, всё остальное тоже вполне возможно. Для подобного злодея высокая цель — стать самодержцем и основать новую династию — должна была оправдывать любые низменные средства.

«Финик добродетели»

Противоположной крайностью является безоговорочное восхищение Годуновым, который предстает чуть ли не идеалом правителя, «цветяся аки финик листвием добродетели» (цитата из «Русского хронографа», источника начала семнадцатого столетия). Там же сказано, что Борис был «светодушен и нравом милостив». Это не является угодничеством или лестью со стороны автора, поскольку написано уже после годуновского падения, во времена, когда прежнего царя было принято ругать и винить во всех несчастьях страны.

МЕЖДУ АЗИЕЙ И ЕВРОПОЙ

Подобное отношение к Борису, в отличие от противоположного, основывалось не на слухах и сплетнях, а на видимых результатах годуновской деятельности.

Апологеты Бориса все подозрения по поводу «удобных» для Годунова смертей объявляли клеветой и бездоказательными домыслами, а на самое серьезное и аргументированное обвинение, по поводу углицкой трагедии, отвечали столь же серьезно и аргументированно. Уже в недавние времена лагерь «защитников» Годунова сильно пополнился и обзавелся дополнительными доводами.

Сергей Платонов пишет, что Дмитрий не представлял особенной угрозы для всесильного Годунова даже в случае смерти царя Федора: «Если бы удельный князь Димитрий оставался в живых, его право на наследование престола было бы оспорено Ириной. Законная жена и многолетняя соправительница царя Ирина, разумеется, имела бы более прав на трон, чем внезаконный припадочный царевич из «удела».

Того же мнения придерживается другой выдающийся историк Г. Вернадский, пришедший к выводу, что смерть царевича была случайной.

Замечательный знаток эпохи Р. Скрынников, изучив все имеющиеся материалы дела, выстраивает убедительную версию, которая оправдывает Бориса.

▶ Вкратце она выглядит так.

Материалы следствия показывают, что один лишь Михаил Нагой, дядя царевича, упорно твердил об убийстве, хотя сам не был свидетелем происшествия и, согласно опросу других очевидцев, был в то время «мертв пиян». Другой дядя, Григорий Нагой показал что все «почали говорить, неведомо хто, что будто зарезали царевича»; еще один Нагой, Андрей Федорович, — что «царевич лежит у кормилицы на руках мертв, а сказывают, что его зарезали, а он того не видел, хто его зарезал». Непосредственные свидетели, малолетние товарищи Дмитрия по игре в ножички, рассказали, что «играл-де царевич в тычку ножиком с ними на заднем дворе и пришла на него болезнь — падучей недуг — и набросился на нож».

Мамка Василиса Волохова, которую называют годуновской шпионкой и участницей заговора, как выяснил Скрынников, вовсе не была прислана в Углич правителем, а состояла при царевиче с давних пор. Царица сама не видела, как погиб сын и, колотя поленом мамку, виновную в недогляде, первая, непонятно с чего, закричала, что Дмитрия зарезал сын Волоховой. С этого и начался кровавый мятеж.

Конечно, весьма вероятно, что комиссия Шуйского вела расследование однобоко, давила на свидетелей, фальсифицировала протоколы и т.д. Однако помимо документов имеются и другие доводы, логические, которые развенчивают миф о «выгодности» убийства для Годунова.

Во-первых, в то время все еще надеялись, что Федор и Ирина, которым было по 34 год произведут потомство (и вскоре действительно родилась дочь).

Во-вторых, даже при ранней смерти царя Годунов мог и дальше править от лица царицы-сестры. Ему некуда было торопиться, устраняя весьма гипотетического соперник

ДВА ГОДУНОВА

В-третьих, если бы началась борьба за трон, у слабого клана Нагих не было никаких шансов на победу — в Москве имелись куда более сильные боярские партии, тоже породненные с царским домом.

Наконец, в-четвертых, очень уж странно был выбран момент для столь скандального преступления: на севере шла тяжелая война со Швецией, на юге готовился к нашествию крымский хан. Если Годунов и планировал убийство царевича, это можно было бы сделать в менее критической ситуации, без риска добавить к внешним проблемам внутренние.

В общем, по мнению немногочисленных, но авторитетных сторонников годуновской невиновности, Борису не должны были являться «мальчики кровавые в глазах». Если же снять с Годунова вину в убийстве восьмилетнего ребенка, этот исторический деятель сразу предстает в совершенно ином свете: «финик» не «финик», но, пожалуй, один из самых симпатичных правителей в отечественной истории.

Угличское следственное дело. 1591 г.

МЕЖДУ АЗИЕЙ И ЕВРОПОЙ

Приняв страну разоренной, травмированной, униженной поражениями, Борис сумел привести дела в более или менее сносное состояние и даже вернуть территории, утраченные Иваном Грозным. Проблемы начались лишь в самый последний период — и, как будет показано ниже, не по вине Годунова. «Он правил умно и осторожно, и четырнадцатилетнее царствование Федора было для государства временем отдыха от погромов и страхов Опричнины», — пишет Ключевский.

Непредвзятые современники, оставившие потомкам свои записки, вспоминали Бориса с уважением. Князь Катырев-Ростовский пишет, что покойный «державе своей много попечения имел и многое дивное о себе творяще»; ему вторит один из первых отечественных историков Авраамий Палицын (нач. XVII в.): «Царь же Борис о всяком благочестии и о исправлении всех нужных царству вещей зело печашеся».

Еще удивительнее читать похвалы Годунову во «Временнике», сочинении дьяка Ивана Тимофеевича Семенова (Ивана Тимофеева), который очень не любит Бориса, называет «рабоцарем» и усердно пересказывает про него все злые слухи. «...Он много заботился об управлении страной, имел бескорыстную любовь к правосудию, нелицемерно искоренял всякую неправду...; во дни его домашняя жизнь всех протекала тихо, без обид...; он был крепким защитником тех, кого обижали сильные, вообще об утверждении всей земли он заботился без меры...; всякого зла, противного добру, он был властный и неумолимый искоренитель, а другим за добро искренний воздаятель», — перечисляет дьяк (цитирую перевод на современный язык), приходя к выводу, который, кажется ставит его в затруднение: «И то дивно, что хотя и были у нас после него другие умные цари, но их разум лишь тень по сравнению с его разумом, как это очевидно из всего». (Объяснение этому парадоксу автор в конце концов находит в том что Борис «от младых ноготь» состоял при хорошем царе Федоре и, должно быть, «навыкнул благу».)

Для той жестокой эпохи Годунов отличался поразительной гуманностью Он не любил проливать кровь и делал это лишь по крайней необходимости Одерживая верх над политическими врагами, даже самыми непримиримыми не отправлял их на плаху, а ограничивался ссылкой или «политической казнью» — пострижением в монахи. При этом Борис еще обладал редким для правителя даром ценить в подчиненных деловые качества, а не личную преданность — именно этим объясняется то, что он, бывало, возвращал из ссылки своих явных недоброжелателей вроде Богдана Бельского или Василия Шуйского и доверял им важные государственные дела.

Еще экзотичней выглядела заботливость Годунова о простом народе, благо которого никто из правителей раньше не интересовался. Венчаясь на царство новый царь произнес удивительную фразу: «Бог свидетель сему, никто же уб будет в моем царствии нищ или беден!». Впоследствии он по мере сил старался выполнять эту клятву: оказывал помощь погорельцам и голодающим, трудоустраивал безработных, впервые построил в Москве богадельни для обездоленных. Ворчливый дьяк Иван Тимофеев признаёт, что Борис был «требующим даватель неоскуден, к мирови в мольбах о всяцей вещи преклонитель кротостен, во ответех всем сладок, на обидящих молящимся беспомощным и вдовицам отмститель скор».

В довершение портрета второго, «благостного» Годунова следует прибавить, что этот человек был образцом нравственности в личной жизни: верным мужем, заботливым отцом и врагом «богомерзкого винопития» (вероятно, юность, проведенная в Александровской слободе, привила Борису отвращение ко всякого рода безобразиям).

Совмещая несовместимое

Соединить вместе два столь разных образа, черный и белый, совсем не просто. Очевидно, судить следует не по тем качествам, которые приписывают Годунову, с одной стороны, его критики и, с другой, его сторонники, а по поступкам и результатам правления этого государя.

Начнем с самого непростого: с углицкого инцидента.

Тут, пожалуй, есть противоречие между неправдоподобностью версии о том, что царевич сам «пококлолся ножом», и очевидным неудобством политического момента, которое Годунов выбрал для убийства (если это было убийство). Возможно, прав Ключевский, предположивший, что преступление «подстроено было какой-нибудь чересчур услужливой рукой, которая хотела сделать угодное Борису, угадывая его тайные помыслы, а еще более обеспечить положение своей партии, державшейся Борисом». Истории известно множество случаев, когда чересчур ревностные или честолюбивые слуги устраняли врагов своего господина безо всякого приказа, уверенные, что их усердие и догадливость будут вознаграждены. Зная нелюбовь Годунова к кровопролитию, даже когда речь шла о лютых ненавистниках, трудно поверить, что он распорядился убить ребенка.

Разумеется, Борис не был «фиником добродетели». Это был прагматик до мозга костей, ловкий интриган и манипулятор, однако по уровню и масштабности мышления он опережал свою среду и свое время. Годунов очень хорошо понимал, что после бесчинств и хаоса Опричнины страна истосковалась не

МЕЖДУ АЗИЕЙ И ЕВРОПОЙ

только по законности, порядку, покою, но и по *приличности* — и при дворе как царя Федора, так и царя Бориса неукоснительно соблюдались чинность, степенность, сугубая богобоязненность.

Правитель был в высшей степени наделен настоящим государственным умом — этого не оспаривают даже его враги, но еще больше в нем было хитрости, выработанной за долгие годы придворного маневрирования. Он отлично умел втираться в доверие, притворяться, лицедействовать; знал, когда нужно выдвинуться на первый план, а когда выгоднее уйти в тень; в зависимости от ситуации умел проявлять и суровость, и милосердие. Не будучи по природе жесток и кровожаден, Борис очень неохотно предавал смерти людей знатных, но довольно легко казнил простолюдинов — ценность человеческой жизни определялась социальным положением, что, впрочем, было совершенно в характере эпохи.

Серьезным недостатком Годунова было полное отсутствие полководческих талантов (в «Хронографе» сказано: «Во бранех же неискусен бысть»), что, как мы увидим, привело к серьезным проблемам в войне со шведами. Правда, впоследствии, наученный горьким уроком, Годунов сам войска в бой не водил.

Все или почти все авторы упрекают Бориса в лживости, алчности и маниакальной подозрительности. Однако первое обвинение звучит несколько по-детски (много ли в истории было правдивых правителей и чем они закончили?); второе утратило смысл после того, как Годунов стал хозяином всей страны; третье обвинение справедливо — но у царя Бориса имелись более веские, чем у Грозного, причины для подозрительности.

Сведения о культурном и образовательном уровне Годунова противоречивы. Дьяк Тимофеев пишет, что Борис первый из русских царей «не книгочий бысть», а некоторые современники-иностранцы сообщают, что правитель был вовсе неграмотен. Известно также, что Годунов любил окружать себя черно-книжниками и «чародейками», причем в последние годы жизни эта страсть дошла до крайности — царь будто бы не принимал никаких решений, пока не обратится к прорицателям.

Однако в ту пору мистическими материями — алхимией, астрологией и т.п. — увлекались многие европейские монархи, даже самые просвещенные, а суеверие было в порядке вещей. Неверны и слухи о годуновской неграмотности: сохранилась собственноручная запись молодого Бориса, сделанная небыстрым, но вполне уверенным почерком. Неначитанный человек вряд ли мог быть красноречивым оратором, а все, кому доводилось слушать речи Годунова, поражались его риторическому искусству.

В конце концов, не столь существенно, был ли сам Борис человеком образованным (вряд ли, при опричном воспитании). Важно, что он очень хорошо сознавал важность просвещения и всячески пытался развивать на Руси знание.

ДВА ГОДУНОВА

Автограф Бориса Годунова

Это стремление, вероятно, объяснялось не идеализмом, а сугубо практическими соображениями. К концу XVI века страна сильно отставала от бурно развивавшегося Запада в научном и техническом отношении.

Годунов активно приглашал в Россию иностранцев: коммерсантов, мастеров, врачей. То, что Бориса окружали только нерусские лейб-медики и личная охрана из иностранных наемников, видимо, объяснялось недоверием к собственным придворным (еще раз скажу — вполне оправданным), но Годунов этим не ограничивался, он пытался приобщить к достижениям европейской цивилизации всю страну. Правда, эти усилия по большей части оказались безрезультатны.

> Намерение Бориса открыть в Москве нечто вроде первого университета или академии, где преподавали бы приглашенные из-за границы профессора, натолкнулось на упорное сопротивление духовенства, оберегавшего юношество от иноверческих соблазнов — точно так же, как незадолго перед тем к царице не пустили английскую акушерку.
>
> Царь придумал, как вывести учащихся из-под церковной опеки: отправил «робят» (молодых дворян) учиться в Германию, Австрию, Францию и Англию — точно так же, как век спустя это станет делать Петр I. Всего было послано 18 человек. К сожалению, возвращаться домой набравшиеся иноземной премудрости «робята» не пожелали. Конрад Буссов пишет в 1613 году: «Они легко выучили иноземные языки, но до настоящего времени из них только один вернулся в Россию — тот, которого Карл, король шведский, дал в толмачи господину Делагарди. Его звали Димитрий. Остальные не пожелали возвращаться в свое отечество и отправились дальше по свету». Главная причина невозвращенчества, наверное, заключалась в том, что к этому времени Годунова уже не стало, в России началась гражданская война, всё иностранное стало восприниматься враждебно, и ученых умников вряд ли ждал на родине радушный прием.

Подытоживая разноречивые отзывы о личности Бориса Годунова, следует признать, что это в любом случае был человек яркий, сильный, щедро наделенный талантами.

И всё же в 1584 году, сразу после смерти Ивана IV, мысль о том, что Годунов может стать царем и основать новую династию, показалась бы совершенно фантастической.

МЕЖДУ АЗИЕЙ И ЕВРОПОЙ

Взошедший на престол Федор был молод и, несмотря на неспособность управлять, вполне способен произвести потомство.

На худой конец, если потомства не будет, имелся Дмитрий Углицкий, пускай сомнительного происхождения, но всё же царский сын.

Кроме того, несмотря на опричные репрессии, сохранилось несколько породненных с царским домом аристократических родов, про которые в пушкинской драме «Борис Годунов» говорится: «Легко сказать, природные князья — природные, и Рюриковой крови».

Как же произошло, что худородный молодой боярин, не прославившийся ни ратными подвигами, ни государственными деяниями, оказался сначала всемогущим диктатором, а затем и государем, на что у него не было ни прав, ни, казалось бы, шансов?

Один из регентов – правитель – царь

Борьба за первенство

При том «тотальном» самодержавии, которое всю жизнь строил Иван IV, смерть монарха, высшего и единственного источника принятия решений, не могла не вызвать разлада всей государственной конструкции, к тому же Грозный мало заботился о том, что будет после него, и, кажется, не оставил завещания (во всяком случае, оно не сохранилось). Умирая, царь вроде бы вверил своих сыновей, один из которых был слабоумен, а другой младенец, попечению ближайших сановников, и в российской исторической традиции эту группу вельмож принято называть регентским, или опекунским, советом, однако его формат и даже состав в точности неизвестны.

В совет несомненно входили Иван Федорович Мстиславский, знатнейший из князей, правнук Ивана III, и знатнейший из старого московского боярства Никита Романович Захарьин-Юрьев (его часто именуют Никитой Романовым, поскольку это основатель династии Романовых), царев дядя. Касательно трех других «опекунов» не вполне ясно, были ли они назначены в совет по воле умирающего либо же вследствие своей активности и влиятельности. Герой псковской обороны князь Иван Петрович Шуйский был самым известным в стране военачальником, и его участие в высшем органе власти выглядит вполне естественным. Еще двое регентов были фаворитами скончавшегося государя: боярин Борис Годунов, сильный только своей близостью к новой царице, и оружничий Богдан Бельский, по-видимому (достоверно это неизвестно), представлявший интересы маленького Дмитрия.

Скорее всего, это странное «политбюро» составилось импровизированно, само собой. Схватка за первенство внутри него была совершенно неизбежной и началась сразу же.

Годунов здесь был не на первых и даже не на вторых ролях. Его родство с царицей не имело особенной важности — не то что Ирина, но и ее муж никакой реальной силой не обладали.

МЕЖДУ АЗИЕЙ И ЕВРОПОЙ

За Иваном Мстиславским стояла партия бывших удельных, за Никитой Захарьиным — партия московских бояр, за Иваном Шуйским — боевые соратники и мощный клан Шуйских. Участие в совете двух любимцев мертвого царя, незнатных, молодых, происходивших из ненавистной Опричнины, казалось делом временным.

В этой ситуации Годунов и Бельский повели себя по-разному: первый ушел в тень и занял выжидательную позицию, второй ринулся напролом.

У Богдана Бельского, вероятно, и не имелось иного выхода. При решении вопроса о престолонаследии участь младших братьев бывала незавидна; попечитель Дмитрия не мог не разделить судьбу своего подопечного, если бы того оттерли от престола.

Это, собственно, и произошло, причем сразу же, чуть ли не в первый день по смерти Грозного. Прежде чем начать выяснять отношения между собой, старшие члены совета сплотились вокруг Федора — представителей старой знати объединяла неприязнь к Нагим, родственникам вдовствующей царицы Марии.

«Регентский совет». *И. Сакуров*

ОДИН ИЗ РЕГЕНТОВ — ПРАВИТЕЛЬ — ЦАРЬ

Всех их, вместе с младшим царевичем, отправили в ссылку, в Углич. Борис Годунов, разумеется, был на стороне Федора, так что Бельский оказался в одиночестве, но не сдался.

Это был человек энергичный, смелый, авантюрного склада. Пользуясь должностью оружничего, начальника царских арсеналов, он попробовал устроить военный переворот: привлек на свою сторону столичный стрелецкий гарнизон и занял Кремль.

И здесь произошло нечто беспрецедентное. На Пожаре, то есть на Красной площади, собралась огромная толпа горожан. Народ ворвался в крепость, разогнал стрельцов и чуть не разорвал Бельского на части. Неудавшийся диктатор был арестован и отправлен в ссылку (откуда будет впоследствии возвращен Годуновым и еще не раз появится на страницах нашего повествования).

▶ Эпизод народного восстания, произошедшего в начале апреля 1584 года, очень важен для дальнейшей русской истории и заслуживает отдельного разговора.

Произошло нечто в высшей степени удивительное. Иван Грозный много лет подвергал своих подданных чудовищным репрессиям, и все покорно терпели, не смея пикнуть. Казалось, бунтарский дух в народе начисто вытравлен. И вдруг, всего через две недели после смерти тирана, москвичи решительно вмешиваются в спор о власти, как если бы участие народа в политике было чем-то обычным и привычным. Очень странно.

Многие историки объясняют внезапную активность горожан закулисной работой Годунова, который подослал в народ своих агитаторов и «крикунов». Предположение это весьма правдоподобно, поскольку в дальнейшем Годунов будет не раз использовать метод тайного манипулирования толпой — можно сказать, это станет его «фирменным стилем».

Так — скорее всего, по почину Годунова — в русскую политическую жизнь надолго, на целое столетие, входит новый важный элемент: московская «площадь» как олицетворение «народной воли». Возникает традиция при кризисе высшей власти апеллировать к столичному плебсу, который будет «выкрикивать» имена новых царей, будет свергать, а то и убивать временщиков и вельмож.

Этот феномен для Руси был не новым и восходил к памяти о временах древнего «веча», последние оплоты которого, Новгород и Псков, исчезли относительно недавно. Однако в условиях жестко централизованного государства политическую роль могло играть только население столицы — сосредоточения власти и в то же время самого уязвимого ее пункта. Попросту говоря, кто контролировал Москву, контролировал всю страну.

Конечно, не следует обольщаться подобным положением дел, ибо к демократии и народному волеизъявлению оно не имело никакого отношения. «Площадью» почти всегда манипулировала чья-то закулисная и небескорыстная воля — основы этих технологий разработал Годунов, выпустив из бутыли джинна, который погубит его династию. В XVII веке в Москве появятся настоящие мастера натравливать толпу на политических оппонентов.

Скоро выяснится, что этот инструмент для государства небезопасен. Почувствовав свою силу, московское население иногда начнет устраивать мятежи не по чьей-то указке,

МЕЖДУ АЗИЕЙ И ЕВРОПОЙ

а самопроизвольно, под воздействием ухудшившихся условий жизни или просто поддавшись каким-нибудь нелепым слухам. Такие бунты, бесцельные и кровавые, будут сотрясать все государственное здание. Одна из причин, по которым Петр в 1713 году перенес столицу на новое место, — страх перед московской «площадью».

Но вернемся к ситуации, сложившейся в «регентском совете» после исключения из него Бельского. Годунов сохранил и даже усилил свои позиции, но все равно оставался самым младшим и самым слабым из членов этого ареопага. В таком положении, однако, были и свои плюсы: молодого боярина не считали самостоятельной величиной, не принимали всерьез и потому не боялись.

Борис и не претендовал на первенство. Он старался поддерживать хорошие отношения с недалеким князем Мстиславским, которого величал «отцом», политически же сблизился с боярской партией, став ближайшим помощником Никиты Романова. Тот был дядей слабоумного царя, Годунов — братом умной царицы, и вместе они представляли собой большую силу, хотя, как уже было сказано, Борис играл в этой коалиции вспомогательную роль.

Однако довольно скоро, меньше чем через полгода, пожилой Никита Романов вышел из игры — его хватил удар, после которого боярин, по свидетельству Горсея, «внезапно лишился речи и рассудка, хотя и жил еще некоторое время».

Положение ближайшего родственника и друга царской семьи отныне единолично занимал Борис, но у него не было такой поддержки, как у Романова. К тому же теперь остальные «регенты» стали считать Годунова нешуточной для себя угрозой и перешли к враждебным действиям. Хитрые Шуйские настроили против Бориса князя Мстиславского, подговорив его убить конкурента, сами же остались в стороне.

Но Годунов был готов к подобному повороту событий. К этому времени он называл «отцом» уже не Мстиславского, а главного думного дьяка Андрея Щелкалова, очень ловкого и опытного администратора, за которым стояла собственная влиятельная партия — чиновничья.

Переиграть таких хитрых соперников в закулисных интригах Иван Мстиславский, конечно, не мог. Князя обвинили в заговоре: он-де собирался заманить к себе Годунова на пир и там умертвить. Справедливо было обвинение или нет большого значения не имело. Главное, что царь с царицей поверили, и постриженный в монахи Мстиславский отправился из Москвы в дальний Кириллов монастырь, где скоро умер (одна из длинной череды удобных Годунову смертей).

Теперь на пути Бориса к безраздельной власти остались только Шуйские более серьезные противники. Старый воин Иван Петрович был, так сказать, лицом этой партии, но среди Шуйских имелись мастера, способные соперничать с Годуновым в интриганстве.

Действовали они расчетливо и неспешно. Понимая, что царица в любом случае будет за брата, Шуйские задумали развести Ирину с мужем, что решило

ОДИН ИЗ РЕГЕНТОВ — ПРАВИТЕЛЬ — ЦАРЬ

бы и проблему Годунова. У Шуйских было немало сторонников: и часть аристократии, и богатое купечество, и многие горожане, а самого ценного союзника они приобрели в лице митрополита Дионисия, который по своему сану мог решить дело о государевом разводе. Казалось, что слабовольному Федору против такого напора не устоять.

Однако Борис как свой человек в царском доме хорошо знал, что любовь к жене — единственное, от чего Федор никогда не отречется, и просто выжидал, предоставив врагам полную свободу действий.

Шуйские предприняли атаку на царицу, подав Федору челобитье о разводе с бездетной Ириной, причем под петицией подписались многие бояре и москвичи, а митрополит ходатайство поддержал. И тут кроткий самодержец, к всеобщему изумлению, разъярился. Податели челобитной попали в немилость.

У Годунова уже были наготове показания свидетелей о якобы готовившемся заговоре Шуйских. Царь не стал возражать, чтобы строптивцев (а может быть, и изменников) арестовали. Не теряя времени, Борис взял под стражу всех видных деятелей враждебной группировки. Двое самых опасных — Иван Петрович и Андрей Иванович Шуйские — скоро умерли в заточении, причем, как говорили, не своей смертью.

303

В «Царском титулярнике» (XVII в.) с его условностью изображения Фёдор Иванович и Борис Годунов выглядят почти близнецами — это, собственно, и было продолжением все той же политической эпохи

МЕЖДУ АЗИЕЙ И ЕВРОПОЙ

Заодно с устранением последнего остававшегося «регента» Борис провел еще одну операцию, не менее важную: добился того, что Федор согласился снять митрополита Дионисия, скомпрометированного участием в деле о разводе. В декабре 1586 года на ключевую должность главы русской церкви Годунов продвинул ростовского архиепископа Иова, своего преданного сторонника.

Таким образом, к исходу 1586 года Борис получил контроль и над царским домом, и над церковью, что сделало его фактическим правителем страны.

К тому времени он давно уже захватил еще один рычаг подлинной власти, не менее важный: государственные финансы. Собственно говоря, это первое, с чего прагматичный Годунов начал свой путь в диктаторы.

Еще в декабре 1584 года он инициировал большую ревизию казенного (ведавшего казной) ведомства, которым управляло влиятельное семейство Головиных, сторонников Мстиславского и Шуйских. Обнаружились огромные злоупотребления, что сильно скомпрометировало враждебную Годунову партию. Он получил возможность назначить на место главного казначея своего человека и отныне распоряжался всеми доходами и расходами страны.

Кроме того, очень хорошо понимая силу денег в политической борьбе, Годунов постоянно увеличивал свое личное состояние, так что через несколько лет стал одним из богатейших, а может быть, и самым богатым человеком в стране.

Царские щедроты и милости сыпались на него непрекращающимся потоком. Благодаря сестре он всё время получал новые пожалования и вотчины. Его титулование постепенно делалось пышнее и длиннее, в конце концов он стал именоваться так: «государю великому шурин и правитель, слуга и конюший боярин и дворовый воевода и содержатель великих государств, царства Казанского и Астраханского».

Годунов получил доходы с Твери, Рязани, Торжка и нескольких волостей; пастбища вдоль Москвы-реки протяженностью в семьдесят километров; сборы с московских бань (источник немалой прибыли); выгодный экспорт поташа, вывозимого в Англию.

Очень усилились и родственники Бориса.

Важнейшую должность дворецкого (главы государева двора и всего имущества) занимал Григорий Васильевич Годунов; Степан Васильевич Годунов ведал дипломатией; Дмитрий Иванович Годунов стерег западную границу, будучи новгородским наместником; Иван Васильевич Годунов руководил Разрядным приказом; всё большее значение приобретал Семен Никитич Годунов, занимавшийся тем, что сегодня назвали бы «государственной безопасностью».

Современники писали, что клан Годуновых был способен вывести в поле собственную армию в сто тысяч человек. Это наверняка преувеличение, однако известно, что личный ежегодный доход Бориса составлял астрономическую сумму в 93 700 рублей (для сравнения: вся Москва с областью приносила в государственную казну около сорока тысяч в год).

ОДИН ИЗ РЕГЕНТОВ — ПРАВИТЕЛЬ — ЦАРЬ

С 1587 года Борис превращается в полновластного правителя страны. «Его мало назвать премьер-министром, — пишет Ключевский, — это был своего рода диктатор». Именно так воспринимали Годунова и за границей, не придавая царю Федору никакого значения.

Смерть номинального самодержца (1598) изменила лишь титул Бориса, но не объем его власти.

Избрание на царство

Тем не менее это событие — превращение диктатора в царя — было для отечественной истории чем-то небывалым. Помимо того что этот эпизод очень интересен сам по себе, он еще и стал важной вехой в эволюции российской государственности, дав старт эпохе не «богоданных», а «избранных» монархов.

Одно дело — править страной от имени царя (такое бывало и раньше, в малолетство Ивана IV), и совсем иное — самому стать царем. При полубожественной высоте, на которую московский государь вознесся со времен Ивана III и в особенности при Иване Грозном, сама идея казалась невозможной, кощунственной.

Однако со смертью бездетного Федора Ивановича впервые за всё время существования Руси правящая династия пресеклась. Самодержавие без самодержца существовать не могло — значит, нужно было откуда-то взять нового царя.

Как такое бывает, никто не знал. Равнодушный к земным делам Федор Первый никаких распоряжений не оставил. Патриарх и бояре допытывались у умирающего государя, кому он «прикажет царство, царицу и нас, сирот»? Федор прошептал, что на всё воля Божья, и больше от него ничего не добились. 7 января 1598 года царь испустил дух.

Бояре в тот же день присягнули женщине — царице Ирине. Государынь на Руси не бывало со времен полулегендарной княгини Ольги, но оставаться совсем без монарха было невообразимо и страшно.

Однако вдова твердо заявила, что желает удалиться от мира и постричься в монахини. Она не соглашалась быть и номинальной царицей, оставив управление государством брату, как это было при Федоре. Справив девятый день по смерти мужа, Ирина переселилась в ближний Новодевичий монастырь и постриглась, приняв имя инокини Александры.

Не приходится сомневаться, что Ирина действовала по указке Бориса, который решил, что настало время надеть царский венец. Вряд ли дело было в жажде власти — она и так принадлежала Годунову; непохоже и что он руководствовался честолюбием, мало свойственным этой прагматической натуре. Вероятнее, что за время фактического управления страной Борис хорошо усвоил природу русской государственности, при которой власть непременно должна быть осенена сакральностью, а ее может дать лишь царский титул.

Знать и патриарх не возражали против того, чтобы Борис стал царем. Они били об этом челом и самому правителю, и царице — но Годунов упорно отказывался, что воспринималось современниками (а впоследствии большинством историков) как фальшивая и ненужная игра. Всем ведь и так было ясно, чем закончатся эти запирательства.

Однако Борис заупрямился не на шутку. Он тоже, вслед за сестрой, переехал в Новодевичий монастырь и перестал заниматься текущими делами. Государственный корабль остался без кормчего.

Борис Годунов и его сестра Ирина. *Миниатюра из «Жития митрополита Алексея»*

ОДИН ИЗ РЕГЕНТОВ — ПРАВИТЕЛЬ — ЦАРЬ

Может показаться, что, отказавшись от короны и выпустив из рук кормило, Годунов очень рисковал. В конце концов, пресеклась лишь старшая ветвь Рюриковичей, но имелись и младшие — те же Шуйские, несмотря на все гонения оставшиеся родом богатым и влиятельным. Старший из бояр, князь Федор Мстиславский (сын покойного «регента» Ивана Мстиславского), происходил из венценосного литовского рода Гедиминовичей, почитавшегося на Руси почти так же, как Рюриковичи. К тому же князь приходился праправнуком Ивану III. Еще одним видным представителем знати был Федор Романов (сын другого «регента», Никиты Романова), двоюродный брат покойного царя.

Однако на самом деле к 1598 году власти Годунова уже ничто не угрожало. Вопреки известному зачину пушкинской драмы, где князья Шуйский и Воротынский подумывают об альтернативе Борису, никто из первых вельмож государства, кажется, и не помышлял о троне.

Годунов правил страной так давно и так успешно, что все привыкли к заведенному порядку вещей и не хотели его менять. Диктатор мог спокойно на время отойти от дел — всё управление находилось под контролем его многочисленных родственников и слуг. В период бесцарствия главной фигурой стал патриарх, но он никак не мог занять престол, к тому же преосвященный Иов был одним из самых верных соратников Годунова.

«Скромность» правителя историки обычно объясняют тем, что бояре не возражали против воцарения Бориса, но добивались, чтобы он «целовал крест» на некоей грамоте, ограничивающей его права, а Годунов делать этого не хотел и тянул время, зная, что оно работает в его пользу — страна не могла долго оставаться без царя, и выбора у бояр всё равно не было. Следует сказать, что Борис понимал суть русского государства лучше, чем аристократия: самодержец, чьи права ограничены, — оксюморон; такая ситуация неминуемо привела бы к кризису власти.

Действовал Годунов очень ловко и изобретательно.

Сразу после того как правитель заперся в Новодевичьем монастыре, один из его близких помощников дьяк Василий Щелкалов потребовал у собравшегося в Кремле народа присягнуть Боярской думе. Трюк с «народными крикунами», опробованный во время мятежа Бельского, пригодился вновь: в толпе громко закричали, что не хотят боярского правления, а хотят Бориса Федоровича.

Патриарх, другой участник годуновского замысла, возглавил массовое шествие к монастырю — просить Бориса согласиться, а царицу Ирину — уговорить брата. Годунов вышел к представителям и сказал, что ему, убогому, никогда и в голову не приходило помышлять о царском венце. Пускай-де соберутся лучшие люди со всей страны, человек по восемь-десять от каждого города, и сообща решат, кому быть государем.

Так пригодилась традиция земских соборов, полвека назад введенных «Избранной радой» и впоследствии низведенных Грозным до положения бессмысленной декорации.

МЕЖДУ АЗИЕЙ И ЕВРОПОЙ

После сороковин, уже в середине февраля, в Москву съехались «выборные»: около сотни духовных лиц, во всем покорных патриарху; человек двести придворных и приказных, обязанных своим положением Годунову; полторы сотни дворян и купцов; полсотни простых горожан (очевидно, для «народности») и десятка полтора бояр, которые при подобном соотношении сил мало что могли сделать.

Открыл собор Иов, задав делегатам вопрос: кому на великом преславном государстве государем быть? — и тут же сам на него ответил, что лично у него, у всех церковных иерархов, бояр, дворян, приказных, купцов и вообще у всех православных христиан единодушное убеждение «мимо государя Бориса Федоровича иного государя никого не искать и не хотеть». После такого зачина обсуждать было нечего. Выборы царя закончились, не начавшись.

Годунов отказался и теперь, но это была уже скорее дань русским традициям, согласно которым перед согласием полагалось долго смущаться и отнекиваться.

В городе три дня шли молебны о том, чтоб Господь смягчил упорство Бориса. Пошли крестным ходом к монастырю, но Годунов не согласился и на второй раз. Просить полагалось троекратно.

Наконец, 21 февраля перед Новодевичьим собрали (а может быть, согнали) огромную толпу, Иов торжественно принес чудотворную икону и стал грозить Борису, если тот не прекратит упрямиться, отлучением от церкви. За стенами громко стенал и рыдал народ — злые языки рассказывали, что за должным изъявлением всеобщей скорби следили специальные приставы, по чьему приказу все повалились на колени и завопили еще громче, когда царица подошла к окну кельи. Тут, согласно официальной версии, сердце Ирины-Александры дрогнуло, и она присоединилась к просящим. Годунов, тоже разрыдавшись, покорился Божьей и народной воле.

После нескольких дней, которые полагалось провести в благочестивых молитвах, 25 февраля 1598 года Годунов торжественно вернулся в Москву.

Смысл — с точки зрения потомков — неприличного и насквозь фальшивого лицедейства с «выборами» был гораздо глубже, чем может показаться.

Как уже было сказано, Годунов очень хорошо понимал, что без сакрализации власти самодержавие существовать не может. Законному наследнику статус «помазанника Божия» доставался по праву рождения, то есть «от Господа». У Бориса подобной мистической опоры не было, поэтому понадобилась легитимизация иного рода — юридическая, для чего и созвали земский собор. Но не хватило и этого. Раз нельзя было стать царем «от Бога», пришлось стать царем «от народа». Вот зачем был нужен спектакль с огромной массовкой, просьбами, рыданиями и многократными демонстрациями скромности. Годунов занял трон на весьма необычном для той эпохи основании — «по воле народа». (Мы увидим, насколько хрупок и ненадежен оказался этот «мандат»).

ОДИН ИЗ РЕГЕНТОВ — ПРАВИТЕЛЬ — ЦАРЬ

Вся история с «избранием» Годунова на царство, по сути дела, являлась замечательно разработанной и проведенной политтехнологической операцией, тем более удивительной, что учиться Борису было не у кого — все приемы он изобретал сам, впервые. Операцию эту, отнюдь не закончившуюся 25 февраля, можно разделить на несколько этапов.

На первом нужно было вызвать у бояр и в народе панику отъездом царицы и правителя в монастырь, то есть сымитировать кризис власти, которого на самом деле не было: все приказы и ведомства работали, как обычно. Это была подготовка общественного мнения к идее об апелляции к Борису. Использовались безошибочные в нервной общественной ситуации доводы: «коней на переправе не меняют», «от добра добра не ищут», «не вышло бы хуже» и прочее. Чем упорнее отказывался Борис, тем сильнее становился всеобщий страх перед утратой стабильности и нарушением привычного порядка вещей.

Затем возникла инициатива с земским собором, на которую все охотно согласились, потому что был это выход из зашедшей в тупик ситуации.

Делегаты на судьбоносную ассамблею хоть и назывались «выборными», но не выбирались, а отбирались — явно не произвольным образом. Это тоже новация, которой в России будет суждена долгая жизнь. Иностранные очевидцы рассказывают, что и Борис, и его сестра в траурный сорокадневный период не сидели сложа руки, а тайно встречались с представителями разных сословий, рассылали гонцов по городам; Иов тем временем «обрабатывал» иерархов.

Земский собор и «хождения» москвичей к Новодевичьему монастырю обеспечили Борису юридическую и «общественную» легитимизацию, но вряд ли произвели впечатление на аристократию, отлично видевшую подоплеку всей истории и способную к реваншу. И тут Годунов прибегает к еще одной хитроумной уловке, которая заставляет боярство окончательно перед ним склониться.

Через месяц после превращения правителя в царя вдруг пришла весть о том, что на Русь идет огромная крымская орда. Борис немедленно объявил, что сам поведет войско против врага. Родовитые бояре получили видные должности в армии, что, с одной стороны, было почетно, а с другой заставило их беспрекословно повиноваться главнокомандующему. В лагерь под Серпуховым собралось всё дворянское ополчение — и новый царь получил возможность предстать перед страной во всей мощи и всем великолепии. Мобилизация войска — это еще и впечатляющая демонстрация силы (функция, которую в позднейшие времена будут исполнять военные парады). Никакие татары на Русь не шли, тревога оказалась ложной, а скорее всего специально инспирированной, но для утверждения на престоле трудно было изобрести что-то более эффективное. Внешняя угроза — отличное средство для нейтрализации внутреннего недовольства; Годунов — первый, кто так искусно и, прямо скажем, бессовестно применил на практике это безотказное «ноу-хау».

Во время стояния под Серпуховым новый царь задействовал еще один мощный инструмент влияния, которым затем пользовался постоянно. Будучи не «богоданным», а «народным» монархом, он не мог, подобно Грозному, править только через страх; Борис в гораздо большей степени зависел от популярности среди населения, прежде всего — дворянства, опоры престола. Прибытие в лагерь отрядов со всей Руси дало Годунову возможность привлечь служилых людей на свою сторону. Он щедро угощал и одарял их, милостиво разговаривал и, в общем, всем очень понравился.

Постояв на Оке столько, сколько требовалось для укрепления авторитета, Борис объявил, что татары не посмели напасть на Русь, устрашенные ее могуществом, и триумфально вернулся в Москву во всей красе главнокомандования, будто одержал грандиозную победу.

На страну посыпался поток щедрот, которые должны были вселить в народ любовь к новому государю, пусть не «божественному», но зато справедливому и доброму.

Царь на год освободил крестьян от податей, а инородцев от дани. На два года избавил купцов от пошлин. Велел закрыть кабаки, спаивавшие простолюдинов. Выдал пособие вдовам и сиротам. Выпустил из тюрьмы узников и простил опальных. Он даже — нечто неслыханное — пообещал в течение пяти лет не применять смертной казни.

1 сентября 1598 года (по русскому календарю это был первый день нового 7107 года) Борис торжественно венчался на царство.

Казалось, что на Руси после и так, в общем, неплохой эпохи теперь вовсе наступит земной рай.

Русь при Годунове

Страна залечивает раны

За исключением временных послаблений и льгот, дарованных народу в 1598 году, никаких перемен во внутренней и внешней жизни страны с воцарением Бориса не произошло. Он продолжал править так же, как раньше, с 1587 года, когда, одолев конкурентов, взял всю власть в свои руки, поэтому с политической и экономической точки зрения продолжалась всё та же годуновская эпоха.

Главной государственной заботой Бориса с самого начала был выход из тяжелого кризиса, к которому привел Русь Иван Грозный. Хозяйство, управление, финансы, армия, демография — после долгих лет войны, террора и произвола всё находилось в ужасающем состоянии. Основа государства, дворянство, было так ослаблено и разорено, что сразу после смерти Ивана IV из-за «великой тощеты воинским людем» пришлось поддерживать их за счет дополнительного налогообложения церковных владений — больше средств добыть было неоткуда.

Став правителем, Годунов развил энергичную деятельность. Он привел в несколько больший порядок аппарат управления — самое слабое место «второго» российского государства. Бедой административной и судебной системы была вездесущая коррупция, которая в предыдущее царствование распространилась сверху донизу. В борьбе с этой тяжелой болезнью Борис, по выражению Ключевского, «обнаруживал необычную отвагу». Теперь уличенного взяточника подвергали суровому штрафу и позорному наказанию: вешали на шею мешок с полученной мздой и возили по улицам, лупя плетью. Понятно, что одной лишь строгостью коррупцию искоренить невозможно; современники рассказывают, что взяточники быстро приспособились к новым условиям и стали прибегать к разным ухищрениям (например, брали подношение не в открытую, из рук в руки, а велели класть под образа и т.д.), однако всё же воровства и казнокрадства стало поменьше — по крайней мере, оно перестало быть таким наглым. К тому же при Годунове чиновникам впервые начинают платить жалованье — раньше считалось, что они должны «кормиться» от населения.

МЕЖДУ АЗИЕЙ И ЕВРОПОЙ

Новацией было и то, что правитель установил нечто вроде коллегиальности при обсуждении и решении важных вопросов. Он регулярно, по пятницам, собирал бояр, архиереев и дьяков, советуясь с ними по текущим делам.

Насущнейшей необходимостью было увеличение казенных доходов. Промышленность и торговля пребывали в совершенном упадке. Флетчер подсчитал, что при Иване Грозном разные статьи русского экспорта сократились где вчетверо, а где и в двадцать раз.

Борис предоставил различные привилегии и гарантии купцам, насколько мог защищал их от мздоимцев-чиновников. Торговля, которой только этого и не хватало, ожила довольно быстро. Для добычи металлов стали нанимать за границей опытных «рудознатцев».

Города и деревни, оскудевшие населением, а то и вовсе обезлюдевшие, понемногу воскресали. Правительство предпринимало для этого специальные меры, многие из которых тоже были новинкой. Прежде, если где-то случался неурожай, люди уходили в более хлебные места, при Годунове же государство научилось переправлять излишки продовольствия из региона в регион, поддерживая голодающих (об этом будет рассказано ниже).

Извечным бичом деревянной застройки были частые пожары, тоже приводившие к запустению городов. При Годунове погорельцам начали оказывать помощь и даже строить новые дома.

Когда начинался «мор», охваченная болезнью область окружалась заставами, что, с одной стороны, препятствовало распространению эпидемии, а с другой — опять-таки не давало жителям разбегаться.

Годунов впервые стал использовать на стройках государственного значения не принудительный, а платный труд — это было большое и важное нововведение. Строили же в те годы очень много, особенно на южных и восточных рубежах, где разбойные набеги крымцев и поволжских племен мешали заселению хлебородных земель. При Годунове было построено или воссоздано множество приграничных городов-крепостей, в том числе Саратов, Царицын, Воронеж, Курск, Белгород. Центром северной торговли (главным образом, английской) стал новый город Архангельск, быстро разбогатевший.

 Благодаря дотошному англичанину Флетчеру, мы располагаем цифрами, по которым можно составить представление об экономическом эффекте деятельности годуновского правительства.

Дворцовый приказ, ведавший бюджетом царского дома, под рачительным управлением Григория Годунова (троюродного брата правителя) резко сократил расходы на содержание двора и увеличил доходную часть, так что прибыль возросла почти вчетверо по сравнению с временами Грозного — с 60 000 до 230 000 рублей в год.

Сбор податей с «четвертей» (региональных управлений) тоже очень увеличился, составив 400 000 рублей в год.

Главный же доход бюджету приносили всякого рода пошлины, в первую очередь от торговли — около 800 000 рублей в год.

РУСЬ ПРИ ГОДУНОВЕ

Таким образом, сообщает Флетчер, казна в это время получала чистого дохода 1 430 000 рублей, «не включая сюда расходов на содержание дворца и постоянное жалованье войску, которые удовлетворяются другими способами». Рассчитать соответствие тогдашнего рубля нынешнему очень непросто, однако известно, что в конце XVI века на Руси курица стоила 1–2 копейки; корова — 80 копеек; стрелец, то есть профессиональный военный, получал жалованья 4 рубля в год.

Современник Годунова британец Горсей оценивает эти итоги восторженно: «Государство и управление обновились настолько, будто это была совсем другая страна; новое лицо страны было резко противоположным старому; каждый человек жил мирно, уверенный в своем месте и в том, что ему принадлежит. Везде восторжествовала справедливость».

Критичный по отношению к Годунову историк Костомаров выражается много сдержанней: «Состояние народа при Борисе было лучше, чем при Грозном, уже потому, что хуже времен последнего мало можно найти в истории».

Так или иначе, все согласны с тем, что по сравнению с предшествующей эпохой при Борисе Годунове положение дел на Руси существенно исправилось.

За Годуновым в истории прочно закрепилась репутация государя, при котором русские крестьяне утратили самую главную из прежних вольностей — право раз в году, в Юрьев день, переходить от помещика к помещику (очевидно, именно тогда появилась поговорка «вот тебе, бабушка, и Юрьев день»). В учеб-

Архангельск. *Европейская гравюра. XVII в.*

никах советского времени Бориса называли «царем-крепостником», изображая крестьянские мятежи времен Смуты как проявление «классового протеста» против закрепощения.

На самом деле, кажется, всё было не так просто.

Следует начать с того, что прикрепление крестьян к земле было логическим этапом эволюции государства ордынского типа. В стране, где каждый житель, начиная со знатного боярина, считался состоящим на службе, просто не могло быть сословия, тем более основного, которое само бы решало, где ему жить и работать. Миграции крестьян наносили удар прежде всего по мелким помещикам-дворянам, опоре престола, разоряя их и лишая возможности экипироваться на войну. Оседлость тяглового населения была необходима и для расчета податей, составлявших (см. выше) почти треть государственного бюджета. Наконец, нерегулируемые перемещения земледельцев сокращали запасы продовольствия, из-за чего в малолюдных областях постоянно возникал голод.

Опасно было и то, что, уходя, крестьяне обычно переселялись от мелких помещиков к крупным вотчинникам, где условия жизни были легче — а это не только ослабляло дворянство, но и усиливало боярство, потенциальную угрозу для самодержавия.

Кроме того, еще в правление Грозного, вследствие общего кризиса началось массовое бегство крестьян из южных, самых плодородных областей, в вольные степи, подальше от поборов, произвола и гнета. Нехватка рабочих рук, прежде всего в помещичьем хозяйстве, стала катастрофической.

Многие историки указывают 1597 год как переломный этап, когда помещики получили право насильно возвращать ушедшего работника, а всякий крестьянин, проживший на одном месте больше полугода, прикреплялся к нему навечно.

Версия о Годунове — ликвидаторе последней крестьянской вольности восходит к указу царя Василия (1607 г.), который всячески пытался очернить Бориса и, в частности, объявил, что раньше-де «крестьяне выход имели вольный, а царь Федор Иоаннович, по наговору Бориса Годунова, не слушая совета старейших бояр, выход крестьянам заказал». На самом же деле так называемые «заповедные годы» (периоды, когда переход крестьян от владельца к владельцу временно запрещался) начали вводиться еще при Иване IV. Первый раз это произошло в 1581 года и продолжалось до 1586 года, то есть получается, что ограничение отменил уже Годунов. В 1590–1592, 1594 и 1596 годах вновь понадобилось «заповедование» миграции, однако, приняв царский титул, Борис подобных запретов уже не применял. Наоборот, в 1601 и 1602 годах он дважды издавал указы, позволявшие крестьянам менять место жительства — правда, с ограничением, которого требовали интересы дворянства: уходить можно было только от одного мелкого помещика к другому такому же, но не к крупному землевладельцу. Вот почему Ключевский пишет: «Мнение об установлении крепостной неволи крестьян Борисом Годуновым принадлежит к числу наших исторических сказок».

РУСЬ ПРИ ГОДУНОВЕ

Процесс закрепощения русского крестьянства, как уже было сказано, логически неизбежный, не с Годунова начался и не им закончился. «Юрьев день» как единственная возможность поменять хозяина введен еще при Иване III, «заповедные годы» учреждены Иваном IV, бессрочный сыск беглых узаконен в 1649 году, а окончательное порабощение крепостных с правом их продажи произошло уже в XVIII столетии.

В короткое царствование Бориса, всячески добивавшегося популярности в народе, давление самодержавного государства на крестьян скорее уж временно ослабело.

К годуновскому времени относится важное событие отечественной истории — учреждение автокефальности, то есть полной самостоятельности русской церкви. Фактически митрополиты московские назначались без участия Константинопольского патриархата еще с XV века, однако формально русская церковь продолжала оставаться всего лишь митрополией, что никак не соответствовало статусу самой мощной (а собственно, уже и единственной) православной державы мира. Это положение было и двусмысленным, и зазорным для престижа страны, поскольку патриарх константинопольский обитал в столице Османской империи и целиком зависел от милости султана.

Благодаря ловкости Годунова, в ту пору еще не царя, а правителя, эта сложная проблема разрешилась, причем не слишком дорогой ценой.

В то время кроме Константинопольской существовало три православные патриархии: Иерусалимская, Александрийская и Антиохийская, и все четыре по сравнению с Московской митрополией были нищими. Летом 1586 года Иоаким Антиохийский посетил Москву в расчете на денежное вспомоществование. Тогдашний митрополит Дионисий отнесся к просителю свысока, зато Годунов был с ним почтителен и щедр. Он завел разговор о том, что пора бы учредить на Москве собственную патриархию. Иоаким обещал посодействовать большому делу, но, уехав с подарками, никакой помощи не оказал.

В 1588 году литовскую Русь посетил старший патриарх, константинопольский Иеремия, которого стали усиленно приглашать в Москву. Не устояв перед заманчивыми посулами, Иеремия удостоил дальнюю северную страну своим посещением. Это само по себе являлось великим событием, но у Годунова были и более смелые планы.

Он начал с того, что предложил патриарху перенести резиденцию из Константинополя в Москву. Иеремия, сравнив великолепие и могущество русской церкви со своим незавидным положением у турок, охотно согласился. Если бы центр православия переместился из Царьграда в Москву, это уже было бы грандиозным прорывом для страны, именующей себя «третьим Римом». Однако Годунову этого казалось недостаточно: он хотел получить патриархию без патриарха и его греческого окружения. Роль церкви в русском государстве была слишком важна, чтобы отдавать этот инструмент в распоряжение иноземцев.

МЕЖДУ АЗИЕЙ И ЕВРОПОЙ

И правитель сделал Иеремии предложение, на которое тот согласиться не мог: устроить резиденцию не в Москве, а во Владимире, подальше от столицы. Грек оскорбился, поняв, что никакого политического значения на Руси он иметь не будет, и отказался. «Что это за патриаршество, если быть не при государе?» — сказал он. Однако поскольку вопрос о возможности учреждения отдельной русской патриархии вроде бы считался уже решенным, взять свое слово назад Иеремия не мог. К тому же, получив в Москве большие пожертвования и отлично понимая, что если испортить отношения с Годуновым, то в будущем на помощь можно не рассчитывать, патриарх пообещал, что доведет дело до конца.

Он согласился утвердить кандидата, которого предложит царь. Федор, разумеется, избрал митрополита Иова, годуновского ставленника. Так в январе 1589 года на Руси появился первый патриарх.

Годунов не поскупился на дары восточным иерархам, и два года спустя из Константинополя пришла официальная грамота, подтвердившая, что собор

Грамота об учреждении Московской патриархии

РУСЬ ПРИ ГОДУНОВЕ

православных церквей согласился учредить пятую, Московскую патриархию. По сути дела, повышение статуса было куплено за деньги, безо всякой уступки политического влияния и с сохранением полного контроля государства над церковью. Последующие цари должны были благодарить за это Годунова.

Теперь великорусская церковь возвысилась над малороссийской, руководимой митрополитом Киевским, в знак чего Иов немедленно учредил у себя целых четыре митрополии: Новгородскую, Ростовскую, Казанскую и Крутицкую — и каждая по статусу равнялась Киевской.

Перечисляя успехи и свершения Годунова, нельзя обойти стороной и важнейшие сферы государственной жизни, в которых правителю не удалось добиться существенных успехов.

Уже говорилось о том, что Борис так и не сумел создать эффективный аппарат управления: система профильных ведомств и региональных администраций так и осталась в зачаточном состоянии.

Не дали желаемого результата и немалые усилия по модернизации и укреплению национальной армии.

После военных поражений, истребления лучших полководцев, разорения дворянства вооруженные силы страны находились в катастрофическом состоянии. Главными недостатками русского войска являлись плохая дисциплина, малочисленность регулярной пехоты, слабость дворянского ополчения и ущербность «местнического» командования, при котором ключевые посты распределялись не по способностям и заслугам, а по знатности.

При Годунове положение несколько исправилось — в частности, улучшилось состояние дворянской конницы (при полной мобилизации стали собирать до 80 000 человек) и оснащение огнестрельным оружием, но остальные проблемы никуда не делись. Количество стрельцов хоть и несколько увеличилось, но продолжало оставаться незначительным, всего 10 000 воинов. Годунов начал вербовать иностранных солдат, но их было явно недостаточно для масштабной европейской войны.

Один из таких наемников капитан Жак Маржерет писал, что огромные толпы русского войска, не знающие порядка и дисциплины, своей многочисленностью приносят больше вреда, чем пользы. Русская армия была велика числом, но скудна умением.

На «местнические» же традиции Борис, и так не любимый аристократией, покуситься не отважился. С управлением в войсках дело обстояло хуже всего.

Самым боеспособным родом войск были казаки, где командиры выдвигались не родовитостью, а доблестью, но главную свою роль казачество сыграло не на полях больших сражений, а в сибирской эпопее, которая безусловно является главным свершением годуновской эпохи.

Казачество и колонизация Сибири

В любом, даже самом кратком изложении отечественной истории, фиксирующем лишь ключевые вехи в биографии страны, имя Годунова и время Годунова упоминается в связи с двумя эпохальными событиями: Смутой, то есть распадом «второго» государства, и началом колонизации Сибири, в результате чего, собственно, и возникла та Россия, которую мы знаем. Сам Борис вряд ли придавал восточной экспансии такую уж важность; небольшие экспедиции за Урал, в малонаселенные и дикие земли, вероятно, находились на периферии интересов годуновского правительства, но в конечном итоге получилось, что освоение Сибири — единственный исторически значимый итог деятельности одного из самых способных российских правителей.

Во времена, когда тесно живущие западноевропейские страны были вынуждены добывать себе колонии за океаном, Руси помогло то самое пограничное положение меж Европой и Азией, которое в прошлом явилось причиной стольких бед. Период, когда Азия была сильна и теснила Европу, заканчивался. Политически, культурно, экономически, технологически Россию тянуло к Западу, где теперь находился центр цивилизационного развития, ослабевший же Восток из хищника превратился в добычу.

Любое растущее государство имперского типа «газообразно» — оно стремится оккупировать всё пространство, какое может занять, не встречая серьезных преград. На восток можно было двигаться почти беспрепятственно. Там после распада великой монгольской державы и падения Казанского ханства серьезных противников не оставалось, а богатств было много — прежде всего пушнины, которая тогда являлась для Руси чем-то вроде конвертируемой валюты и главного стратегического сырья.

Зауральские просторы казались бесконечными — и действительно никто не знал, на сколько недель или месяцев, или лет пути тянется великий лес. Русским понадобится несколько поколений, чтобы дойти до края материка, и много дольше, чтобы его исследовать. Ни сил, ни средств (да и планов) на осуществле-

КАЗАЧЕСТВО И КОЛОНИЗАЦИЯ СИБИРИ

ние этого грандиозного дела в конце шестнадцатого века еще не было. Если бы не беспокойное, трудно контролируемое, полуразбойное казачество, покорение Сибири отодвинулось бы по меньшей мере на десятилетия.

Происхождение и становление казачества

Это относительно новое сословие, которому суждено было стать одним из самых ярких компонентов формирующейся нации и сыграть огромную роль в истории, тоже возникло из-за специфики географического положения Руси, находившейся на границе с Великой Степью.

Еще в домонгольские времена в порубежных степях существовали полуавтономные и полувоенные поселенческие общины «черных клобуков» — бывших кочевников и изгоев, поступавших на службу к князьям Рюриковичам и исполнявших функцию пограничной охраны. После татарского завоевания эти форпосты русской обороны, естественно, исчезли. В ордынские времена — особенно когда начались нескончаемые межтатарские конфликты — на пустых просторах от Волги до Днепра расплодились ватаги лихих людей. Поначалу они были в основном азиатского происхождения, что видно и по словам, вошедшим в обиход будущего казачества.

 Само название казак — тюркского корня и означает «свободный человек» или «вольный воин». Точно так же именовали себя тюркские отряды, которые в другой, дальней части Степи основали в середине XV века собственное государство — Казахское ханство (русские долго называли его «Казакским»).

Казацкие дружины, промышлявшие грабежом или нанимавшиеся на службу к тем, кто лучше платил, назывались куренями — от монгольского слова, обозначавшего кибиточный лагерь.

Объединяясь, курени образовывали кош, что по-тюркски означает «селение» или «стойбище».

Предводитель казаков именовался атаманом — возможно, это соединение тюркских слов ата («отец») и мен («человек»), то есть «отец людей».

Военачальники среднего звена назывались есаулами — это тоже «степное» слово, вероятно, идущее от монгольской ясы в значении «закон» или «присяга».

Со временем появились казацкие курени славянского или преимущественно славянского состава. Первое летописное упоминание о русских казаках относится к 1444 году, когда степные отряды помогли московскому великому князю в войне с Казанью.

МЕЖДУ АЗИЕЙ И ЕВРОПОЙ

Во второй половине XVI века, при Иване Грозном, население Дикого Поля стало интенсивно русифицироваться. Усилился приток из русских областей — следствие государственного террора и помещичьих притеснений. Как пишет С. Соловьев, «понятно, что эти люди, предпочитающие новое старому, неизвестное известному, составляют самую отважную, самую воинственную часть народонаселения».

Другое точно такое же движение происходило на западе Степи, со стороны Литовской Руси, где тоже находилось немало любителей пусть рискованной, зато вольной жизни.

Помимо этого самопроизвольного процесса зарождению казачества способствовала и государственная потребность. Обе русские страны — и Московская Русь, и Литва — нуждались в некоем «буфере», который защищал бы земледельческие области от набегов крымских разбойников. Так сформировались две основные группы казачества: западная, жившая вдоль Днепра, преимущественно тяготела к польско-литовскому государству; восточная, сначала кочевавшая, а затем осевшая вдоль Дона, была больше связана с Москвой. Очень условно эти воинские конгломераты (впрочем, весьма непрочные и часто мо-

Казак. Литография XIX в.

КАЗАЧЕСТВО И КОЛОНИЗАЦИЯ СИБИРИ

бильные) можно назвать «малороссийским» и «великорусским» казачествами. И Москва, и Литва всё время пытались подчинить казацкую вольницу своему контролю. Иногда это получалось, иногда — нет.

В конце шестнадцатого века малороссийское казачество было и многочисленнее, и политически активнее великорусского: во-первых, вследствие большей заселенности украинских земель, а во-вторых, из-за меньшего давления со стороны децентрализованного польско-литовского государства. После Люблинской унии (1569) правительство Речи Посполитой попробовало приручить пограничную вольницу, для чего был введен «реестр», записываясь в который, казаки поступали на королевскую службу, но основная масса казачества осталась никуда не приписанной и считала себя независимой от короны. Увеличиваясь численно и укрепляясь организационно, степное воинство стало существенной силой, которая могла быть и очень полезной, и очень опасной для государства. Казацкие вожди, сплошь люди яркие и непокорные, легко переходили из лагеря в лагерь: то служили Польше, то Москве, а случалось, что и заключали союзы с ханом или султаном.

▶ Рассказывая о малороссийском казачестве, нельзя не упомянуть о двух исторических деятелях, которых называют создателями этого воинственного субэтноса, что не совсем верно — казачество появилось раньше, но самостоятельным явлением политической жизни оно действительно стало благодаря этим незаурядным вождям. Пестрота и извилистость их биографии наглядно отражает непредсказуемость всего казачества в целом. Интересно, что оба по происхождению были не бродягами, а аристократами.

Евстафий (Остафий, Остап) Дашкевич (ок. 1470–1536), отпрыск киевского боярского рода, был в числе русских литовцев, перешедших на службу к Ивану III. В 1508 году, во время мятежа Михаила Глинского, он был отправлен на подмогу промосковскому магнату, но когда восстание провалилось, перебежал к Сигизмунду I. Отважный и опытный военачальник, Дашкевич получил должность старосты (наместника) Черкасского, в обязанность которого входила защита литовской границы от татарских набегов.

Староста начал строить вдоль Днепровского рубежа «сечи», небольшие деревянные крепости, каждая из которых должна была охранять ближние селения. Не имея достаточно войска, Дашкевич стал комплектовать гарнизоны из местных жителей и степных искателей приключений, обеспечивая их продовольствием и снабжая оружием. Считается, что он — первый, кто приучил казаков к «огненному бою».

Через некоторое время «личная армия» черкасского старосты сделалась внушительной силой, которая использовалась не столько против татар, сколько против Москвы. Дашкевич неоднократно водил полки на Русь, причем по меньшей мере дважды в составе не литовского, а крымского войска.

Еще причудливей сложилась судьба легендарного князя Дмитрия Вишневецкого (1517–1564). Один из крупных литовских православных магнатов, через полтора десятилетия после смерти Дашкевича он был назначен на ту же ответственную должность — черкасского старосты и тем самым получил возможность управлять казачьими крепостями. Будучи человеком честолюбивым, Вишневецкий быстро понял, что в его распоряжении находится мощный инструмент, который вовсе необязательно должен служить королю, а может действовать и независимо. Дмитрий Иванович объявил себя казаком и в дальнейшем вел себя так, словно является суверенным владыкой, вольным заключать союзы с кем пожелает. Он старался использовать выгоды расположения между тремя главными политическими игроками: Русью, Литвой и Турцией.

Сначала Вишневецкий попробовал завести дружбу с султаном, для чего отправился в Константинополь. Турки не поняли всех выгод этого предложения, и тогда черкасский староста сблизился с Москвой. Это было время, когда Иван IV, готовясь к Ливонской войне, запугивал крымского хана, предпринимая военные демонстрации, и новый союзник пришелся очень кстати. Вишневецкий помог русским войскам в двух походах, а в 1558 году, видя силу Москвы, окончательно перешел к ней на службу.

Какое-то время князь был в милости у царя, получил на Руси богатые вотчины. Иван Грозный, как раз женившийся на кабардинке Марии Темрюковне, даже собирался по-

Дмитрий Вишневецкий. *Портрет XVII века*

КАЗАЧЕСТВО И КОЛОНИЗАЦИЯ СИБИРИ

садить Вишневецкого на престол вассального кавказского государства. Дмитрий Иванович попробовал утвердиться в Пятигорске, но не получил достаточно поддержки из Москвы, все глубже увязавшей в Прибалтике.

Обиженный на царя, Вишневецкий перебежал к польскому королю, вновь вернувшись в казацкий край. Долго на месте, однако, он не просидел и отправился в Молдавию воевать с турками, рассчитывая добыть господарский трон. На этом бурная карьера «казацкого царя» и закончилась. Турки разгромили его войско, захватили Вишневецкого в плен и предали медленной, мучительной казни: подцепили крюком за ребро и подвесили на стамбульских воротах. В польской хронике написано: «Был он жив до третьего дня, после чего турки застрелили его из лука за то, что он проклинал их Магомета».

Одному из начинаний злосчастного Вишневецкого была суждена долгая жизнь.

В 1556 году на острове Малая Хортица, за днепровскими порогами, он построил новую сечь, которая впоследствии получила название «Запорожской». Первый сторожевой пост продержался недолго, уже в следующем году крымцы его сожгли, но место было удачное, и четверть века спустя казаки обосновались там уже всерьез, создав подобие вольной республики, жившей по собственным законам и способной при необходимости собирать большое войско.

В 1594 году здесь побывал посланец австрийского императора Эрих Ласота фон Штеблау, искавший союзников в борьбе с султаном. Благодаря запискам этого иностранца мы знаем, что в это время Запорожская Сечь переместилась на другой остров, чуть ниже по течению. Постоянное население «коша» составляло около трех тысяч казаков. Они жили в казармах куренями по 150 человек. Во время похода рать увеличивалась вдвое за счет казаков, прибывавших из других мест, — и получалась значительная сила, состоявшая из опытных, хорошо вооруженных всадников.

Запорожская армия была неплохо организована. Во время войны курени объединялись в полки, главный военачальник избирался на общем сборе и назывался кошевым атаманом. У запорожцев имелись артиллерия, собственная флотилия, знамена и даже военный оркестр. Верхушку «республики» составляли выборные начальники и самые заслуженные казаки — так называемая *старшина*, решавшая, какие вопросы выносить на обсуждение войска. В члены братства принимали людей всех национальностей, не пускали на остров только женщин — чтобы между казаками не возникало раздоров.

Роль Запорожской Сечи в сложных взаимоотношениях Речи Посполитой, Московской Руси и Османской Порты была очень велика. Кроме того, запорожцы и вообще казачество весьма охотно участвовали во всех смутах, где бы те ни происходили — это был удобный повод разжиться добычей.

МЕЖДУ АЗИЕЙ И ЕВРОПОЙ

Польша столкнулась с казацкой проблемой раньше, чем Русь. В первый раз степное братство обратило оружие против тех, кого должно было охранять, в 1591 году, когда некий Кшиштоф Косинский, запорожский казак польско-шляхетского происхождения, поднял восстание на Волыни. Правительству удалось подавить мятеж лишь два года спустя, с немалыми трудами и затратами. Тревожнее всего для Польши было то, что запорожцы завели переговоры с Москвой, и лишь невоинственность Годунова, отказавшегося ввязываться в конфликт, спасла Речь Посполитую от большой беды.

Очень скоро на польской территории разразилась вторая казацкая война, еще более масштабная. Она стала прямым следствием того, что окрепшее и разросшееся казачество всё больше стремилось к самостоятельности.

Поминавшийся выше австрийский посланник, равно как и специально прибывший легат римского папы, в конце концов добились того, что казаки собрались в большой поход против турок.

В конце 1594 году на османский протекторат Молдавию пошли целых две армии: одна — во главе с запорожским атаманом Лободой; другая состояла из казаков Юго-Западной Украины, и вел ее бывший сотник польской службы Северин Наливайко. Общая численность сил вторжения составляла около 12 000 человек.

Они легко заняли всю Молдавию и заставили ее господаря присягнуть австрийскому императору, однако это входило в противоречие с интересами Речи Посполитой, и король прислал большую армию, вынудившую казаков уйти. По домам они, однако, не разошлись, а стали бродить по польским землям, грабя города и помещичьи усадьбы. К казакам присоединялись крестьяне, так что движение приобрело антишляхетский и антипольский характер. Короне пришлось собирать большую армию, которую возглавил коронный гетман Жолкевский, лучший из польских полководцев.

Война длилась до лета 1596 года. Зона боевых действий простиралась от белорусского Могилева до Днепра. Силой оружия восстание подавить не получалось. В конце концов оно потерпело поражение из-за внутренних раздоров в рядах повстанцев. Сначала казаки убили атамана Лободу, заподозрив его в сношениях с правительственными войсками, а затем старшина, прельстившись обещанием амнистии, арестовала Наливайко и передала его полякам. Пользуясь разбродом в казачьем лагере, Жолкевский напал на него и устроил резню. Северина Наливайко и других вождей казнили в Варшаве.

В то время, когда Речь Посполитая начинала всё болезненнее испытывать на себе оборотную сторону «казацкого фактора», Московское государство получало от «своих» (то есть донских) казаков гораздо больше пользы, чем вреда. «Великорусское» казачество целиком зависело от поставок продовольствия и снаряжения с севера и потому оставалось более или менее управляемым — до тех пор, пока в государстве сохранялся внутренний порядок.

Основная часть служила при пограничных крепостях и несла сторожевую службу в степи. Во время войн — не только с крымцами, но и на западе — каза

КАЗАЧЕСТВО И КОЛОНИЗАЦИЯ СИБИРИ

чьи отряды вливались в царское войско, составляя одну из значительных его частей.

Однако были на Дону и вольные атаманы, предпочитавшие кормиться самостоятельно. Они нападали на крымские и ногайские селения, что, с точки зрения Москвы, было похвально, но, случалось, грабили и волжских купцов, в том числе русских, и это наносило государству ущерб. Иногда царю приходилось отправлять в степь карательные экспедиции для наказания разбойников — те бегали от воевод, а когда кончались припасы, просили прощения за свои прегрешения. Обычно казаков амнистировали, потому что государство все-таки в них нуждалось.

Получилось так, что именно вольные, а не служивые казаки добыли для России главное ее богатство.

В конце 1570-х или в начале 1580-х годов (сведения расходятся) несколько полуразбойничьих отрядов нашли себе пристанище далеко на востоке, близ Уральских гор, причем поступили они на службу не к государству, а к частной компании.

Восточное порубежье

Говорить о какой-либо восточной границе Московского государства не приходится — земли в той стороне было так много и она была так скудно заселена, что территория особенной ценности не представляла, если только там не обнаруживали залежи руды или еще что-то полезное. В Великом Лесу, тянувшемся до Уральских гор и дальше, в вовсе неведомые края, обитали охотничьи племена, номинально находившиеся в русском подданстве — это выражалось лишь в выплате ясака (пушниной). Единственным государственным образованием на востоке было Сибирское ханство, осколок монгольской империи. Там правили потомки Джучи. Несмотря на обширность владений, ханство было слабым и малолюдным. В середине шестнадцатого века население «сибирского юрта» едва превышало 30 000 человек. Жили они в основном близ современного Тобольска.

Когда до тамошних татар дошла весть о взятии Казани, они поспешили отдаться под покровительство победителя — русского царя. Иван IV обложил новых подданных не слишком обременительной данью (по соболю и белке с человека), но и ту сибирский хан Едигер платил лишь частично, пользуясь своей отдаленностью.

Едигер рассчитывал, что Москва будет защищать его от врагов, но царю было не до малозначительной окраины. Поэтому следующий хан, Кучум (правил с 1563 года), выплаты прекратил вовсе и стал проявлять к русским всё большую враждебность.

МЕЖДУ АЗИЕЙ И ЕВРОПОЙ

Приуральский регион, в котором славянские поселенцы появились еще с новгородских времен, в это время находился фактически в частном владении. У государства не имелось сил и ресурсов на освоение этого огромного края, и он был отдан на откуп богатому роду купцов и промышленников Строгановых — по-видимому, еще в первой половине XV века (во всяком случае, уже в 1445 году Строгановы были достаточно богаты, чтобы участвовать в выкупе великого князя Василия Васильевича из казанского плена).

Эти русские конкистадоры много раз просили государей о разрешении осваивать всё новые и новые пространства, продвигаясь на восток, — и неизменно получали добро. Они ставили лесные городки и крепости, расчищали леса под пашни, варили соль, добывали и выменивали меха, разрабатывали рудники. Им запрещалось принимать беглых крестьян, но те все равно прибывали, и Строгановы давали им жилье и работу — больше население взять было неоткуда. Привечали они и лихих людей — разбойников, бродяг, из которых составили собственную армию, распределив ее гарнизонами по опорным пунктам.

В 1570-е годы Строгановы добрались до Уральских гор и захотели двигаться дальше. Братья Яков Аникеевич и Григорий Аникеевич побывали у Ивана Грозного в Александровской слободе и просили царя дать им право на колонизацию реки Тобол, находившейся с азиатской стороны хребта. Поскольку денег братья не просили, а все расходы обещали взять на себя, им была дана соответствующая грамота.

Еще прежде того, в 1573 году, встревоженный русской экспансией хан Кучум послал своего племянника, Махметкула (Мухаммед-Кули) проверить, насколько сильны соседи. Царевич дошел почти до Перми, ограбил племена, находившиеся в русском подданстве, и убил попавшегося ему по дороге московского посла, который следовал с поручением в Среднюю Азию.

С этого момента Сибирское ханство находилось с Русью, а вернее, со Строгановыми, в состоянии вялотекущей войны.

Походы Ермака

Так обстояли дела, когда на службу к Строгановым поступил отряд казаков, 540 опытных воинов — по уральским меркам, немалая сила. Начальниками у них были Ермак Тимофеев и Иван Кольцо. О предыдущей биографии обоих пишут разное, и невозможно разобрать, что в этих сведениях факт, а что миф.

Ермак, кажется, был участником Ливонской войны; сохранилось описание его внешности: «вельми мужествен, и человечен, и зрачен, и всякой мудрости доволен, плосколиц, черн брадою, возрастом средний, и плоск, и плечист

КАЗАЧЕСТВО И КОЛОНИЗАЦИЯ СИБИРИ

Иван Кольцо упоминается в казенной грамоте как «вор», приговоренный за разбои к смертной казни. Вот, собственно, и всё, что мы знаем об этих русских Кортесе и Писарро.

Сначала казаки успешно проявили себя в обороне, не только отбив очередной набег, но и взяв в плен татарского предводителя мурзу Бегбели. Есть в летописи упоминание и еще об одном столкновении летом 1582 года, когда сын Кучума царевич Алей явился в прикамский край пограбить русские поселки и промыслы, но потерпел от Ермака тяжелое поражение.

По-видимому, после этих побед Строгановы решили, что пришло время воспользоваться полученным от царя правом на покорение Сибири — военное превосходство казацкого оружия над татарскими толпами было совершенно очевидно.

...мак является к Строгановым. *Рисунок Н. Дмитриева-Ориенбургского по гравюре Шублера*

МЕЖДУ АЗИЕЙ И ЕВРОПОЙ

Есть и иная версия последующих событий, тоже вполне правдоподобная: что Ермак и Кольцо отправились за Уральский хребет, не имея никаких великих планов, а это было обычное казацкое «хождение» за добычей. В пользу такого предположения говорит неудовольствие Москвы по поводу экспедиции: узнав о воинственной затее, Иван Грозный прислал Строгановым гневное послание, требовавшее вернуть «воров» обратно и не ссориться с «сибирским салтаном». Русь была истощена Ливонской войной, казна пуста, и государь боялся ответных действий Кучума.

Впрочем, причины и мотивы Ермаковского похода для истории несущественны — важны его грандиозные последствия.

Царский запрет опоздал. 1 сентября 1582 года* казаки отправились в путь. Сначала они доплыли вверх по рекам до Уральских гор, потом перетащили ладьи на азиатскую сторону и стали спускаться по течению Туры и Тобола, грабя по пути татарские селения. За без малого за два месяца отряд преодолел почти полторы тысячи километров.

Единственное крупное сражение состоялось уже неподалеку от кучумовской столицы Кашлыка (близ современного Тобольска), который русские летописи называют Сибирью. Лучший татарский военачальник царевич Махметкул бился с казаками и потерпел поражение, после чего хан отступил на юг, и 26 октября Ермак занял опустевший город, который, вероятно, являлся городом только по названию. (Слово «кашлык» означает «зимний» — должно быть, ханская ставка располагалась здесь только в зимнее время. Крепостей сибирские татары не строили, да и домостроительство у них было не развито.)

На этом поход, собственно говоря, завершился. Гоняться по сибирским просторам за Кучумом у Ермака намерений не было. Он остался на месте, приводя к покорности окрестные племена и отбиваясь от татар, которые вовсе не считали себя побежденными.

Тем не менее с падением столицы слабое Сибирское царство начало разваливаться — вассальные князьки, которых Кучум и прежде с трудом удерживал в повиновении, перестали его слушаться. Многие начали присягать новой власти.

Ничего фантастического в легкости, с которой маленькое войско Ермака одержало победу над Кучумом, нет. Не следует преувеличивать многочисленность кучумовских «полчищ» — вряд ли хан пустой страны мог собрать больше, чем несколько тысяч неорганизованных и плохо вооруженных воинов. Русских, конечно, и вовсе была горстка (вероятно, человек восемьсот), но они имели ружья и несколько легких пушек, а главное — обладали навыками дисциплинированного боя. К тому же взятие Кашлыка еще не означало завоевания Сибири

---

* Источники путаются в датировке и последовательности этих событий, обросших многочисленными легендами, поэтому я придерживаюсь хронологии, используемой большинством историков.

КАЗАЧЕСТВО И КОЛОНИЗАЦИЯ СИБИРИ

Казаки всего лишь разгромили единственную на весь огромный субконтинент силу, мало-мальски похожую на государство.

Зная о царском гневе и, должно быть, страшась ответственности за самовольство, Ермак отрядил в Москву атамана Кольцо с триумфальным отчетом о «взятии Сибири». Известие пришлось как нельзя кстати — побед на Руси давно уже не случалось. Грозный принял бывшего «вора» очень милостиво, присоединил к своим титулам еще один — «царя Сибирского» и отправил Ермаку небольшую подмогу: триста стрельцов с воеводой князем Болховским.

Однако дела в Сибири шли неважно. Зимой русские фактически оказались в блокаде, так что большинство новоприбывших, включая князя Болховского, умерли, а новой помощи ждать не приходилось.

Татары изменили тактику войны — теперь они нападали по-партизански, заставая противника врасплох. Сначала им удалось заманить в ловушку и убить атамана Кольцо, а в августе 1585 года жертвой внезапного нападения стал и сам Ермак. Согласно преданию, спасаясь от татар, он пытался вплавь добраться до струга и был утянут на дно Иртыша тяжелой кольчугой.

После гибели вождей остатки отряда покинули Кашлык и ушли назад, за Урал. Таким образом, получается, что знаменитый поход Ермака после первоначальных успехов завершился поражением.

Настоящее завоевание Сибири было еще впереди, и пришлось оно уже на годуновские времена.

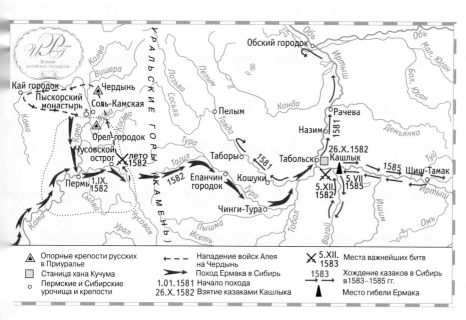

Поход Ермака. *С. Павловская*

МЕЖДУ АЗИЕЙ И ЕВРОПОЙ

От завоевания к освоению

Если бы существовала историческая справедливость, человеком, присоединившим Сибирь к России, конечно, считался бы не инициатор первой, неудачной попытки завоевания Ермак, а Борис Годунов, который, едва укрепившись у власти, взял твердый и последовательный курс на колонизацию новых земель.

Строгановы, будучи людьми торговыми, в своем продвижении на восток прежде всего заботились о прибыли. У правительства Годунова был иной приоритет: превращение Западной Сибири в часть державы. Почти каждый год за Урал отправлялся очередной воевода с войсками, имея задание построить крепость или заложить город, который затем становился центром русского влияния.

▶ Хан Кучум еще долго сопротивлялся, то уходя в заиртышские степи, то возвращаясь и нанося новые удары. Но государственная машина, которой ему теперь пришлось противостоять, была прочнее и сильнее казацкой лихости. Татарские военачальники один за другим гибли или попадали в плен, или переходили на московскую службу. Царское правительство вело себя умно: сдавшихся и пленных принимало с почетом, царевичей щедро одаривало. Храбрый Махметкул, племянник Кучума, получил богатые вотчины и щедрое жалованье. Почти всё семейство непримиримого хана постепенно перешло в русское подданство. Сын Кучума царевич Абулгар (Абул-Хайр) даже принял православие.

Предлагали почетные условия и Кучуму, но тот, уже старый и слепой, не покорился. В 1598 году он был окончательно разбит воеводой Воейковым. Всеми брошенный, но так и не сдавшийся, Кучум отправился скитаться в казахские степи, где его след теряется.

После этого организованное сопротивление прекратилось, и завоевание Сибири переросло в ее освоение.

Большинство современных крупных западносибирских городов возникли при Годунове: и Тюмень, и Тобольск, и Пелым, и Березов, и Томск, и Нарым. Далеко на севере, в устье Оби, в 1601 году был основан пост Мангазея, ставший важным перевалочным пунктом мехового промысла. Сибирь почти сразу же из расходной статьи государственного бюджета превратилась в прибыльную — так будет всегда.

Поскольку местные жители кормились охотой и не имели привычки к оседлости, рассчитывать на то, что они населят новые города, не приходилось,

КАЗАЧЕСТВО И КОЛОНИЗАЦИЯ СИБИРИ

между тем гарнизоны нуждались в продовольствии, везти которое из метрополии было долго и накладно. Пришлось переправлять людей с запада. Кто-то приезжал добровольно, «по прибору» (по найму), и таким правительство оказывало помощь, но желающих вечно не хватало, и тогда пригодился исконно «ордынский», очень удобный для государства метод принудительной мобилизации: по волостям рассылали разнарядку с предписанием выделить определенное количество крестьян и ремесленников для отправки в Сибирь. Тогда же возникло надолго сохранившееся обыкновение ссылать на далекий восток преступников — например, после кровавых событий 1591 года в Угличе значительная часть мятежных горожан не по своей воле переселилась в Зауралье. Еще одним поставщиком людских ресурсов были войны: пленных литовцев, поляков, татар, шведов тоже стали отправлять в Сибирь. В такой дали можно было их не охранять — не сбегут.

Нужно сказать, что покорение Сибири отличалось от других колониальных захватов той эпохи относительной некровавостью. Годуновское правительство старалось избегать лишнего насилия. Воеводам было приказано не притеснять местные народы, а устанавливать с ними добрые отношения, не облагать их слишком тяжелой данью. Так же сдержанно вело себя и духовенство, последовавшее на новые территории вслед за казаками и стрельцами. При всем непримиримом отношении к «басурманам» и «еретикам» русская церковь умела быть и терпимой, когда того требовала государственная польза. Правительство запретило обращать сибирских язычников в христианство насильно. Привлекать туземцев к православию надлежало «любовию», под которой, очевидно, подразумевалась выгодность: крещеные получали освобождение от выплаты ясака — весьма действенный стимул.

В этом отношении русские колонизаторы выгодно отличались от испанских, которые как раз в это время безжалостно истребляли коренное население Америки. Терпимость к чужим верованиям и к иному укладу жизни была не столько особенностью годуновской политики, сколько вообще одной из сильных сторон «ордынского» способа управления — монголы тоже не мешали покоренным народам жить и веровать по-своему.

Там, где в последующие времена российские власти не нарушали этого мудрого принципа, серьезных проблем при территориальной экспансии обычно не возникало.

331

Внешняя политика

Дела европейские

При Годунове страна отдалилась от Азии и приблизилась к Европе еще больше, чем при предшествующих правителях. Однако, в отличие от Ивана IV, который тоже считал западный вектор движения главным, Борис I ориентировался на мирные контакты с Европой. Когда возникала необходимость, он брался и за оружие, но избегал ввязываться в затяжные дорогостоящие конфликты.

Первой по важности внешнеполитической задачей было восстановление пошатнувшегося баланса в отношениях с победителями недавно закончившейся Ливонской войны — Польшей и Швецией.

Следовало ожидать, что главной проблемой здесь станет грозный и воинственный Стефан Баторий, заклятый враг Москвы. Польский король и в самом деле хотел воспользоваться раздорами внутри русской верхушки, начавшимися после смерти Грозного. Баторий попросил у сейма денег на новую войну, но не получил их. Удобный момент для удара по извечному сопернику был упущен. Если силы Руси подточила чрезмерная концентрация власти в руках неразумного самодержца, то бичом польско-литовского государства было нечто противоположное — крайняя слабость монархии. Даже такой сильный вождь, как Баторий, не мог преодолеть сопротивления аристократии. А в конце 1586 года он внезапно умер, и королевство вошло в период политической нестабильности — в то время, когда Русь из него вышла.

Началась очередная эпопея с выборами монарха. Умный и влиятельный коронный канцлер Ян Замойский поддерживал кандидатуру шведского кронпринца Сигизмунда (сына той самой Екатерины Ягеллонки, руки которой некогда добивался Иван Грозный). Могущественный клан магнатов Зборовских желал избрания эрцгерцога Максимилиана Габсбурга, брата австрийского императора. Но кроме двух этих польских партий была еще и литовская, по преимуществу православная, и ей хотелось видеть королем Федора Ивановича. Династическая уния с Москвой сулила литовским вельможам мир на границе и возможно даже возвращение некоторых утраченных владений, а про нового русского царя было известно, что человек он безвольный и ограничивать шляхетские свободы не станет.

ВНЕШНЯЯ ПОЛИТИКА

Как ни странно, шансы слабого Федора I на польскую корону были гораздо выше, чем в свое время у сильного Ивана IV.

На Руси заинтересовались этой идеей — и вовсе не из-за честолюбия, которого Федор был начисто лишен. Да и Годунов, конечно, хорошо понимал, что королевский титул будет сугубо номинальным. Однако в Москве очень боялись победы Сигизмунда, который, заняв польский, а после отца и шведский престолы, объединил бы силы двух балтийских держав. В 1587 году Борис отправил на сейм великих (то есть полномочных) послов: своего троюродного брата Степана, одного из ближайших соратников князя Федора Троекурова и дьяка Василия Щелкалова, то есть в делегации были представлены и годуновский клан, и боярская аристократия, и высшее чиновничество.

Послы не скупились на посулы: обещали передать Речи Посполитой всю шведскую Прибалтику за исключением одной только Нарвы, льготы польско-литовским купцам, сто тысяч золотом на выплату долга венгерским наемникам из войска покойного Батория. Давали гарантию, что Федор останется жить в Москве и предоставит полякам с литовцами управлять королевством по собственному усмотрению.

Предложения были весьма заманчивыми, но на случай если они всё же не будут приняты, практичный Годунов проинструктировал послов поддержать австрийскую партию — только бы не одолела шведская.

Поначалу перевес был на стороне прорусской шляхты. Во время голосования на поле установили три символических «избирательных пункта» — подняли три знамени: с австрийской шляпой, шведской селедкой и русской меховой шапкой. Шапка собрала большинство голосов.

Однако затем в ходе «технического обсуждения» выяснилось, что проект династического соединения между Польшей и Русью неосуществим.

Сейм задал великим послам совершенно резонные вопросы: примет ли царь католическую веру и покорится ли римскому папе; согласится ли он, по крайней мере, венчаться в Кракове по латинскому обряду; примкнет ли русская церковь к греко-католической унии; станут ли писать титул польского короля выше московского самодержца?

Все эти условия, необходимые для Речи Посполитой, были, конечно, совершенно невообразимы для Москвы. Русские послы попробовали найти компромисс: царь-де согласен короноваться на границе, в городе Смоленске; папу он будет чтить и в католические дела вмешиваться не станет, но и православную церковь трогать не позволит; писать же польский титул выше русского никак невозможно. По сути дела, спор шел о том, какая религия будет главной и кто кого присоединяет: Русь — Польшу или наоборот.

Договориться не получилось. К тому же вместо живых денег, с помощью которых можно было бы приобрести лишних сторонников, русские привезли одни обещания.

333

МЕЖДУ АЗИЕЙ И ЕВРОПОЙ

Пока шла эта безнадежная торговля, остальные партии не сидели сложа руки. Решительный Замойский объявил, что избран Сигизмунд. Три дня спустя Зборовские провозгласили королем Максимилиана. Произошла короткая война, в которой австрийская сторона потерпела поражение.

Так случилось то, чего Годунов больше всего боялся: шведский наследник сделался польским монархом.

И всё же первая большая дипломатическая операция Бориса не была вполне провальной. Послы вернулись не с пустыми руками — они привезли мир с Польшей сроком на пятнадцать лет.

В этой ситуации Годунов, при всей своей нелюбви к войнам, решил, что нужно торопиться: нанести превентивный удар по Швеции, пока Сигизмунд не объединил обе короны.

Сигизмунд III Ваза. *Мартин Кобер*

ВНЕШНЯЯ ПОЛИТИКА

В 1590 году истек срок перемирия, заключенного со шведами при Иване Грозном. К этому времени состояние русских финансов исправилось настолько, что хватило средств на снаряжение довольно большого войска — около 35 тысяч воинов. По путаному русскому обычаю командования, когда начальниками именовались одни, а фактически распоряжались другие, вел армию государь Федор Иванович, ни во что не вмешивавшийся; главным воеводой считался высокородный князь Федор Мстиславский; в авангарде предводительствовал менее знатный, но даровитый князь Дмитрий Хворостинин; сам Годунов занимал скромную должность дворового воеводы, но все основные приказы исходили от него.

Начиналось всё неплохо. У шведов отбили старую русскую крепость Ям, потом Хворостинин нанес шведам поражение близ Ивангорода и беспрепятственно обложил обе соседствующие крепости: и Ивангород, и заветную Нарву.

Здесь правитель Годунов взялся командовать сам, хотя прежде ни в каких битвах не участвовал. Должно быть, ему очень хотелось воинской славы.

Полководец из Бориса вышел неважный. По его приказу осадная артиллерия сосредоточила огонь на стенах, чтобы пробить в них бреши, и как только образовались проломы, русские устремились на приступ. Однако после начала канонады шведы перенесли свои пушки в башни, оставшиеся нетронутыми, и встретили атакующих сокрушительным огнем. Несмотря на большое численное преимущество, взять Нарву не удалось; приступ захлебнулся в крови.

Не успевшие подготовиться к войне шведы согласились на переговоры, и было подписано годовое перемирие, по которому Москва получила назад несколько русских крепостей, отданных Иваном Грозным: Ивангород, Ям и Копорье — но не Нарву.

Должно быть, сконфуженный Годунов был рад и такому исходу, который все же выглядел победным, однако шведы всего лишь выгадывали время для военных сборов.

Осенью того же 1590 года, набрав армию, они нарушили перемирие. Обойтись короткой победоносной войной у Годунова не получилось.

Следующим летом русские проиграли большую битву под Гдовом, где в плен попал воевода передового полка князь Владимир Долгоруков. А еще через год скончался король Юхан, и шведский престол достался-таки Сигизмунду Польскому. Казалось, ситуация приобрела совсем скверный для Москвы оборот.

Однако объединение двух корон, которого так страшились на Руси, удивительным образом пошло ей только на пользу и изменило ход неважно складывавшейся войны.

Дело в том, что король Сигизмунд III был очень религиозен и не очень умен. Он слыл истовым католиком, что помогло ему занять польский престол, но сильно мешало в протестантской Швеции. Перед второй коронацией Сигизмунд обещал не покушаться на религию шведов, но сразу же начал нарушать это условие и возбудил против себя как аристократию, так и народ. Вскоре королю-

МЕЖДУ АЗИЕЙ И ЕВРОПОЙ

католику пришлось вернуться в Польшу, а Швецией от его имени управлял дядя, герцог Карл, провозглашенный регентом. Отношения между дядей и племянником все время ухудшались, поэтому ни о каких совместных военных действиях не могло быть и речи. Наоборот — теперь Швеции хотелось поскорее заключить с Москвой мир.

В 1595 году, после нескольких неудачных попыток, наконец договорились. Нарву русские так и не получили, но зато удалось вернуть земли, потерянные Иваном Грозным, а кроме того условились о взаимных торговых льготах и свободном пропуске на Русь иностранных мастеров — то есть больной для Москвы вопрос об «окне в Европу» хоть и не разрешился, но стал менее насущным.

Это была пусть невеликая, но все же несомненная победа.

Годунову удалось восстановить международный престиж русского государства и на время обеспечить спокойствие западных границ. Между Швецией и Польшей дело шло к войне (которая и началась в 1598 году), так что обоим традиционным врагам пока было не до Руси. В 1601 году Годунов подписал с поляками еще одно перемирие, теперь двадцатилетнее. И если через несколько лет оно будет нарушено, причиной тому станут внутрирусские проблемы.

Когда Борис стал царем, у него появились и более смелые планы балтийской политики. Русская торговля не могла зависеть от добрых отношений со шведами; господство на морских путях в Европу было жизненно необходимо для растущей державы.

Годунов не стал повторять ошибок Грозного, слишком ретиво взявшегося за дело, но использовал полезный опыт по приручению послушного европейского принца, с помощью которого при благоприятном стечении обстоятельств можно было бы создать на Балтике вассальное государство. Эксперимент с марионеточным ливонским королем Магнусом провалился из-за вздорности Ивана IV. У терпеливого и обходительного Бориса должно было получиться лучше. Не вина Годунова, что из этой затеи ничего не вышло, хотя попытки предпринимались по меньшей мере дважды.

 Первым кандидатом в «пророссийские» принцы был сын низверженного шведского короля Эрика XIV изгнанник Густав (р. 1568).

Молодой человек вырос вдали от родины, в Италии, где жил очень скромно, а иногда и бедствовал. Годунов следил за его судьбой уже давно и еще в 1585 году приглашал приехать в Москву, но принца не интересовала политика. Он получил образование у иезуитов (лучшее по тем временам), увлекался химией и вообще знаниями. В 1599 году, уже в качестве русского государя, Борис вновь позвал Густава в гости, и на этот раз принц согласился. Вряд ли царь рассчитывал на то, что сможет посадить эмигранта на шведский престол — права Густава были довольно сомнительны (он родился от служанки, которую безумный Эрик XIV незадолго до переворота сделал королевой), но для политического давления на Швецию такая фигура могла оказаться очень полезной. Кроме

ВНЕШНЯЯ ПОЛИТИКА

того, Годунов был озабочен укреплением статуса своей новорожденной династии, и такой жених очень подошел бы ему в зятья. Густаву предложили жениться на Борисовой дочери царевне Ксении, однако к изумлению русских, принц отказался и от враждебных действий против родины, и от выгодного брачного союза. Может быть, Густав унаследовал от отца неадекватность — или же оказался человеком на редкость нравственным. Немецкий современник Конрад Буссов списывает всё на вред лишней учености: «Но герцог Густав не пожелал на это согласиться и ответил, что он предпочтет скорее погибнуть сам, чем подвергнуть свою родину опустошению и лишить жизни тысячи людей. Он вел и другие неуместные речи, из чего можно заключить, что добрый господин либо переучился (поскольку он был ученым мужем), либо слишком много перестрадал». «Неуместные речи» состояли в следующем: принц объявил, что не станет изменять вере, а жениться на царевне не может, так как любит свою любовницу. Борис, должно быть, не знал, что ему делать с таким непрактичным субъектом, и сплавил его в провинцию, где Густав мирно занимался своей химией, пока не умер в 1607 году. Неожиданный исход этого дела не заставил Годунова отказаться от самой идеи. Вскоре сыскался другой жених, более покладистый — юный брат датского короля Христиана

Ксения Годунова рассматривает портрет жениха. *И. Винцман*

МЕЖДУ АЗИЕЙ И ЕВРОПОЙ

принц Иоганн. Он приплыл в Россию в 1602 году. Встречавший высокого гостя боярин Салтыков прислал донесение, что принц выглядит несолидно: «Платьице на нем атлас ал, делано с канителью по-немецки; шляпка пуховая, на ней кружевца, делано золото да серебро с канителью; чулочки шелк ал; башмачки сафьян синь». Пока принц в таком виде не появился на Москве, ему скорей послали русское «платьице» и прямо по дороге стали обучать русскому языку и русским обычаям. Иоганн охотно учился и всем в Москве очень понравился. Но династии Годуновых опять не повезло: вскоре после приезда чудесный жених заболел и умер (в чем злые языки по привычке обвинили Бориса, имевшего репутацию истребителя царевичей, хотя, скорее всего, юношу просто уморили чрезмерным русским хлебосольством).

Незадолго до смерти Борис начал сватать дочери третьего принца, из шлезвигской герцогской семьи, но не успел довести дело до конца. Ксении Годуновой была, увы, предназначена иная судьба.

Поиски зятя-принца свидетельствуют о том, что царь Борис считал себя участником европейской политики и все свои планы строил на развитии и укреплении отношений с Западом. Именно это направление русской дипломатии становится основным. К области европейской, а не азиатской политики следует относить и контакты с Турцией, потому что Османская империя в то время была великой (и даже самой великой) из европейских держав, занимая большой кусок континента.

С султаном Годунов вел сложную и двуличную игру. С одной стороны, очень боялся открытого столкновения и без конца уверял Константинополь в благости намерений, с другой — всюду, где можно, втихомолку вредил туркам. В Крыму он подпитывал деньгами антитурецкую партию, на Кавказе поддерживал воевавшего с Турцией персидского шаха, а в Европе помогал австрийскому императору в его борьбе с Портой — только не оружием, а деньгами.

 Так, в 1595 году, когда император Рудольф готовился к очередной кампании против турок, специальное посольство привезло из Москвы вспомоществование в главной тогдашней валюте — собольих, куньих, лисьих, бобровых, беличьих и волчьих мехах. Разложенные шкурки заняли во дворце двадцать палат, и император с придворными изумились такому богатству. Пражские меховщики оценили дар в 400 000 золотых.

Расчувствовавшийся Рудольф постарался отдариться как можно разнообразнее. Среди посланных в Москву редкостей был даже специальный подарок для маленького царевича Федора: четыре попугая и две обезьяны. Должно быть, в Вене узнали, что мальчик любил животных — известно, что английская королева однажды прислала ему двенадцать невиданных на Руси бульдогов.

По традиции, установившейся еще при Иване IV, Русь продолжала дружить и успешно торговать с Англией. Причины этого на первый взгляд странного партнерства двух стран, расположенных на противоположных концах континента, оставались всё те же: делить с далекой от восточно-европейских ссор

Англией было нечего, а Северный морской путь в обход проблемной Балтики был хоть и длинен, но зато более надежен. В 1587 году британские купцы получили право «вольной торговли», то есть были освобождены от пошлин и, окрыленные этой привилегией, даже попытались получить монополию на весь товарный ввоз в Россию, но так далеко англофилия Бориса не простиралась.

Русь принимала у себя в Архангельске и корабли других стран. Известно, что в последний год годуновского правления по Северному пути прибыли 29 судов из Англии, Франции и Нидерландов.

▶ Перечень доставленных ими товаров сохранился и дает хорошее представление о потребностях тогдашнего русского импорта. Цитирую по пересказу С. Соловьева: «Жемчуг, яхонты, сердолики, ожерелья мужские канительные, стоячие и отложные, сукна, шелковые материи, миткаль, киндяки [ткань для кафтанов], сафьян, камкасеи [узорчатая шелковая ткань], полотенца астрадамские [амстердамские], вина, сахар, изюм, миндаль, лимоны в патоке, лимоны свежие, винные ягоды, чернослив, сарачинское пшено [рис], перец, гвоздика, корица, анис, кардамон, инбирь в патоке, цвет мускатный, медь красная, медь волоченая, медь в тазах, медь зеленая в котлах, медь паздера [видимо, тип проволоки], медь зеленая тонкая, олово прутовое и блюдное, железо белое, свинец, ладан, порох, хлопчатая бумага, сельди, соль, сера горячая, зеркала, золото и серебро пряденое, мыло греческое, сандал, киноварь, квасцы, целибуха [тропическое лекарственное растение], колокола, паникадила, подсвечники медные, рукомойники, замки круглые, погребцы порожние со скляницами, ртуть, ярь, камфора, москательный товар, проволока железная, камешки льячные [литейные добавки], масло спиконардовое [лекарство], масло деревянное, масло бобковое [лавровое]».

Основными статьями русского экспорта в Европу были мех, мед и воск, кожи, китовый жир и моржовый клык, деготь, лен, пенька, икра — то есть ничего нового по сравнению с прежними временами. Существенных перемен в этом традиционном ассортименте не произойдет и в будущем.

339

Крым и Кавказ

Вторым по напряженности направлением русской политики после польско-шведского было крымское, и здесь Годунову тоже удалось добиться немалых успехов.

В начале его правления Москва всё еще отстраивалась после ужасного нашествия 1571 года, когда Девлет-Гирей сжег город и угнал в рабство множество русских людей. До конца 1580-х годов Русь получила некоторую передышку. Выполняя требование своего сюзерена, турецкого султана, крымцы тратили основные силы на войну с Персией. В это время они подкармливались лишь мелкими набегами, да и те были в основном направлены на ближние украинские земли, а не в южнорусские области, где после опричного разорения поживиться пока было нечем.

С 1584 года, то есть в тот самый период, когда в Москве началась борьба за власть, в Крыму очень кстати тоже разгорелась длительная междоусобица между членами ханской семьи. Победителем вышел предприимчивый Газы II Гирей, почти сразу же начавший готовиться к походу на Русь, но к этому времени уже прочно утвердился Годунов, и страна была способна дать отпор.

Хан напал летом 1591 года, выбрав момент, который показался ему удачным. Основные силы Годунова были на севере, увязнув в войне со шведами, а на Руси происходило брожение в связи с недавней смертью царевича Дмитрия. Чтобы обеспечить неожиданность, крымцы распустили слух, что готовятся к вторжению в Украину, но, выступив в поход, Газы-Гирей повернул прямо на Москву.

К крымской коннице присоединились ногайцы; сопровождал армию и турецкий контингент с артиллерией, которой в 1571 году не хватило Девлет-Гирею для взятия Кремля. Летописи, как обычно, называют фантастические цифры — сто или даже полтораста тысяч воинов, но войско действительно было очень большим и двигалось стремительно, потому что хан запретил воинам отвлекаться на грабеж, пока не взята вражеская столица.

Крымцы разбили передовой отряд русских войск, 3 июля переправились через Оку и уже на следующий день оказались прямо перед Москвой. Газы-Гирей встал лагерем в Котлах, всего в нескольких километрах от городских стен, и начал готовиться к сражению.

Правитель Годунов, незадолго перед тем столь неудачно покомандовавший войсками под Нарвой, благоразумно не претендовал на роль полководца. Стянув к Москве все полки, имевшиеся в наличии, он назначил главным воеводой князя Федора Мстиславского.

Сил хватало только на оборону. Решили прибегнуть к той же тактике, которая в прошлый раз, в 1572 году, оказалась спасительной: поставили в поле, близ Данилова монастыря, передвижное укрепление «гуляй-город».

В первый день противники «травились», то есть ограничивались мелкими стычками. Татары налетали с разных сторон, отступали, нападали вновь. Хан вел разведку боем — выискивал в обороне слабые места.

А ночью произошел казус из разряда военных нелепиц.

После дневного сражения обе стороны пребывали в нервозности, ожидая от противника какого-нибудь коварства. Русским сторожевым что-то померещилось, они подняли тревогу и переполошили весь лагерь. Пушки начали палить в темноту, с недальних городских стен грянули тяжелые орудия. Ночь осветилась вспышками, учинился шум и грохот.

Татары испугались еще больше, вообразив, что враг получил подкрепление и устроил ночную атаку. В отличие от русских, сидевших в осаде, крымцам было куда бежать — и они сорвались с места, всё побросав. Хан не сумел остановить охваченную паникой массу и тоже был вынужден ретироваться.

ВНЕШНЯЯ ПОЛИТИКА

Русская конница кинулась в погоню, не встречая серьезного сопротивления, и преследовала беглецов до самого Дикого Поля. Газы-Гирей был ранен и еле унес ноги.

Нечего и говорить, что на Руси это странное происшествие восприняли как Божье вмешательство, подобное столь же неожиданному избавлению от орды Тамерлана в 1395 году. Тогда, двести лет назад, чудо приписали иконе Владимирской Богоматери. Ныне же вспомнили, что накануне по «гуляй-городу» торжественно носили образ Донской Богоматери — этим и объяснили одоление басурман, а в память о мистическом событии построили Донской монастырь.

На следующий год Газы-Гирей попробовал взять реванш. На сей раз сил у него было немного, и он решил прибегнуть к хитрости: завел мирные переговоры, а сам отправил калгу (царевича-наследника) разграбить тульские и рязанские волости. Ущерб от разбойного нападения был велик, потому что татары застали жителей врасплох, но завоевательных целей поход уже не преследовал.

Переговоры о мире. *Н. Дмитриев-Оренбургский*

МЕЖДУ АЗИЕЙ И ЕВРОПОЙ

Это была всего лишь месть за прошлогодний конфуз. Хану стало ясно, что легкой добычей Русь не будет и, чем подвергаться военным рискам, лучше довольствоваться малой мздой. В 1594 году, получив от Годунова подачку в 10 тысяч рублей, крымцы заключили мирный договор и в дальнейшем вели себя более или менее смирно, а Москва за это посылала хану и мурзам умеренные дары.

При Годунове была предпринята еще одна — кроме сибирской — попытка азиатской экспансии, но неудачная.

Точно так же, как покорение Казани открыло русским дорогу за Урал, взятие Астрахани (1556) дало ключ к движению на юг и юго-восток: к Средней Азии и Кавказу. Первая находилась слишком далеко, за безводными пустынями и дотянуться до нее вооруженной рукой было тогдашней Москве не по силам, а вот Кавказ располагался неподалеку, и там нашлись желающие обрести полезного союзника или даже покровителя.

Мелкие властители, зажатые между двумя могущественными державами — Турцией и Персией — должны были присоединиться или к султану, или к шаху. Кахетинскому царьку Александру пришло в голову, что выгоднее попросить о защите единоверного русского государя. Помощь требовалась прежде всего против такого же небольшого мусульманского княжества Тарки, державшегося турецкой ориентации.

Получив эту просьбу, Годунов решил, что пришло время распространить русское влияние на Кавказ, и начал оказывать Кахетии поддержку: дал денег, оружия, послал монахов, но в открытый конфликт с султаном вступить поопасался. Кавказская политика Москвы носила половинчатый и довольно робкий характер. Когда Александр попробовал вести себя с турками непреклонно, называя себя русским подданным, из Москвы ему велели сбавить тон и с султаном не ссориться.

Персы попытались соблазнить Русь военным союзом против Стамбула — и тоже ничего не добились. Годунов боялся воевать с грозной Портой, а без этого любые планы закрепиться на Кавказе были обречены.

Единственное, на что осмелился Борис, — напасть на таркинского шамхала (князя). В самом конце годуновского царствования, в 1604 году, довольно большой отряд в 7 000 воинов отправился в дальний поход и захватил Тарки, но вскоре после этого на Руси началась смута, про экспедиционный корпус забыли, и он почти весь сгинул, окруженный врагами и отрезанный от своих.

«Второе» русское государство было недостаточно сильным для того, чтобы всерьез претендовать на владение Кавказом. Единственным прибытком стало расширение царского титула, который отныне дополнился громким, но сугубо номинальным званием «государя земли Иверской, грузинских царей и Кабардинской земли, черкасских и горских князей». Это была не констатация факта, а скорее программа, осуществления которой оставалось ждать по меньшей мере два века.

Катастрофа

Деятельность Годунова, несмотря на отдельные неудачи, выглядит столь блистательной, что ужасающий крах, которым завершилось правление этого безусловно выдающегося правителя, кажется чем-то загадочным, почти мистическим. Именно так трагедию Годунова воспринимали современники и некоторые писатели последующих времен, находя объяснение лишь в Божьей каре за убиение маленького царевича — очень уж быстро и легко рассыпалось здание, так умно и искусно обустраиваемое Борисом.

Мистицизм безусловно сыграл здесь свою роль, и очень важную, но не в том смысле, какой вкладывали в это понятие старинные авторы. Дело было не в каких-то мистических событиях, а в мистическом складе тогдашнего общественного сознания. Власть Бориса, не освященная ореолом божественности, воспринималась как нечто земное — и, стало быть, зависимое от земных обстоятельств. Годунов ведь и сам всячески демонстрировал, что он «народный» государь, возведенный на престол волей земского собора и столичного люда. Пока дела шли хорошо, такой правитель всех устраивал. Когда же начались беды и испытания, оказалось, что положение «доброго», но не «природного» царя гораздо уязвимее, чем положение царя «злого», но поставленного Свыше.

Ответ на вопрос, почему правление Годунова закончилось катастрофой, представляет не только исторический интерес, но и многое объясняет про феномен основанной Иваном III государственности, про природу российской власти, про специфику ее взаимоотношений с народом.

Хрупкое самодержавие

Система власти, существовавшая при слабоумном Федоре, как ни странно это выглядит из сегодняшнего дня, была много прочнее. «Блаженного» царя любили и наделяли всякими симпатичными чертами; распорядительного правителя побаивались и, в общем, ценили. Небесное и земное шли рука об руку, поддерживая друг друга.

Когда Федора не стало, у Годунова хватило ловкости занять престол, но не меньше ума и удачливости требовалось, чтобы там удержаться. Ум иногда подводил, удача тем более.

МЕЖДУ АЗИЕЙ И ЕВРОПОЙ

Боярство, ослабленное, но так и не сломленное при Грозном, смотрело на Бориса как на выскочку и только ждало, когда он споткнется. Поднявшись на самую вершину властной пирамиды, Годунов был там в сущности одинок. Он мог рассчитывать на поддержку патриарха, родственников и — до определенной степени — на дьяческую бюрократию. До служилого дворянства, интересы которого представлял неродовитый царь, сверху было далеко, да и настроения дворянства мало чем отличались от настроений народа: огромная дистанция между низами и государем требовала благоговения, а ему взяться было неоткуда.

Борис очень боялся заговоров и пошел обычным для не уверенных в себе правителей путем: создал развернутую шпионскую сеть, возглавляемую верным человеком Семеном Никитичем Годуновым. Лазутчики шныряли повсюду, вынюхивая крамолу; бояре боялись сказать лишнее слово даже у себя дома, так как среди слуг обязательно имелись соглядатаи.

Однако, чтобы править подобным манером, требовался настоящий террор, как при Опричнине, но его не было. Это объяснялось и личными качествами Бориса, и истощением страны. К тому же боярство и народ вряд ли стерпели бы от «небожественного» государя измывательства, которые безропотно сносили от Ивана Грозного.

В результате получилось ни то, ни сё: боялись — но не слишком; не бунтовали в открытую — но шептались по углам.

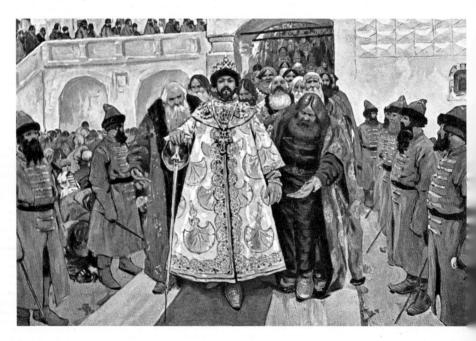

Великий государь. *С. Иванов*

КАТАСТРОФА

Молва, всегда злоязыкая, к Борису была особенно немилосердна. Как уже говорилось, всякое несчастное событие приписывалось его козням. Когда в 1591 году к Москве подошел крымский хан, говорили, что его позвал Годунов, желая отвлечь народ от разговоров про угличское убийство; когда после большого пожара царь стал оказывать помощь погорельцам, распространился слух, что царь нарочно поджег Москву — дабы покрасоваться своей щедростью. И так длилось год за годом.

Бориса иногда называют одним из ранних «политтехнологов», но Годунов не очень хорошо понимал законы этой хитрой науки. Пытаясь манипулировать общественными настроениями, он допускал серьезные ошибки. Главная из них состояла в заблуждении, что сознание масс организовано так же, как сознание отдельно взятого человека. Однако, если индивиду свойственно испытывать благодарность, когда ему делают что-то хорошее, массовое сознание устроено совершенно иначе. «Они любить умеют только мертвых», — обижается пушкинский Годунов, и опять ошибается.

В государстве «ордынского» типа с его обязательной сакрализацией верховной власти народ отлично умеет любить государей, но благодарность за милости тут совершенно ни при чем. Их скорее воспринимают как слабость или даже как проявление виноватости (чем и были вызваны упорные антигодуновские слухи). Правило здесь простое: чем выше степень благоговения, тем выше и народная любовь. Вот почему даже чудовищная жестокость, если она выглядит мистически иррациональной, не порождает в массе ненависти, зато строгость рациональная и умеренная воспринимается как притеснение и вызывает протест.

В своей внутренней политике Годунов предпочитал действовать гуманными методами, но подобный курс эффективен лишь в системах «гуманной» (то есть человеческой), а не «божественной» власти. В обществах тоталитарного типа между властью и населением существуют отношения принципиально иного склада: как между взрослым и маленьким ребенком или как между классным руководителем и младшеклассниками, поэтому реакции народа на действия власти всегда «инфантильны». «Строгого учителя» трепещут и слушаются, «мягкого» начинают ни во что не ставить.

Чем больше Годунов убеждался в том, что завоевать народную любовь не получается, тем сильнее развивалась в нем подозрительность. В летописи высказывается предположение, что это дьявол внушил царю мысль знать обо всем, что ни делается в государстве, и что у Бориса «терние завистныя злобы цвет добродетели помрачи». Доносчиков на собственных господ щедро награждали, в связи с чем широко распространились оговор и клевета. В последние годы умный Борис доходил и до мер явно глупых: кажется, он постановил, чтобы все у себя дома, перед трапезой, читали обязательную молитву за здравие царского семейства.

Всё это, конечно, вызывало раздражение и накаляло общественную атмосферу, однако, хоть современники много жаловались на суровости годуновского режима, список репрессий этой исторической эпохи недлинен, а кары выглядят довольно травоядными.

МЕЖДУ АЗИЕЙ И ЕВРОПОЙ

Царствование Бориса отмечено двумя крупными «политическими процессами». Жертвой первого стал всё тот же Богдан Бельский, на котором в 1584 году был впервые опробован инструмент «народного гнева». При Иване Грозном заговорщика несомненно подвергли бы какой-нибудь изуверской казни; Годунов же через несколько лет простил былого соперника и стал доверять ему большие государственные дела, хоть близко к столице не подпускал.

При всем своем авантюризме и гоноре Бельский был человеком дельным, и правитель это качество ценил.

В 1599 году, достигнув высокого чина окольничего, Бельский получил задание построить на южном рубеже крепость Царев-Борисов, которой отводилась роль опорного пункта всей противокрымской обороны. Крепость была быстро выстроена и заселена, поскольку Бельский щедро расходовал собственные средства, весьма значительные. Через пару лет она стала настоящим городом, где стоял сильный гарнизон. Бельский жил там на широкую ногу, очень гордый своими достижениями, и как-то раз имел неосторожность пошутить, что Борис — царь московский, а он-де царь «царь-борисовский». Этот каламбур остроумцу дорого обошелся. В столицу немедленно полетел донос, что наместник ставит себя выше государя. Годунов, и так относившийся к Бельскому с подозрением и, очевидно, уже раскаивавшийся, что дал ненадежному человеку в руки такую силу, велел схватить крамольника.

Поступили с Бельским типично по-годуновски: убить не убили, но «лишили чести», в назидание другим — выщипали бороду, выставили на позор и отправили в ссылку.

Высказывают предположение, что Бельского спасло заступничество жены Годунова, которой он приходился двоюродным братом, но так же бескровно Борис расправился с другим вельможей, которого считал опасным — Федором Никитичем Романовым. Это тоже был человек с характером, к тому же глава первого по влиянию боярского рода, в свое время боровшегося с Годуновым за власть. В 1601 году в доме у одного из братьев Федора Романова по доносу учинили обыск и нашли «отравное зелье». Возникло дело о покушении на государя. Вероятнее всего, Романовы стали жертвой волны всеобщего кляузничества, распространившегося среди боярских слуг, но существует и версия, согласно которой яд был подброшен по приказу главы сыскного ведомства Семена Годунова.

Как бы там ни было, царь охотно ухватился за возможность избавиться от оплота глухой боярской оппозиции. Арестовали пятерых братьев Романовых с родственниками, друзьями и приближенными. Опять обошлось без казней, но очень многих отправили в ссылку, а самого Федора Никитича, чтобы не помышлял о царском венце, постригли в монахи под именем Филарета.

В результате и Богдан Бельский, и Федор Никитич благополучно пережили своего гонителя, а Филарет хоть сам царем и не стал, но впоследствии сделался правителем государства и основал дом Романовых.

К числу других «зверств» Годунова можно отнести разве что запрет жениться двум самым знатным князьям — Федору Мстиславскому и Василию Шуйскому, чтоб не соблазнялись мечтами об основании собственной династии.

КАТАСТРОФА

В начале нового столетия на страну обрушилась череда несчастий. Начиная с 1601 года выдалось три аномально бессолнечных лета, следствие глобального похолодания, от которого страдала вся Европа, и больше всего — северная ее часть, где даже в августе случались морозы.

На Руси начался страшный голод, достигший к третьему неурожаю чудовищных размеров, так что дошло до людоедства (пишут, на постоялых дворах убивали проезжих и на рынках торговали пирогами с человеческим мясом). Из-за истощения начались эпидемии.

Годунов с присущей ему энергией попытался исправить ситуацию, но опыта преодоления продовольственного кризиса подобных масштабов ни у кого не было, и сначала сделалось только хуже.

Царь больше всего заботился о благополучии москвичей, поскольку голодный бунт в столице представлял бы опасность для власти. Правительство стало подкармливать горожан и обеспечивать их работой — в результате нахлынули толпы со всех сторон, и запасы хлеба быстро кончились. Попробовали раздавать деньги — это привело лишь к невероятному взлету цен, так что человеку не хватало на пропитание уже и копейки в день (это была вполне солидная денежная единица).

Как водится в государстве «ордынского» типа, расцветала коррупция — многие должностные лица, приставленные к раздачам продовольствия и денег, нагревали на этом руки. Пойманных лихоимцев и спекулянтов Борис, отойдя от своей обычной гуманности, велел предавать казни — не помогало и это. В одной только Москве от голода умерло 127 тысяч человек.

Простые люди, разумеется, роптали не на природу и даже не на казнокрадов, а на Годунова. Психология жителей самодержавной страны была устроена специфическим образом: народ считал себя не участником государственной жизни, а как бы благоговейным свидетелем взаимоотношений Небесного Бога с богом земным. В зависимости от того, как складывались эти отношения, народ становился или благополучателем Божьих милостей, или громоотводом Божьего гнева. При этом, если царь «природный», всякое природное несчастье принималось как Божья кара против грешного народа, но Борис был государем сомнительным, и тяжкое испытание расценивалось как Божья кара против грешного царя.

В конце концов Годунов все-таки нашел меры для выхода из продовольственного кризиса: произвел учет запасов зерна по всей стране, перераспределил излишки из благополучных областей в неблагополучные, ввел твердые цены на хлеб, а бесплатную выдачу оставил только для вдов, сирот и нищих. Все эти меры для тогдашнего времени были новаторскими.

Дела пошли лучше, а в последнюю осень годуновского правления выдался обильный урожай, и кризис закончился, так что одной из причиной государственного коллапса стал не сам голод, а его побочный эффект — массовая люмпенизация населения.

Угроза голодной смерти согнала с места и, выражаясь по-современному, маргинализировала множество крестьян, горожан, в особенности же боярских и дворянских холопов, выгнанных хозяевами, которые больше не могли содержать слуг. Среди этой публики хватало людей, не привычных к труду, зато умеющих обращаться с оружием.

Некоторые устремились на юг, в степи, пополнив ряды казачества. (Скоро, привлеченные хаосом, они вернутся обратно с войском Самозванца.) Но очень многие остались на Руси, сбиваясь в разбойные шайки. Раз нельзя было заработать пропитание, его добывали силой.

Пользуясь тем, что правительству не до борьбы с преступностью, «гулящие» начали собираться в немаленькие отряды — это позволяло грабить целые города. Один из атаманов, некто Хлопко (по прозвищу ясно, что из бывших барских холопов), оказался особенно дерзок и удачлив, так что сумел собрать собственное войско, разорявшее окрестности столицы. Проблема была настолько серьезной, что осенью 1603 года пришлось снаряжать против Хлопка военную экспедицию, которую возглавил видный царский воевода Иван Басманов, имевший высокий чин окольничего. Вместо того чтобы спасаться бегством, разбойники (да, пожалуй, уже не разбойники, а повстанцы) дали стрельцам бой — и бились столь упорно, что Басманов был убит. Правда, погиб и Хлопко, после чего уцелевшие бунтовщики рассеялись.

Это кровавое столкновение было предвестием больших потрясений, до которых оставалось уже совсем мало времени.

Начало Смуты

Личности Самозванца — человека, которому было суждено разрушить «второе» русское государство — будет посвящена специальная глава следующего тома, сейчас же мы посмотрим, как действия этой роковой и загадочной фигуры воспринимались из Москвы, глазами годуновской стороны.

Некоторые авторы считают авантюру Лжедмитрия исключительно «польской интригой», затеянной, чтобы досадить враждебному соседу. Но это не совсем так. В Варшаве, куда Сигизмунд перенес из Кракова столицу королевства, неспроста поверили (или сделали вид, что поверили) невесть откуда взявшемуся русскому «царевичу». Слухи о том, что Дмитрий не был убит в Угличе, а спасся и где-то скрывается, по Руси ползли уже очень давно и, конечно, доходили до Польши. Уверенности в том, что сын Ивана Грозного мертв, как мы увидим, не было и у самого Бориса, не очень-то доверявшего выводам комиссии Василия Шуйского.

КАТАСТРОФА

И вот в 1603 году Москвы достигла уже не сплетня, а достоверная весть, что в Литве объявился некий юноша, называющий себя Дмитрием Ивановичем и что многие паны ему верят. Потом стало известно, что претендента принял сам король Сигизмунд — и вроде бы с почетом. Это было уже совсем тревожно.

С одной стороны, Речь Посполитая вряд ли желала завязать войну — совсем недавно было заключено перемирие. С другой — Годунов, сам не чуждый подобных методов, очень хорошо понимал, что король будет не прочь косвенно посодействовать мятежу в русских землях и посмотреть, не получится ли из этого беспорядка чего-нибудь полезного.

Вероятно, Борис, у которого была хорошо развита шпионская служба, узнал и о том, что Сигизмунд дал «царевичу» денег и негласно позволил добровольцам собираться под его знамя.

Король Сигизмунд и Самозванец. *Н. Неврев*

349

МЕЖДУ АЗИЕЙ И ЕВРОПОЙ

Главным сторонником претендента являлся сандомирский староста Ежи (по-русски Юрий) Мнишек, магнат средней руки и сам изрядный авантюрист. Мнишек взял с новоявленного Дмитрия письменное обязательство: после победы жениться на дочери старосты Марине; выплатить миллион злотых; пожаловать супруге в кормление Новгород и Псков. Лжедмитрий (будем называть этого человека так, как принято в исторической традиции) на всё это охотно согласился, да и вряд ли у него имелся выбор.

Возможности Мнишека были ограничены — он сидел по уши в долгах, поэтому польских волонтеров набралось всего 1600 человек. В основном это были искатели приключений и разные сомнительные личности, всегда готовые поучаствовать в какой-нибудь заварухе. С такими жалкими силами, казалось, нечего и пытаться идти против могучего московского государя, но кроме набора добровольцев Лжедмитрий предпринял еще один шаг, гораздо более действенный. Он разослал по малороссийским областям и по казачьей степи грамоты, заявляя о своих «природных» правах на престол, которые в глазах народа стояли выше, чем «избранничество» Годунова.

Воззвание Лжедмитрия сыграло роль искры, упавшей на сухую траву. В окрестных краях накопилось множество неприкаянных, отчаянных людей, изгнанных из родных мест голодом. Ну а казачья вольница была только рада возможности «погулять». На призыв откликнулись не только малороссийские казаки, но и донские, злые на Годунова за то, что он пытался ограничить их свободы.

Даже и вместе с прибывшими казаками войско Лжедмитрия получилось немногочисленным — не больше 4 000 человек, и всё же в августе 1604 года претендент выступил в поход. Его расчет был на то, что начавшееся пламя распространится, подобно степному пожару. И план этот оказался верным.

«Царевич» тайно отправлял свои прокламации и на русскую территорию, по которой быстро разнеслась весть о явлении «истинного царевича». В южных областях тоже скопилось много беглецов из голодных краев, и эти люди стали вливаться в ряды повстанческой армии — а она уже и в самом деле превратилась в армию. Скоро в ней насчитывалось десять тысяч воинов, и число это продолжало расти.

В октябре без боя сдался первый городок — Моравск. Затем после некоторых колебаний «царевичу» присягнул крупный Чернигов. Здесь Лжедмитрий впервые выказал задатки незаурядного предводителя: защитил жителей от казацкого грабежа, что произвело на окрестные волости очень хорошее впечатление. Казаки ворча подчинились, потому что Самозванец пригрозил им шляхтой. Положение претендента было шатким, и приходится только удивляться ловкости, с которой он лавировал между польской и казачьей половинами своей пестрой рати, опираясь то на тех, то на других.

КАТАСТРОФА

В крепости Новгороде-Северском сидел храбрый и решительный царский воевода Петр Басманов (родной брат Ивана Басманова, недавно убитого при подавлении восстания Хлопка); он затворил ворота и стал отстреливаться. Впервые столкнувшись с сопротивлением, плохо организованная армия Лжедмитрия попятилась. Теперь забунтовали уже поляки, но зато «царевича» поддержали казаки. Неизвестно, чем закончилось бы это брожение, но тут пришло известие, что сдался Путивль, главный город всей Северской области — воевода князь Василий Рубец-Мосальский решил, что перебежать в противоположный лагерь будет выгодней. Теперь оказалось, что Лжедмитрий контролирует весьма обширный и густонаселенный край.

Тем временем на соединение с войском Самозванца со стороны Дикого Поля двигались отряды донских казаков.

Всё это выглядело (да и было) не иноземным вторжением, а самой настоящей гражданской войной.

Из Москвы события на юго-западе выглядели не только устрашающими, но и непостижимыми. Царь Борис, нервно реагировавший даже на воображаемые заговоры, внезапно столкнулся с нешуточной опасностью, целившей в самые уязвимые его места: в хрупкую легитимность годуновской власти и в углицкую историю.

В этой ситуации Годунов потерял обычную выдержку, начал суетиться, совершать ошибки.

Прежде всего он увеличил количество шпионов, и без того немалое — чтобы в корне пресекать всякую измену. Из-за повального доносительства атмосфера в Москве накалилась до истерического уровня.

Затем царь наглухо перекрыл границу с Литвой под предлогом якобы начавшейся там эпидемии, а на самом деле, чтобы на Русь не просочились нехорошие слухи (начинание заведомо невыполнимое и давшее обратный эффект).

Попутно затеяли тайное следствие — кто таков самозванец. Решили, что, наверное, это секретарь патриарха некий Григорий Отрепьев, в 1602 году исчезнувший и вроде бы сбежавший в Литву. Отправили в Польшу дядю беглеца — для проформы с каким-то письмом, а на самом деле, чтобы проверить, правильна ли версия.

Но Борису не давала покоя мысль, что это может оказаться настоящий царевич. Царь тайно вызвал инокиню Марфу, мать Дмитрия, и стал допытываться, точно ли она видела сына мертвым. Та ответила, что тот, возможно, и жив: ей-де говорили, что его куда-то увезли. Встревоженный пуще прежнего Годунов велел держать бывшую царицу в строгой изоляции.

А слухи между тем ползли уже и по Москве. Известно, что никакое запугивание не способно остановить сплетню, если она очень интересна. Когда началось вторжение, Годунов какое-то время пытался скрывать эту весть от наро-

351

Борис Годунов и инокиня Марфа. *Н. Ге*

да — благо расстояния были большими, а коммуникации медленными. Надеялись, что Самозванца удастся быстро уничтожить.

С этой целью правительство снарядило большую армию, которую возглавил родовитейший из бояр князь Федор Мстиславский. Раньше царь запрещал ему жениться, а теперь посулил собственную дочь — вот до какой степени был напуган.

У «царевича» к этому времени набралось тысяч пятнадцать людей, у Мстиславского имелось втрое больше, да и качеством царское войско было много лучше. И всё же в сражении, которое произошло 21 декабря 1604 года под Новгородом-Северским, Лжедмитрий невероятным образом одержал победу. Есть несколько версий этого чуда — от «просто повезло» до полководческого таланта Самозванца. Думается, что прав С. Соловьев, объясняющий поражение Мстиславского шатанием и сомнениями в его войске: «у русских не было рук для сечи, то есть они неохотно сражались против «прирожденного государя».

К этому времени главную свою победу, пропагандистскую, Лжедмитрий уже одержал, и виной тому в значительной степени были неуклюжие действия Годунова.

После такого удара прятать от народа правду стало невозможно — пришлось официально объявить о смуте.

Призвали на помощь патриарха.

КАТАСТРОФА

Иов засвидетельствовал, что претендент никакой не царевич, а беглый чернец Отрепьев. Представили и свидетелей, якобы (а может быть, и на самом деле) сопровождавших «вора» до Литвы. Заодно патриарх предал «Гришку» анафеме.

Годунову и этого показалось мало. Он вывел на Лобное место, перед московской толпой, Василия Шуйского, который клятвенно подтвердил, что лично хоронил Дмитрия в Угличе.

Всё это, конечно, не имело никакого смысла. Апелляция к народу и представление каких-то доказательств выглядели как оправдания. Это лишь подрывало престиж годуновской власти, и без того невеликий. Борис лишний раз продемонстрировал, что совсем не понимает, как работает сознание его подданных. Всё, что они уяснили: царь юлит и заискивает, а значит — слаб.

Такой же беспомощной была попытка воздействия на польского короля, к которому в феврале 1605 года отрядили гонца с требованием выдать преступника Отрепьева. Сигизмунд, приятно удивленный нежданным успехом авантюры, язвительно ответил: искомая персона теперь находится в московских владениях, там ее и хватайте.

Схватить Самозванца, конечно, было совсем нелегко, однако и у претендента в это время дела пошли вкось. Армия ведь была ненастоящая, а состояла из разношерстных, по преимуществу недисциплинированных отрядов, плохо ладивших между собой. Польские наемники стали требовать жалования, а деньги взять было негде. Один раз «царевича» чуть не убили — он еле унес от шляхтичей ноги, бросив шубу. Многие поляки стали возвращаться домой. Их осталось лишь полторы тысячи плюс казаки да русские повстанцы, ставшие теперь основной опорой Лжедмитрия.

Вот почему после победы над московской ратью Самозванец не мог двигаться дальше. Он засел в крепости Севск, копя новые силы. Вместо ушедших поляков прибывали подкрепления, состоявшие из казаков и просто «гулящих», но время работало против «царевича»: силы и ресурсы сторон были несопоставимы.

Борис возлагал все надежды на нового фаворита — Петра Басманова, единственного военачальника, которому удалось отбиться от Лжедмитрия. Милости, которых удостоился воевода, явно не соответствовали масштабу победы и тоже свидетельствовали о крайней нервозности Годунова. В Москве Басманову устроили торжественную встречу, наградили деньгами и поместьями, сделали боярином.

К князю Мстиславскому, по-прежнему командовавшему полевыми войсками, были отправлены новые части, в том числе стрелецкие полки и подразделения иностранных наемников. Благодаря их хорошей выучке (и, должно быть, отсутствию сакрального трепета перед «природным государем») правительственным войскам 21 января 1605 года удалось разгромить войско Самозванца

МЕЖДУ АЗИЕЙ И ЕВРОПОЙ

под Добрыничами, неподалеку от Севска. Регулярная русская пехота впервые применила линейную тактику, при которой шеренги одна за другой стреляли залпами по атакующей кавалерии. Польско-казацкая конница не выдержала такой концентрации огня и рассеялась. Отличившийся в сражении капитан Маржерет рассказывает: «Дмитрий потерял почти всю свою пехоту, пятнадцать знамен и штандартов, тридцать пушек и пять или шесть тысяч человек убитыми, не считая пленных, из которых все, оказавшиеся русскими, были повешены среди армии, другие со знаменами и штандартами, трубами и барабанами были с триумфом уведены в город Москву».

Борис пришел в ликование, раздал войскам огромные наградные и приказал истребить остатки повстанческой армии. Казалось, угроза миновала и дело претендента проиграно.

Тот и сам был близок к отчаянию и, кажется, подумывал о бегстве в Польшу, вслед за шляхтой, но этого не допустили русские соратники, которым отступать

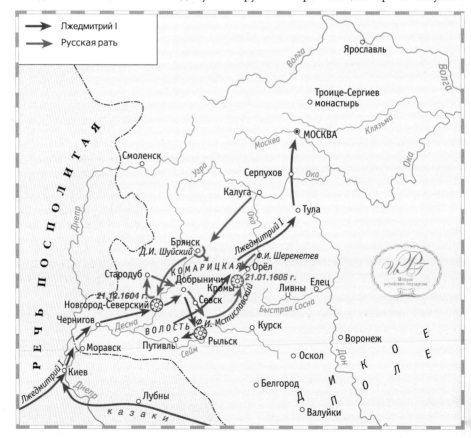

Поход Лжедмитрия (1604–1605). *С. Павловская*

КАТАСТРОФА

было некуда — победа Годунова сулила мятежникам и казакам страшные кары. Спасло Лжедмитрия то, что восстание приобретало неконтролируемый характер — антиправительственное движение охватило весь юг страны. Всё новые и новые города признавали «царевича», и годуновские воеводы не знали, куда поворачивать полки.

Самозванец отошел, но к нему на помощь двигались донские казаки под командованием атамана Корелы. Чтобы не подставлять тыл под удар этой мобильной силы (к тому же существовала опасность, что она повернет на Москву), Мстиславский двинул войска в том направлении. Казаки засели в крепости Кромы, оттянув на себя почти всю царскую армию. Тем временем Лжедмитрий стоял лагерем в Путивле, слал во все стороны гонцов со своими воззваниями и принимал пополнения.

В такой подвешенной ситуации закончилась зима, началась весна. Кромы стойко держались, но их падение было вопросом времени. Чаша весов явно склонялась на сторону Годунова.

И тут произошло неожиданное событие, решившее исход противостояния.

Выше, перечисляя факторы, определившие хрупкость годуновского режима, я не назвал самый главный: то, что правитель был смертен. В монархической системе, где вся власть сконцентрирована в руках сюзерена, устойчивость достигается лишь за счет династийности, то есть безоговорочно и всенародно признаваемого монопольного права августейшей семьи поставлять стране государей. Тогда и малолетний (как Иван IV) или неспособный (как Федор I) царь самим фактом своего существования оказывается способен сохранить стабильность и преемственность власти.

Но Борис царствовал недостаточно долго, чтобы права нового дома освятились традицией. Привыкли к Годунову — но не к Годуновым, и когда после смерти Бориса возник вопрос, кто легитимнее: сын Ивана Грозного или сын выскочки, для массового сознания ответ был очевиден. Даже бояре, которые, конечно, очень боялись неведомого «царевича» и при иных обстоятельствах сплотились бы вокруг трона, не решились идти против настроения массы.

Царь прихварывал уже давно, часто отправлялся молиться о здравии по монастырям, что в те времена заменяло поездку в санаторий. У Бориса была водянка — очевидно, следствие сердечной недостаточности, а за год до смерти он, возможно, перенес и инсульт — стал приволакивать ногу. Следует учитывать и то, что все последние месяцы этот еще не старый, но нездоровый человек находился в состоянии тяжелого стресса.

Однако 13 апреля 1605 года он чувствовал себя хорошо. Был весел, с аппетитом отобедал, после чего, согласно одному из рассказов, вздумал подняться на высокую башню, откуда любил смотреть на Москву. Наверху царю стало дурно. Спустившись, он потерял сознание. Из носа и ушей хлынула кровь, из-за чего потом поползли слухи, что Бориса отравили или он сам принял яд.

Царя едва успели перед смертью причастить и постричь в схиму, дав имя Боголеп.

Так государственный корабль в разгар бури остался без капитана.

Несостоявшаяся династия

Наследник у Бориса был, и очень недурной. Годунов уделял много внимания воспитанию сына — кажется, это первый случай в русской истории, когда ребенка сознательно готовили к управлению государством.

Мальчик рос смышленым и способным, поражал современников своей образованностью — про Федора говорили, что он «изучен всякого философского

«Карта Федора Годунова», напечатанная в Голландии

КАТАСТРОФА

естествословия». Сохранилась первая русская географическая карта, составление которой приписывают Федору Годунову.

Борис приучал подданных и иноземцев чтить цесаревича — на официальных церемониях имена отца и сына произносили вместе.

И все же, несмотря на свои дарования, наследник был слишком зелен — ему шел только шестнадцатый год.

Боясь Семена Годунова, вездесущего начальника сыска, бояре безропотно присягнули новому царю, который, очевидно, во всем слушался старших родственников. Несомненно, это они посоветовали ему отозвать из действующей армии Федора Мстиславского и Василия Шуйского, которых вечно подозревали в тайных помыслах занять трон. Вместо них командовать войсками отправился Петр Басманов, всем обязанный Годуновым и потому пользовавшийся их доверием.

Чтобы повысить популярность власти, Федор II раздал щедрые дары москвичам на поминовение души усопшего отца и объявил прощение многим сосланным, вместе с которыми вернулся опальный Богдан Бельский.

Эти меры дали не тот результат, которого от них ожидали. Народ продолжал шептаться, что царевич Дмитрий — настоящий; Шуйский, Мстиславский и Бельский, оказавшись в Москве, немедленно начали плести интриги, а хуже всего вышло с «верным» Басмановым.

Во-первых, воевода уехал, недовольный тем, что его оттерли от престола в то время, как он рассчитывал занять первое место подле юного царя. А во-вторых, прибыв в армию, Басманов увидел, что она совершенно деморализована смертью Бориса и все чуть не в открытую высказываются за Дмитрия.

Судя по всему, у Петра Басманова не было возможности переломить эти настроения. Возможно, сыграло роль и честолюбие: воевода знал, что при существующей системе власти ему, с его недостаточной родовитостью, всегда суждено быть на вторых ролях (он и теперь формально занимал должность «второго воеводы» при знатном ничтожестве князе Катыреве-Ростовском), — а отличившись перед претендентом, он разом возвысится над всеми.

И 7 мая Басманов объявил войскам, что истинный государь — Дмитрий Иванович. Все, кроме небольшого количества иностранных наемников, охотно присягнули Самозванцу. Горстка военачальников, сохранивших верность Федору II, бежала в Москву с ужасной вестью, что армия перешла на сторону врага.

Лжедмитрий не мог поверить своему счастью. Кажется, он опасался ловушки — и отправил московскую рать под командованием князя Василия Голицына (басмановского родственника) вперед, сам же сохранял дистанцию, окруженный своими старыми приверженцами. Не исключено, впрочем, что Лжедмитрий намеренно держался сзади, предоставив Голицыну выполнить грязную работу — ведь престол был занят, и его предстояло очистить.

МЕЖДУ АЗИЕЙ И ЕВРОПОЙ

Падение юного царя Федора теперь было предрешено. Как ни страшились московские бояре загадочного польского выходца, но надо было выслужиться перед победителем. В сложившейся ситуации существовал только один способ это сделать.

Последние дни власти Годуновых представляют собой сплошную череду предательств. Измена была повсюду. Государство рушилось, как карточный домик.

Сначала гонцов Самозванца перехватывали и безжалостно предавали смерти, но в первый день лета двое дворян, Наум Плещеев и Гаврила Пушкин (предок поэта), были не только беспрепятственно пропущены в Москву, но смогли прочитать с Лобного места воззвание «царевича». Толпа ответила приветственными криками. Вышел Василий Шуйский, который недавно на этом же самом месте рассказывал о похоронах Дмитрия, и заявил, что мальчик спасся и вместо него похоронили «поповского сына». (Пройдет еще год, и Шуйский опять поменяет версию, но об этом речь пойдет уже в следующем томе.)

Посланцы Лжедмитрия могли спокойно ораторствовать на Красной площади, потому что еще с предыдущего дня Годуновы засели в Кремле и не смели оттуда высунуться. Стрельцы вроде бы готовились защищать государя, однако ворот не запирали.

Тут появился неугомонный Богдан Бельский, стал кричать, что лично спас царевича (хоть в Угличе он и не был) и позвал толпу громить Годуновых.

Ворвавшись в Кремль, народ не встретил сопротивления — стрельцы тоже изменили присяге.

Федор сел в Грановитой палате на трон, его мать и сестра подняли образа, но эта жалкая попытка воззвать к сакральным чувствам толпы не сработала. Царскую семью вывели из дворца в дом, который Годунов занимал в прежние времена, и поместили под караул.

Власть пала, переворот завершился.

Самые знатные бояре поспешили в лагерь к Самозванцу доложить о том, что Москва готова принять «законного государя».

В Кремле распоряжался Бельский, наконец дорвавшийся до власти.

Однако Лжедмитрий не захотел въехать в покорную столицу, пока царь оставался жив. Тут-то и пригодился Василий Голицын, предводитель изменнической армии.

Прибыв в Москву, князь сначала отстранил Бельского, которому не помогла его ретивость — к этому времени все места близ нового властителя уже были распределены и заняты, в услугах Бельского никто не нуждался.

Затем с бесчестием низложили годуновского патриарха Иова — чтобы не помешал дальнейшему.

Всем ненавистного Семена Годунова тихо удушили в темнице. Прочих царских родственников отправили в ссылку.

КАТАСТРОФА

И уже потом, без помех, несколько человек во главе с самим Голицыным пришли туда, где под арестом содержалась царская семья. Юный Федор, смелый и не по годам крепкий, отчаянно сопротивлялся, но на него навалились и прикончили. Вдовую царицу удавили веревкой. Пощадили лишь царевну Ксению, которой была суждена горькая судьба.

Народу сказали, что царица и ее сын отравились, а поскольку самоубийцам христианское погребение не полагалось, мертвые тела сначала предъявили публике, а потом зарыли безо всяких церемоний. Туда же в могилу сунули извлеченное из саркофага тело Бориса, который тоже был объявлен грешником, покончившим с собой.

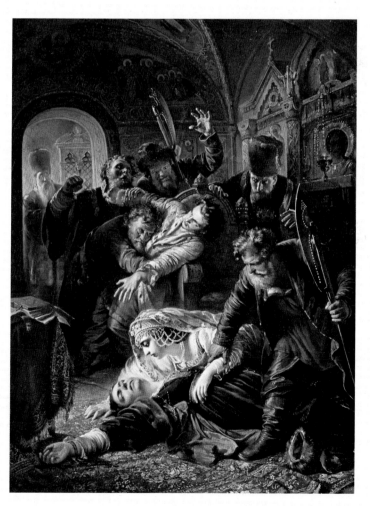

Убийство Фёдора Годунова. *К.Е. Маковский*

359

МЕЖДУ АЗИЕЙ И ЕВРОПОЙ

Династия Годуновых, давшая России двух царей, но просуществовавшая всего семь лет, пресеклась. Вместе с ней заканчивается и история «второго» русского государства, построенного Иваном III. Страну ожидала Великая Смута: распад, раскол, чехарда правителей, гражданская война, иноземные нашествия и временная утрата независимости.

Эти беды, начавшиеся сразу после смерти Бориса Годунова, конечно, бросают мрачную тень и на всё его правление. У потомков осталось ощущение, что погубителем державы был он. Такая оценка восходит еще к началу семнадцатого века, когда правители, пришедшие на смену Годунову и обладавшие легитимностью еще в меньшей степени, чем он, всячески старались свалить вину за тяжелое состояние страны на прежнюю власть — обычное в истории явление.

Однако впоследствии большинство историков, даже тех, кто приписывал Борису «кровавых мальчиков в глазах», относились к нему скорее с сочувствием.

С. Платонов, например, пишет: «Историческая роль Бориса чрезвычайно симпатична: судьбы страны очутились в его руках тотчас же почти по смерти Грозного, при котором Русь пришла к нравственному и экономическому упадку. …После Грозного Московское государство, утомленное бесконечными войнами и страшной неурядицей, нуждалось в умиротворении. Желанным умиротворителем явился именно Борис, и в этом его громадная заслуга. В конце концов, умиротворить русское общество ему не удалось, но на это были свои глубокие причины и в этом винить Бориса было бы несправедливо».

Пожалуй, можно выразиться и еще более определенно: силы «второго» государства были так надломлены разрушительной властью Ивана IV, что, если бы не Борис, оно развалилось бы раньше. «Годунов отвратил его [распад] или, по крайней мере, отсрочил», — признает даже желчный Костомаров.

Коренные причины непрочности «второго» русского государства будут суммированы в заключительной главе тома; в эпоху Бориса Годунова оно уже держалось лишь усилиями энергичного правителя и немедленно, в несколько недель, развалилось, когда его не стало.

Русь и русские глазами иностранцев

Рассказы чужеземных авторов-современников о событиях и явлениях, напрямую связанных с заглавной темой — историей государства, я использовал в основном корпусе книги; здесь же, в качестве приложения, хочу привести иностранные сообщения о материях вроде бы маловажных: повседневной жизни жителей тогдашней Руси, их привычках и нравах.

В русских хрониках всего этого не найти — кому же придет в голову тратить бумагу и чернила на вещи общеизвестные и скучные? Только досужим иноземцам, которым всё в диковинку. Они тоже в основном были людьми практическими — торговцами, дипломатами или военными — и больше внимания уделяли темам «полезным», но иногда соскальзывали и на бытовые или нравоописательные мелочи. Для потомков именно эти фрагменты являются самыми драгоценными, так как позволяют заглянуть через подзорную трубу Времени в прошлое и увидеть пусть искаженные, но живые тени далеких предков.

А искажений, конечно, хватает. Многие наблюдения явно неверны, многие выводы и умозаключения поверхностны, сам взгляд чаще всего недобр (людям редко нравится чужое и малопонятное), но все же испытываешь чувство благодарности к этим авторам, даже самым враждебным или неумным. Без них люди русского средневековья так и остались бы для нас неведомой и безликой массовкой, окружавшей фигурантов летописных хроник — царей, бояр, архиереев, в лучшем случае — отдельных дворян с дьяками.

Основные рассказчики

Их — тех иностранцев, кто писал не только о политике, географии или экономике — было совсем немного. Кратко представлю основных.

В эпоху Ивана III чужеземных гостей, оставивших содержательные зарисовки русской жизни, почти не было. Из обстоятельных трудов самой ранней по времени книгой являются «Записки о московской жизни» Сигизмунда фон Герберштейна, императорского посла, который дважды побывал в России уже при Василии III. С этим свидетелем нашим историкам необычайно повезло. Герберштейн понимал славянские языки (он вырос в Словении), был дотошен, наблюдателен и добросовестен. Он имел привычку перепроверять полученные сведения, поэтому в его сочинении очень мало небылиц и нелепиц. В целом это удивительно достоверный документ.

С шестнадцатого века Русь, которую европейцы называют Московией, возвращается на географическую карту и начинает вызывать на Западе всё больший интерес.

Появляется целый ряд ученых авторов, которые сами в далекой полуазиатской стране не бывали, но побеседовали с вернувшимися оттуда людьми, записали и проанализировали их рассказы.

К такого рода источникам относятся весьма любопытные, хоть и изобилующие неточностями книги Иоганна Фабри, Павла Иовия и Альберта Кампензе.

Тюбингенец Иоганн Фабри в 1525 году расспросил о Московии русских послов Ивана Ярославского-Засекина и Семена Трофимова, возвращавшихся к Василию III от испанского короля Карла V, и составил доклад для эрцгерцога Фердинанда Австрийского.

Итальянец Павел Иовий (Паоло Джовио) был епископом, но очень интересовался всем необычным. Примерно в то же время, что Фабри, он встречался с другим русским посланцем, направленным к папе римскому, и тоже добросовестно всё записал.

Голландец Альберт Кампензе разговаривал про Московию со своими родственниками — купцами, ездившими в Россию торговать. Собранные сведения в начале 1540-х годов он изложил в пространном письме папе Клименту VII.

Несколько особняком стоит итальянец Алессандро Гваньини, человек не ученого сословия, а профессиональный солдат, поступивший на польскую службу. С русскими он встречался только в бою, но, будучи комендантом литовского Витебска, счел своим долгом узнать как можно больше о вражеской стране — и в результате составил весьма подробное повествование (1578), в русских главах которого на удивление мало ошибок.

С середины столетия поездки в Московию перестают быть экзотикой, и путешественников, в том числе пишущих, становится гораздо больше.

Не раз поминавшийся вестфалец Генрих фон Штаден, сам по себе изрядный негодяй и не слишком надежный источник во всем, что касается политики, прожил на Руси целых двенадцать лет и сообщает массу любопытных деталей, которые придумать было бы трудно, да и незачем. Он писал свои «Записки о Московии» в 1577–1578 годах для австрийского императора, к которому надеялся устроиться на службу.

РУСЬ И РУССКИЕ ГЛАЗАМИ ИНОСТРАНЦЕВ

Совсем иного уровня автор — папский легат Антонио Поссевино, посредник между Польшей и Русью при мирных переговорах в 1580-е годы. Этот дипломат-иезуит главным образом интересовался вопросами политическими и религиозными, но есть в его трактате «Московия» (1586) и фрагментарные заметки о русской повседневности.

Отдельную группу иностранных наблюдателей составляют англичане, частые и желанные гости на Руси. Самые любопытные описания русской жизни можно встретить у дипломата Джильса Флетчера («О Русском государстве», 1591) и сэра Джерома Горсея, проведшего в России по торгово-дипломатическим надобностям целых восемнадцать лет и оставившего замечательные воспоминания.

Русская жизнь в XVI веке

В эпоху позднего Возрождения европейцы стали придавать большое значение образованности и, описывая чужую страну, часто судили о ней по распространению учености. Оценивали с этой точки зрения и Московию. Картина выходила незавидная. Грамотность, обычная у горожан в домонгольский период, теперь стала редкостью.

Австрийский посол Ганс фон Кобенцель в 1576 году пишет: «Во всей Московии нет ни одной школы, ни других удобств для обучения, кроме монастырей; потому из тысячи человек едва найдешь одного или двух грамотных». Более осведомленный Герберштейн уточняет: «Училища есть, однако весьма малочисленные; в них дети благородных особ обучаются словесности, преимущественно же священным наукам, преподаваемым обычно на рутенском [западнорусском, то есть принятом и в Литве] языке. Очень немногие занимаются иноземными языками; изучению же греческого посвящают себя многие». Поссевино вносит важное дополнение: «Если покажется, что кто-нибудь захочет продвинуться в учении дальше или узнать другие науки, он не избежит подозрения и не останется безнаказанным». И тут же дает этому странному запрету объяснение: «Таким путем, по-видимому, великие князья московские следят не столько за тем, чтобы устранить повод к ересям, которые могли бы из этого возникнуть, сколько за тем, чтобы пресечь путь, благодаря которому кто-либо мог бы сделаться более ученым и мудрым, чем сам государь». Умный Флетчер доводит эту мысль до логического завершения, предположив, что простых людей намеренно не допускают к учению, «чтобы легче было удержать их в том рабском состоянии, в каком они теперь находятся, и чтобы они не имели ни способности, ни бодрости решиться на какое-либо нововведение».

МЕЖДУ АЗИЕЙ И ЕВРОПОЙ

Это действительно так: в «жестко вертикальной» системе государству требуются не умники, а нерассуждающие исполнители, вот почему Россия и в последующие века, став казенной империей, будет намеренно притормаживать развитие образованности среди социальных низов — последняя по времени попытка воспрепятствовать просвещению произойдет уже в конце XIX века (печально знаменитый указ Александра III не принимать в гимназии «кухаркиных детей», дабы «не выводить из среды, к коей они принадлежат»).

Такое положение дел вызывает у Флетчера глубокое сожаление, ибо англичанин обнаруживает у русских простолюдинов «способность к искусствам», «природный здравый рассудок» и «хорошие умственные способности», мало задействованные за отсутствием «средств, какие есть у других народов для развития их дарований воспитанием и наукой».

Ценнее всего в рассказах иностранцев, конечно, взгляд со стороны на «мелочи жизни», которых отечественные летописи почти никогда не описывают.

Например, благодаря Герберштейну, мы знаем, как в начале XVI века московиты одевались. «Все они употребляют одинаковую одежду или убранство. Носят длинные кафтаны, без складок, с очень узкими рукавами, почти как у венгерцев. Узелки, которыми застегивается грудь, у христиан на правой стороне, у татар же, употребляющих одинаковую одежду, — на левой. Сапоги носят почти всегда красные и короче, нежели до колен, с подошвами, подбитыми железными гвоздиками. Воротники рубашек почти у всех украшены разными цветами; застегивают их пуговками, то есть серебряными или медными позолоченными шариками, для украшения присоединяя к ним жемчуг… Они опоясывают не живот, но бедра, и чем больше выдается живот, тем ниже спускают пояс» — толщина, дородность в те несытые времена считалась предметом для гордости.

У Гваньини такие сведения: «Одежду все носят очень длинную, она ниспадает складками до самых пят, преимущественно голубая или белая. Носят они войлочные шапки из валяной шерсти, невысокие красные сапоги ниже колен; подошвы их слегка приподняты в носках и подбиты железными гвоздиками. Надевают рубахи, вышитые у шеи разноцветными шелками, а у знатных затканные золотом, украшают их ожерельями из драгоценных камней, жемчуга или бусин серебряных или золоченых медных. В знак некоего таинства они носят на шее кресты; у знатных они серебряные или золотые, украшенные драгоценными камнями, у простолюдинов же — железные или медные».

Про одежду московитянок рассказал Джильс Флетчер: «Женщина, когда она хочет нарядиться, надевает красное или синее платье и теплую меховую шубу зимой, а летом только две рубахи (ибо так они их называют), одну на другую, и дома, и выходя со двора. На голове носят шапки из какой-нибудь цветной материи, многие также из бархата или золотой парчи, но большей частью повязки

РУСЬ И РУССКИЕ ГЛАЗАМИ ИНОСТРАНЦЕВ

Без серег серебряных или из другого металла и без креста на шее вы не увидите ни одной русской женщины, ни замужней, ни девицы».

Еда, которой питается простой народ, иностранцам по большей части не нравится. Флетчер жалуется на отвратительный и вредный для здоровья «сок капусты, лука и чеснока» (видимо, не понравившиеся англичанину щи), а также «жидкий напиток, называемый квасом, который есть не что иное, как вода, заквашенная с небольшою примесью солода». Жареного русские едят мало, в основном вареное. «Стол у них более нежели странен. Приступая к еде, они обыкновенно выпивают чарку, или небольшую чашку, водки (называемой русским вином), потом ничего не пьют до конца стола, но тут уже напиваются вдоволь и все вместе, целуя друг друга при каждом глотке, так что после обеда с ними нельзя ни о чем говорить, и все отправляются на скамьи, чтобы соснуть». (На чрезмерное пьянство иностранцы начинают обращать внимание с середины шестнадцатого века, когда при Иване IV для пополнения казны государство стало активно торговать крепкими спиртными напитками, о чем уже рассказывалось, так что возвращаться к этой теме не буду.)

Штадену запомнился и, видимо, понравился напиток под названием Slatky Mors, который продают летом на улице из кувшинов со льдом. «Изготовляется он так: русские берут из ручья свежую проточную воду и можжевеловую ягоду и кладут ее в эту воду; оттого вода становится кислой. Затем берут мед, подме-

Moſcouita Magnatis habitu.   Moſcouita nobilis familia   Moſcouita habitu militari.   Tartarus gentili more armatus

Одежда московитов. *Иллюстрация из «Записок о Московитских делах» С. Герберштейна*

МЕЖДУ АЗИЕЙ И ЕВРОПОЙ

шивают его в воду и процеживают сквозь волосяное сито. Вода делается тогда сладкой».

О русской «высокой кухне», которой потчевали гостей на царском приеме, дотошно докладывает Герберштейн: «…Когда же начали есть жареных журавлей, они подливали уксусу и прибавляли соли и перцу, ибо они употребляют это вместо соуса или похлебки. Кроме того, кислое молоко, поставленное для того же употребления, соленые огурцы, сверх чего груши, приготовленные таким же образом». Австриец также упоминает изобилие вяленой и соленой рыбы «в кусках» — белужины, осетрины, стерлядей. Десерты выглядят так: подают «варенья с кишнецом [кориандром], анисом и миндалем, потом орехи, миндаль и целую пирамиду из сахару».

Естественно, чужеземцы больше пишут о том, что показалось им в русской жизни удивительным, не похожим на европейские обычаи. Таковы, например, семейные отношения и в особенности приниженность женщин — следствие установившихся во времена Золотой Орды азиатских обычаев.

«Любовь супругов по большей части холодна, преимущественно у благородных и знатных, потому что они женятся на девушках, которых никогда прежде не видали, а потом, занятые службой князя, принуждены оставлять их, оскверняя себя гнусным распутством на стороне, — пишет Герберштейн. — …Положение женщин самое жалкое. Ибо они ни одну женщину не считают честною, если она не живет заключившись дома и если ее не стерегут так, что она никогда не показывается в публику. Они почитают, говорю я, мало целомудренною ту женщину, которую видят чужие и посторонние. Заключенные дома, женщины занимаются только пряжей. Все домашние работы делаются руками рабов. Что задушено руками женщины — курица или какое-нибудь другое животное, — тем они гнушаются как нечистым. У беднейших жены исправляют домашние работы и стряпают. Впрочем, желая в отсутствие мужей и рабов зарезать курицу, они выходят за ворота, держа курицу или другое животное и нож, и упрашивают проходящих мужчин, чтобы они убили сами».

В сочинении этого автора приведен живописный случай, вероятно, присочиненный, но очень характерный для взгляда иноземцев на русскую семью: «В Московии есть один немец, кузнец, по имени Иордан, который женился на русской. Поживши несколько времени с мужем, жена однажды сказала ему ласково: «Почему ты, дражайший супруг, не любишь меня?» Муж отвечал: «Напротив того, очень я люблю тебя». — «Я еще не имею, — сказала она, — знаков твоей любви». Муж спрашивал, каких знаков хочет она? Жена ему отвечала: «Ты никогда меня не бил». — «По правде, побои не казались мне знаками любви, — сказал муж, — но однако и с этой стороны я буду исправен». И, таким образом, немного спустя он ее жестоко побил и признавался мне, что после этого жена стала любить его гораздо больше. Это он повторял потом очень часто и наконец в нашу бытность в Москве сломил ей шею и колени».

РУСЬ И РУССКИЕ ГЛАЗАМИ ИНОСТРАНЦЕВ

Московитская мизогиния в это время считается чем-то общеизвестным — о бесправии русских женщин повествуют и Иовий, и Гваньини, никогда не бывавшие на Руси. Первый пишет: «Жены и вообще женский пол не пользуются у Московитян таким уважением, как у других народов; с ними обходятся не лучше как с рабами». Витебский комендант поражается тому же, что Герберштейн, полвека спустя: «Если мужья жен не бьют, то жены обижаются и говорят, что мужья их ненавидят, а побои считают признаком любви».

Впрочем, не всё так ужасно. От Штадена мы знаем, что московитянки находили возможность румяниться и белиться — значит, не только сидели взаперти. А Герберштейн рассказывает, что у женщин с девицами случаются и дни, «посвященные веселью», когда они собираются «на приятных лугах» и предаются удивительной забаве: «сидя на каком-то колесе, наподобие колеса Фортуны, они то поднимаются вверх, то опускаются вниз», а бывает, что и поют песни, ударяя в ладоши.

Противоречивы сведения, сообщаемые иностранцами об этикете общения. Одни авторы находят русских излишне вежливыми. «Народ этот в обращении чрезвычайно как церемонен, — пишет в 1564 году заезжий итальянец Рафаэло Барберини, делясь личными наблюдениями. — Встретясь на улице, хотя бы шли за делом, тотчас снимают шапки, и в несколько приемов кланяются друг другу, строжайше соблюдая, чтоб отдать поклон за поклон, да и снова поклониться, делая знак головой и рукою, что это для них безделица». Жак Маржерет удивляется русскому обычаю всё время целоваться, тогда еще не распространенному в Европе: «…Нужно заметить, что они целуются не только в это время, но всегда, ибо у них это нечто вроде приветствия, как среди мужчин, так и среди женщин, — поцеловаться, прощаясь друг с другом или встречаясь после долгой разлуки». Особенная вакханалия всеобщего целования, как заметил француз, происходит на Пасху: «И ходят навещать друг друга, обмениваясь поцелуями, поклонами и прося прощения друг у друга, если обидели словами или поступками; даже встречаясь на улицах, хотя бы прежде никогда не видели друг друга, целуются, говоря: Prosti mene Pojaloi».

В то же время Штадену русские показались изрядными невежами (правда, и общался он в основном со всяким опричным сбродом). Немец пишет, что московиты очень фамильярны, всех без разбору называют на «ты», учтивых выражений не употребляют и запросто могут сказать собеседнику «ладно врать-то», причем даже слуга способен ляпнуть такое господину.

В иностранных текстах также встречаются реалии и приметы времени, впоследствии исчезнувшие и забытые самими русскими. Это тоже очень интересно.

От иноземцев шестнадцатого века мы узнаем, например, что на Руси тогда умели выращивать какие-то особенные дыни — «похожие на тыкву, но слаще и приятнее вкусом» (Флетчер). «Они сеют дыни с особенною заботливостью и искусством: складывают в высокие грядки землю, смешанную с навозом, и в нее зарывают семена; этим способом они предохраняются одинаково от излишков тепла и холода» (Герберштейн). Впоследствии это искусство куда-то исчезло — возможно, из-за глобального похолодания, начавшегося в конце описываемого периода.

Вместо счетов русские использовали сливовые косточки (Штаден), а для исчисления военных потерь, согласно Гваньини, применялся такой способ: «Набранные солдаты являются поодиночке к великому князю и вручают ему по одной монете, которую на своем языке называют «денга» (по стоимости она равна польскому грошу); вернувшись с войны, они берут эту монету обратно, монеты же убитых государь обычно удерживает и таким образом узнает число убитых».

По-видимому, от татар передалось скверное отношение к собакам, которых, как и свиней, почитали за нечистых животных, никогда не гладили и вообще избегали прикасаться голой рукой (Герберштейн). При этом собаки были в каждом дворе и преогромные — «величиной со льва», рассказывает путешественник дон Хуан Персидский (персидский посол, получивший такое странное имя после перехода в католичество): «Эти собаки днем сидят на цепи, а в час ночи звонят колокола в знак того, что сейчас спустят собак с цепи на улицу — пусть прохожие берегутся! — и спускают собак, и никто тогда не осмеливается выйти из дому, потому что иначе собаки разорвут его в клочки». (Слава богу, впоследствии у русских отношение к собакам переменилось, и тень прежней брезгливости сохранилась лишь в памяти языка: несимпатичного человека и сегодня могут обозвать «свиньей» или «собакой» — а, скажем, не «кошкой».)

Если верить чужеземцам, при болезни московиты в основном лечились святой водой или водкой (должно быть, в зависимости от степени религиозности). Штаден сообщает подробности русской терапии: «…Если простолюдины заболевают, они берут обычно водки на хороший глоток и засыпают туда заряд аркебузного пороха или же головку толченого чеснока, размешивают это, выпивают и тотчас идут в парильню, столь жаркую, что почти невозможно вытерпеть, и остаются там, пока не попотеют час или два, и так поступают при всякой болезни».

Впечатления о народе

Фактические описания русской жизни в историческом смысле, конечно же, ценнее субъективных суждений того или иного автора о русских людях, однако и здесь тоже можно обнаружить немало интересного — скажем, описание внешности предков.

РУСЬ И РУССКИЕ ГЛАЗАМИ ИНОСТРАНЦЕВ

Все отмечают очень здоровый вид русских, а многим они кажутся красивыми.

«Мужчины и женщины у них чрезвычайно как хороши собою и здоровы» (Барберини).

«Московитяне вообще — роста среднего и телосложения здорового и весьма крепкого; имеют голубые глаза, длинную бороду, короткие ноги и огромное туловище» (Иовий).

«Жители страны весьма красивы на вид; мужчины очень белы, толсты и высоки; женщины обыкновенно очень красивы, и весьма украшает их куний мех, из которого у них сделаны платья и шапки» (Хуан Персидский).

Упитанность местных жителей бросается в глаза всем авторам.

«Что касается до их телосложения, то они большей частью роста высокого и очень полны, почитая за красоту быть толстыми и дородными», — пишет Флетчер. Штаден находит иное объяснение русской корпулентности: «Все ездят летом верхом, а зимой в санях, так что не производят никакого движения, что делает их жирными и тучными, но они даже почитают наиболее брюхастых, называя их Dorothney Schalovec».

Внешность московитян иноземцам нравится, а вот нравы и поведение — не особенно. Оно и понятно: в ту неполиткорректную эпоху ксенофобия и вообще антипатия ко всему чужому, непривычному были в порядке вещей.

Тем не менее есть вещи, которые иностранным современникам кажутся в русских завидными или похвальными.

Во-первых, это крепкое здоровье. Штаден пишет, что русские начинают болеть только в старости, а живут они долго, чуть ли не до 120 лет, и вообще среди населения необычно много стариков. В Европе тогда средняя продолжительность жизни была невысокой, и пропорция пожилых людей свидетельствовала о хорошем качестве жизни.

Первый побывавший на Руси англичанин Ричард Ченслер очень высоко оценивает силу и выносливость русских воинов: «Спрошу я вас, много ли найдется между нашими хвастливыми воинами таких, которые могли бы пробыть с ними в поле хотя бы один месяц. Не знаю ни одной страны около нас, которая бы славилась такими людьми…» [А дальше англичанин всё портит, прибавляя «…и животными». Дело в том, что еще больше ему понравилась «суровость и выносливость» русских лошадей. Впрочем, в те времена военная мощь страны в значительной степени определялась качеством лошадей — главной боевой техники эпохи.]

Многие также отмечают чистоплотность русских, не догадываясь о том, что она-то и была причиной крепкого здоровья и долгой жизни. Частота, с которой местные жители моются и ходят в баню, непривычным к гигиене европейцам кажется экзотичной и не у всех вызывает одобрение. Скажем, Флетчер считает, что неважный цвет лица женщин объясняется пристрастием к парилке (хотя на самом деле вина лежала на чрезмерном пристрастии к белилам).

МЕЖДУ АЗИЕЙ И ЕВРОПОЙ

Очень хорошее впечатление производит русская набожность и труд православных миссионеров, не жалеющих сил и даже жизни для распространения Христова учения среди язычников. «…Отправляются они в разные страны, лежащие на север и восток, куда достигают только с величайшим трудом и с опасностью чести и жизни, — почтительно пишет Герберштейн. — Они не ждут и не желают никакой от того выгоды, ибо, запечатлевая иногда учение Христово смертью, они стараются единственно только о том, чтобы сделать угодное Богу, наставить на истинный путь души многих, совращенных с него заблуждением, и приобрести их Христу».

Приятно удивляет отсутствие богохульственных ругательств, обычных в Европе (как мы знаем, русские привыкли браниться более крепким манером). Вот что действительно выгодно отличало тогдашних жителей Руси от европейцев — это широко распространенная традиция жалеть убогих, нищих, сирот, которым щедро подавали милостыню и не давали умереть от голода. «По сравнению со всеми их другими деяниями не менее значимо то, что они берут на свое содержание много нищих, которых каждый из них, по своему достатку и как того требует евангельское благочестие, наделяет милостыней, одевает, поит

Русские крестьяне. *Иллюстрация из книги Олеария. XVII век*

РУСЬ И РУССКИЕ ГЛАЗАМИ ИНОСТРАНЦЕВ

и кормит, — пишет Кампензе, вздыхая, что московитяне, «кажется, лучше нас следуют учению Евангельскому».

Читать Альберта Кампензе вообще очень лестно для национального самосознания: «Обмануть друг друга почитается у них ужасным, гнусным преступлением; прелюбодеяние, насилие и публичное распутство также весьма редки; противоестественные пороки совершенно неизвестны, а о клятвопреступлении и богохульстве вовсе не слышно».

Жаль только, что сведения эти составлены понаслышке и не подтверждаются рассказами людей, лично побывавших на Руси. Увы — и здесь я уже перехожу к критическим отзывам в адрес московитов — большинство иностранцев, которым приходилось иметь дело с русскими купцами и должностными лицами, утверждают об их честности нечто прямо противоположное. Очень много жалоб на обман в коммерции. «Они болтуны и великие лжецы, без всякого правдоподобия в своих словах, льстецы и лицемеры», — возмущается английский посол Энтони Дженкинсон. «Кто ведет с ними торговые дела, должен быть всегда осторожен и весьма бдителен, в особенности же не доверять им слепо; потому что на словах они довольно хороши, зато на деле предурные, и как нельзя ловче умеют добродушной личиною и самыми вкрадчивыми словами прикрывать свои лукавейшие намерения, — сетует Барберини. — Притом они большие мастера на обман и подделку товаров и с особенным искусством умеют подкрашивать соболей, чтоб продавать за самые лучшие, или покажут вам одну вещь на продажу, а станете с ними торговаться о цене, они тут будто и уйдут и слышать не хотят об уступке за предложенную им цену; а между тем и не заметите, как уже обменяют вещь и возвращаются к вам, уступая ее». Такого же мнения и Флетчер: «Что касается до верности слову, то русские большей частью считают его почти ни по чем, как скоро могут что-нибудь выиграть обманом и нарушить данное обещание. Поистине можно сказать (как вполне известно тем, которые имели с ними более дела по торговле), что от большого до малого (за исключением весьма немногих, которых очень трудно отыскать) всякий русский не верит ничему, что говорит другой, но зато и сам не скажет ничего такого, на что бы можно было положиться». Кажется, склонностью к двуличию больше всего отличались жители столицы. Оказывается, москвичей не любили уже тогда — об этом мы узнаем от Герберштейна: «Москвичи считаются хитрее и лживее всех остальных русских, и в особенности на них нельзя положиться в исполнении контрактов. Они сами знают об этом, и когда им случится иметь дело с иностранцами, то для возбуждения большей к себе доверенности они называют себя не москвичами, а приезжими».

В оправдание предков нужно сказать, что изворотливыми и двоедушными их сделали обстоятельства жизни в государстве, которое управлялось не по твердым законам, а по воле всесильного начальства. Для выживания и тем более преуспеяния в этой специфической реальности прямота и честность опасны, а полезны гибкость, лукавство и мгновенная приспособляемость.

Еще хуже купцов были чиновники. «Корыстолюбие же их простирается до той степени, что если не подарить им чего-нибудь, нельзя ничего от них получить, ни совершить никакой с ними сделки, — удивляется Барберини. — Вельможи, как и частные люди, не постыдятся нагло потребовать, чуть что увидят, перстни, или другие вещицы, даже деньги, словом все, что бы то ни было. У самого канцлера принято за правило, что если кто придет к нему и объявит, что желал бы поцеловать государеву руку, за какое-нибудь дело (потому что прежде всегда надо обратиться к канцлеру), первое его слово: «А принес ли что-нибудь, чтоб удостоиться взглянуть на ясные очи государя?» Это значит, что должно его задарить». Вот, оказывается, к каким временам восходит классический источник чиновничьего обогащения — «право допуска».

Из побочных эффектов «ордынскости» самым болезненным и исторически проблемным явлением была привычка к несвободе. Люди, тяготившиеся ярмом и тосковавшие по воле, имели возможность — если были смелы — уйти на окраины: в вольные южные степи или в восточные приуральские леса. Оставались те, кто мирился с рабством. По мере крестьянского закрепощения сегрегация на «смирных» и «активных» обретала все большие масштабы, особенно обострившись во времена репрессий Ивана Грозного и великого голода 1601–1603 годов. Первые результаты этого своеобразного «естественного отбора» отмечает еще в начале XVI века Герберштейн, который, впрочем, главным образом наблюдал жителей столицы. «Этот народ имеет более наклонности к рабству, чем к свободе, ибо весьма многие, умирая, отпускают на волю нескольких рабов, которые однако тотчас же за деньги продаются в рабство другим господам, — пишет посол и дальше задается очень непростым вопросом, который и сегодня продолжает оставаться предметом ожесточенных споров: — Неизвестно, такая ли загрубелость народа требует тирана государя или от тирании князя этот народ сделался таким грубым и жестоким?»

Пишут о том, что русские очень осторожны в поведении и боязливы в речах, что неудивительно при огромном количестве доносчиков, расплодившихся при Иване Грозном и потом при Годунове.

Бесправие порождало безынициативность, страх «высовываться». Читаем у Флетчера: «Чрезвычайные притеснения, которым подвержены бедные простолюдины, лишают их вовсе бодрости заниматься своими промыслами, ибо чем кто из них зажиточнее, тем в большей находится опасности не только лишиться своего имущества, но и самой жизни. Я нередко видел, как они, разложа товар свой (как то: меха и т.п.), все оглядывались и смотрели на двери, как люди, которые боятся, чтоб их не настиг и не захватил какой-нибудь неприятель. Когда я спросил их, для чего они это делали, то узнал, что они сомневались, не было ли в числе посетителей кого-нибудь из царских дворян или какого сына боярского, и чтоб они не пришли со своими сообщниками и не взяли у них насильно весь товар. Вот почему народ (хотя вообще способный переносить всякие труды) предается лени и пьянству, не заботясь ни о чем более, кроме дневного пропитания».

А вот из Ченслера: «Я слышал, как один русский говорил, что гораздо веселее жить в тюрьме, чем на свободе, если бы только там не было сильного битья. В тюрьме они получают пищу и питье без работы, равно как и милостыню от благорасположенного к ним народа. На свободе же они ничего не получают».

В целом из текстов, написанных иностранцами той эпохи, возникает образ народа сильного, ко всему привычного, очень себе на уме, не прущего на рожон и не идущего с плетью против обуха, но если уж рожон подломился, а обух треснул — берегись, царство-государство.

Именно это в Смуту и произошло.

Заключение. Сила и слабость «второго» русского государства

В истории постоянно повторяется одно и то же: факторы, первоначально приносившие успехи и победы, с изменением условий жизни утрачивают действенность и начинают давать обратный эффект. Параметры, которые обеспечили рост и укрепление русского государства в середине и второй половине пятнадцатого века, оказались недостаточны, а то и губительны к началу семнадцатого. За эти полтора века мир — прежде всего европейский, в который начинала возвращаться Русь, — очень переменился. Кардинальным образом трансформировалась и сама Русь. Из сравнительно небольшой страны, которая удобно управлялась традиционными «ордынскими» методами, она превратилась в большую, разноукладную, хозяйственно сложную, многонациональную державу. Тугая узда прямой, жестко централизованной власти уже не столько держала страну в повиновении, сколько мешала ее движению вперед, заставляла спотыкаться на ровном месте.

Основатель этого государства Иван III рассматривал Русь как большую вотчину и сделал всё для того, чтобы его преемники правили по тому же принципу. Уже говорилось, что в русском языке само слово «государство» стало производным от «государя», то есть страна рассматривалась как нечто, находящееся в личной собственности правителя. (И так сохранится до самого конца монархии. Последний царь Николай Второй во время переписи 1897 года в графе «род занятий» напишет: «Хозяин земли русской» — не «слуга народа», а его хозяин, подотчетный только помазавшему его на царство Богу.) Во времена же Ивана III великий князь считал себя хозяином своих владений не в символическом, а в самом буквальном, *хозяйственном* смысле.

«…В Иване III, его старшем сыне и внуке начинают бороться вотчинник и государь, самовластный хозяин и носитель верховной государственной власти, — пишет В. Ключевский. — Это колебание между двумя началами или порядками обнаруживалось в решении важнейших вопросов, поставленных самым этим собиранием, — о порядке преемства власти, об ее объеме и форме. Ход политической жизни объединенной Великороссии более чем на столетие

СИЛА И СЛАБОСТЬ «ВТОРОГО» РУССКОГО ГОСУДАРСТВА

испорчен был этим колебанием, приведшим государство к глубоким потрясениям, а династию собирателей — к гибели».

Большим государством нельзя править, как поместьем. Если, подобно Ивану Грозному, проявить слишком большое упорство в приверженности к прямому, ручному управлению, запускается механизм саморазрушения.

К концу описываемого периода в жизни государства развились три тяжелые болезни: неразработанность административной системы, рудиментарность законов и всё увеличивающееся отставание от быстро развивающегося Запада, причем вторая и третья беды в значительной степени были следствием первой.

Историки XIX века прибавляли и еще одну проблему, даже считая ее главной: кризис народной нравственности. Соловьев писал, что в результате злодейств Ивана Грозного на Руси «водворилась страшная привычка не уважать жизни, чести, имущества ближнего; сокрушение прав слабого пред сильным при отсутствии просвещения, боязни общественного суда, боязни суда других народов»; что «во внешнем отношении земля была собрана, государство сплочено, но сознание о внутренней, нравственной связи человека с обществом было крайне слабо». Того же мнения придерживался и Костомаров, который возлагал вину за национальную катастрофу на «поколение своекорыстных и жестокосердых себялюбцев», выросшее в условиях тирании и массовых репрессий. Но социальная и психологическая нестабильность, так драматично проявившаяся при распаде государства в 1605 году, тоже была следствием глубокого внутреннего кризиса *плохо устроенного* государства.

Оно оставалось «слишком азиатским», «слишком ордынским». Примитивная вертикальность власти перестала соответствовать запросам времени. Не было настоящих ведомств-министерств, которые могли бы эффективно регулировать разные сферы государственной жизни. Не было нормально работающей структуры регионального управления. Не было развернутого свода единых правил, по которым существовала бы огромная территория площадью в миллионы квадратных километров.

Вся гигантская пирамида держалась на одном стержне: фигуре самодержца, который единственный принимал решения, вплоть до самых мелких. Если совсем коротко сформулировать главную проблему «второго» государства, она состояла в том, что самодержавие еще не научилось делиться властью. Любые личные недостатки государя, аберрации характера, болезни немедленно сказывались на состоянии всей страны.

Степень прочности подобной системы была невелика, поскольку слишком зависела от элемента нематериального: веры населения в божественное право самодержца. Когда при Годунове этот фактор перестал работать, оказалось, что государству заменить его нечем. И оно развалилось.

Однако неудача управленческой модели не означала, что наступил конец России. Страна оставалась большой и сильной, сохранившей потенциал для развития; ей было куда расти; ее народу, объединенному культурно, религиозно

МЕЖДУ АЗИЕЙ И ЕВРОПОЙ

и хозяйственно, жилось вместе безопаснее и выгоднее, чем порознь — одним словом, необходимость в государстве никуда не делась, но предстояла коренная перестройка всего государственного организма, чтобы лучше приспособить его для реалий меняющегося времени.

Такие «перезагрузки», иногда сопровождаемые демонтажем всей системы, случатся в отечественной истории еще не раз, но «ордынский» фундамент российского государства останется неизменным.

Напомню, что «ордынская» модель, своими принципами восходящая к «Океанической империи» Чингисхана, складывается из следующих основных параметров.

Во-первых, это предельно централизованное государство, где ключевые решения принимаются в «ханской ставке».

Во-вторых, все обитатели державы считаются состоящими на службе у государства, которое объявляется высшей ценностью: не государство существует для населения, а население для государства.

В-третьих, непременно сакрализуется фигура самого государя, как бы он ни именовался на данном историческом отрезке: великим князем, царем, императором, генеральным секретарем или президентом.

В-четвертых, воля правителя всегда стоит выше закона — точно так же Орда управлялась не по законам, а по ханским указам.

Можно добавить и еще одну константу: вместо системы личных прав неизбежно формируется система личных привилегий, предоставляемых (и отбираемых) сверху, что придает «властной вертикали» определенную стройность и лучшую управляемость.

Дефекты базовой конструкции, заложенной Иваном III, попытается решить «третье» русское государство при новой династии Романовых. Как и Годуновы, поначалу она не будет осенена «божественным происхождением», поэтому ей волей-неволей понадобится создавать более сложную, более современную административную систему. Как мы увидим в следующем томе, этих мер окажется недостаточно.

376

Менее чем через век Петру Великому придется осуществить еще одну кардинальную модернизацию, ради чего будет создано «четвертое» российское государство, которое продолжит движение от «Азии» к «Европе». Государство это, военно-бюрократическая империя — европейская по внешнему декору, но все такая же «ордынская» по внутренней сути — просуществует довольно долго, два с лишним века, и в начале XX столетия, во время тотального кризиса европейской цивилизации, опять рассыплется.

После «пятого» российского государства (оно называлось Советским Союзом), качнувшегося назад, в сторону условной «Азии», будет и «шестое», сформировавшееся в 1991 году. Его жизнеспособность сразу же начала подвергаться серьезным испытаниям, и результат этой проверки на прочность пока не ясен.

2015

СОДЕРЖАНИЕ

Время Ивана Грозного (1533–1584)   157

Литературно-художественное издание

История Российского государства

16+

Борис Акунин

МЕЖДУ АЗИЕЙ И ЕВРОПОЙ
История Российского государства
От Ивана III до Бориса Годунова

Редакционно-издательская группа
«Жанровая литература»

Зав. редакцией *М.С. Сергеева*
Ответственный за выпуск *Т.Н. Захарова*
Бильд-редактор *О.С. Блинова*

Подписано в печать 28.10.2015 г.
Формат 70×100 $^{1}/_{16}$. Усл. печ. л. 30,96.
Тираж 90 000 экз.

ООО «Издательство АСТ»
129085, г. Москва, Звездный бульвар,
д. 21, стр. 3, комн. 5

"Баспа Аста" деген ООО
129085 г. Мәскеу, жұлдызды гүлзар, д. 21, 3 құрылым, 5 бөлме
Біздің электрондық мекенжайымыз: www.ast.ru
E-mail: astpub@aha.ru

Қазақстан Республикасында дистрибьютор және өнім бойынша арыз-талап-
тарды қабылдаушының өкілі «РДЦ-Алматы» ЖШС, Алматы қ., Домбровский
көш., 3«а», литер Ь, офис 1.
Тел.: 8(727) 2 51 59 89,90,91,92, факс: 8 (727) 251 58 12 вн. 107; E-mail:
RDC-Almaty@eksmo.kz
Өнімнің жарамдылық мерзімі шектелмеген.

Өндірген мемлекет: Ресей
Сертификация қарастырылмаған

Отпечатано в Италии (Grafica Veneta S.p.A.)

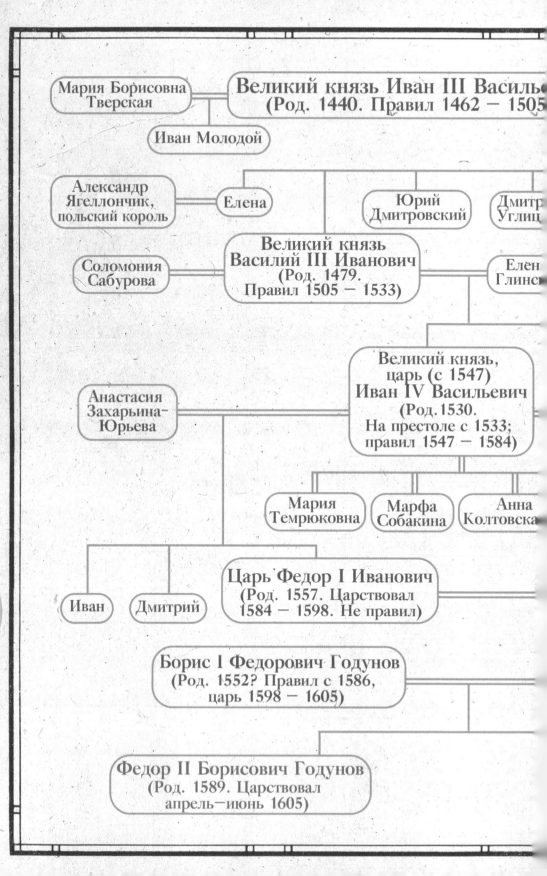

Мария Борисовна
Тверская

Великий князь Иван III Василье...
(Род. 1440. Правил 1462 — 1505...

Иван Молодой

Александр
Ягеллончик,
польский король

Елена

Юрий
Дмитровский

Дмитр...
Углиц...

Соломония
Сабурова

Великий князь
Василий III Иванович
(Род. 1479.
Правил 1505 — 1533)

Елен...
Глинс...

Великий князь,
царь (с 1547)
Иван IV Васильевич
(Род. 1530.
На престоле с 1533;
правил 1547 — 1584)

Анастасия
Захарьина-
Юрьева

Мария
Темрюковна

Марфа
Собакина

Анна
Колтовска...

Иван

Дмитрий

Царь Федор I Иванович
(Род. 1557. Царствовал
1584 — 1598. Не правил)

Борис I Федорович Годунов
(Род. 1552? Правил с 1586,
царь 1598 — 1605)

Федор II Борисович Годунов
(Род. 1589. Царствовал
апрель—июнь 1605)